Der fliegende Berg ist die Geschichte zweier Brüder, die von der Südwestküste Irlands in den Transhimalaya, nach dem Land Kham und in die Gebirge Osttibets aufbrechen, um dort wider besseres (durch Satelliten und Computernavigation gestütztes) Wissen einen bislang unentdeckten, namenlosen Berg zu suchen, vielleicht den letzten *Weißen Fleck* der Weltkarte. Auf ihrer Suche begegnen die Brüder nicht nur der archaischen, mit chinesischen Besatzern und den Zwängen der Gegenwart im Krieg liegenden Welt der Nomaden, sondern auf sehr unterschiedliche Weise auch dem Tod. Nur einer der beiden kehrt aus den Bergen ans Meer und schließlich in ein Leben zurück, in dem er das Rätsel der Liebe als sein und seines verlorenen Bruders tatsächliches, lange verborgenes, niemals ganz zu vermessendes und niemals zu eroberndes Ziel zu begreifen beginnt. Verwandelt von der Erfahrung, ja der Entdeckung der Wirklichkeit, macht sich der Überlebende am Ende ein zweites Mal auf den Weg.

Christoph Ransmayr, geboren 1954 in Wels / Oberösterreich, studierte Philosophie und Ethnologie, lebt in West Cork / Irland und Wien. Seine Romane *Die Schrecken des Eises und der Finsternis* (1984, Bd. 5419), *Die letzte Welt* (1988, Bd. 9538) und *Morbus Kitahara* (1995, Bd. 13782) wurden in 30 Sprachen übersetzt. Kleinere Prosaarbeiten in den Bänden *Der Weg nach Surabaya* (1997, Bd. 14212), *Die Verbeugung des Riesen* (2003) und *Geständnisse eines Touristen* (2004) erzählen von den ausgedehnten Reisen, die Ransmayr seit den 90er Jahren unternommen hat.
Für seine Bücher erhielt er zahlreiche literarische Auszeichnungen, u. a. den Großen Literaturpreis der Bayerischen Akademie der Schönen Künste (1992), den Franz-Kafka-Preis (1995), den Premio Letterario Internazionale Mondello (1997), den Friedrich-Hölderlin-Preis der Stadt Bad Homburg (1998), den Bert-Brecht-Preis (2004).

Christoph Ransmayr

Der fliegende Berg

Roman

Fischer Taschenbuch Verlag

Umschlagbild: Manfred Wakolbinger,
Atemluft, submarin (Unterwasserfoto, 2003)

3. Auflage: Januar 2009

Veröffentlicht im Fischer Taschenbuch Verlag,
einem Unternehmen der S. Fischer Verlag GmbH,
Frankfurt am Main, November 2007

Druck und Bindung: CPI – Clausen & Bosse, Leck
Printed in Germany
ISBN 978-3-596-17195-8

Judith, für dich.

Notiz am Rand

Seit die meisten Dichter sich von der gebundenen Rede verabschiedet haben und nun anstelle von Versen freie Rhythmen und dazu einen in Strophen gegliederten Flattersatz verwenden, ist da und dort das Mißverständnis laut geworden, bei jedem flatternden, also aus ungleich langen Zeilen bestehenden Text handle es sich um ein Gedicht. Das ist ein Irrtum. Der Flattersatz – oder besser: *der fliegende Satz* – ist frei und gehört nicht allein den Dichtern.

CR

Inhalt

1 *Auferstehung in Kham. Östliches Tibet, 21. Jahrhundert.*

Ich starb
6840 Meter über dem Meeresspiegel
am vierten Mai im Jahr des Pferdes.

Der Ort meines Todes
lag am Fuß einer eisgepanzerten Felsnadel,
in deren Windschatten ich die Nacht überlebt hatte.

Die Lufttemperatur meiner Todesstunde
betrug minus 30 Grad Celsius,
und ich sah, wie die Feuchtigkeit
meiner letzten Atemzüge kristallisierte
und als Rauch in der Morgendämmerung zerstob.

Ich fror nicht. Ich hatte keine Schmerzen.
Das Pochen der Wunde an meiner linken Hand
war seltsam taub.
Durch die bodenlosen Abgründe zu meinen Füßen
trieben Wolkenfäuste aus Südost.

Der Grat, der von meiner Zuflucht
weiter und weiter
bis zur Pyramide des Gipfels emporführte,
verlor sich in jagenden Eisfahnen,
aber der Himmel über den höchsten Höhen
blieb von einem so dunklen Blau,
daß ich darin Sternbilder zu erkennen glaubte:
den Bärenhüter, die Schlange, den Skorpion.

Und die Sterne erloschen auch nicht,
als über den Eisfahnen die Sonne aufging
und mir die Augen schloß,
sondern erschienen in meiner Blendung
und noch im Rot meiner geschlossenen Lider
als weiß pulsierende Funken.

Selbst die Skalen des Höhenmessers,
der mir irgendwann aus dem Klumpen
meines Handschuhs gefallen
und in die Wolken hinabgesprungen war,
blieben wie eingebrannt in meine Netzhaut:
Luftdruck, Meereshöhe, Celsiusgrade ...
jeder Meßwert des verlorenen Instruments
eine glühende Zahl.

Als zuerst diese Zahlen
und dann auch die Sterne verblaßten
und schließlich erloschen, hörte ich das Meer.

Ich starb hoch über den Wolken
und hörte die Brandung,
glaubte die Gischt zu spüren,
die aus der Tiefe zu mir emporschäumte
und mich noch einmal hochtrug zum Gipfel,
der nur ein schneeverwehter Strandfelsen war,
bevor er versank.

Das Krachen des Steinhagels,
der mir die Hand wundgeschlagen hatte,
das Fauchen der Böen, mein Herzschlag ...
verhallten in der Flut.

War ich am Grund des Meeres?
Oder am Gipfel?
In einem schmerzlosen Frieden,
von dem ich heute weiß,
daß er tatsächlich das Ende war, mein Tod
und nicht bloß völlige Erschöpfung,
Höhenwahn, Bewußtlosigkeit,
hörte ich eine Stimme, ein Lachen:
Steh auf!
Es war die Stimme meines Bruders.

Wir hatten uns im Wettersturz
der vergangenen Nacht verloren.
Ich war gestorben.
Er hatte mich gefunden.

Ich öffnete die Augen. Er kniete neben mir.
Hielt mich in seinen Armen. Ich lebte.
Mein Puls tobte in der Steinschlagwunde
an meiner Hand; mein Herz.

Wenn ich heute
an jene Mondnacht zurückdenke,
in der ich mit meinem Bruder
aus der Gipfelregion jenes Berges,
den die Nomaden von Kham *Phur-Ri* nennen:
Der fliegende Berg,
in die Tiefe zurückgeklettert, zurückgetaumelt war,
einen vom Eis verglasten Grat hinab,
blankgewehte Felsrinnen, schwarze Eiskamine hinab
und dann durch den hüfthohen Schnee jenes Sattels,
auf dem wir uns verloren …

Wenn ich an diesen Irrweg durch ein Eislabyrinth
in die bewohnte Welt denke,
die irgendwo unter Wolkentürmen im Abgrund lag,
dann sehe ich immer auch Nyema,

höre ihre besänftigende Stimme,
das Klimpern der Korallen- und Muschelketten um ihren Hals
und spüre die Wärme ihrer Hände,

sehe Nyema,

als wären es ihre Arme
und nicht die meines Bruders gewesen,
die mich damals umfingen:

Niemand, höre ich Nyema sagen,
niemand stirbt auf seinem Weg nur ein einziges Mal.

Nyema Dolma: Wie beharrlich sie war,
wenn sie mir ein Wort ihrer Sprache
oder bloß einen Handgriff zu erklären versuchte.
Wie warm ihr Atem,
wenn sie den Namen einer Pflanze
an meinem Ohr buchstabierte.

Ihr geflochtenes Haar roch nach Yakwolle
und Rauch, und während sie sprach,
schrieb sie mit ihrem Zeigefinger
manchmal schnelle, fliegende Zeichen
auf meinen Arm, meinen Handrücken –
Spiralen, Wellenlinien, Kreise.

Steh auf!

Ich hatte die Spur meines Bruders
in einem Schneesturm verloren,
in dem der Mond wie unter einer Sturzwelle
schwarzen Wassers erloschen war.
Der Sturm hatte uns auseinandergerissen
und mich in einer Finsternis,
in der allein der von Eiskristallen zersiebte
Schein meiner Stirnlampe zu sehen war,
in den Windschatten einer Felsnadel gejagt.
Dort hatte ich bis zum Sonnenaufgang überlebt.

Steh auf!

Mein Bruder kniete neben mir.
Hielt mich in seinen Armen.
Erhob sich dann wie unter einer Zentnerlast
und versuchte auch mich hochzuziehen.
Lachte.
Fluchte vor Ratlosigkeit.
Sein Gesicht, seine Sturmmaske,
war eine Fratze aus Eis.

Wieviel Zeit war seit unserer Trennung vergangen?
Die Sonne stand nun hoch über dem Gipfelgrat.
Der Himmel: wolkenlos.
Und im Schatten der Felsnadel,
im Schatten meiner Zuflucht: Windstille.

Ich lebte.
Es schneite.

Schwarzer Schnee?
Schwarzer Schnee:

Wie verkohltes,
von einem unsichtbaren Feuer zerrissenes Papier
taumelten schwarze Flocken
aus der Wolkenlosigkeit.

Aber als sich eine dieser Flocken
auf den eisverkrusteten Handschuh
meines Bruders setzte,
eine andere auf seine Schulter,
auf meine Brust, meine Stirn,
sah ich Fühler!
sah ich die Fadenglieder von Insekten,

Flügel: In einem Panzer aus Rauhreif,
der ihre Facettenaugen, Saugrüssel und Flügelschuppen
übertrieb und vergrößerte,
schneiten tote Schmetterlinge
auf mich und meinen Bruder herab,
zuerst vereinzelt, dann zu Hunderten,
schließlich in einem wirbelnden,
den Himmel verfinsternden Schwarm.

Manche dieser filigranen Kadaver
schienen beim Aufprall auf meiner Brust,
auf dem Handschuh meines Bruders
zu zerspringen,
und ich glaubte ein Klirren zu hören.

Ein Klirren?
Nein, es war still.
Vollkommen still.

Aus einem Himmel, der im Zenit
schon die Schwärze des Alls anzunehmen schien,
fielen eisstarre Falter, Apollofalter,
wie wir sie vor Wochen in den Tälern von Kham
gesehen hatten, in riesigen Schwärmen
über den Gebetsfahnengirlanden
eines zerstörten Klosters,
über einem Gletschersee,
einem Rhododendrenwald.

Ich war müde, unsagbar müde.
Wollte liegenbleiben.
Liegenbleiben, schlafen.
Schlafen.

Steh auf!
Mein Bruder zog, zerrte mich hoch,
sank mit mir in den Schnee zurück.

Und ich kauerte in seinen Armen,
6840 Meter über dem Meer,
und starrte durch einen dunklen Flockenwirbel
auf die Eisfahnen des Phur-Ri,
auf den blendenden Gipfel des fliegenden Berges,
auf dem ich unsere Namen
mit dem Schaft meines Eispickels
in den Schnee geschrieben hatte.
Ich lebte.

Du glaubst, geschlafen zu haben,
höre ich Nyema sagen und sehe,
wie sie Tashi, einen rußigen, weinenden Säugling,
auf ihren Armen wiegt,

du glaubst, geschlafen, geträumt zu haben,
und warst doch tot: deinem Leben fern.
Warst tot und bist zurückgekehrt,
weil eine Hand dich zurückgezogen,
eine Stimme dich zurückgerufen hat.

Nyema lachte oft, wenn sie sprach.
Ich glaube, es war ihre Heiterkeit,
die mir bewußt werden ließ, daß es an jenem Morgen
unter der Gipfelpyramide des Phur-Ri
wohl nicht die Worte meines Bruders gewesen waren,
die mich ins Leben zurückbefohlen hatten,
sondern sein Lachen.

Er hielt mich in seinen Armen
und lachte, rief lachend *es schneit!*
Es schneit Schmetterlinge! Steh auf!

Es war, als ob sich erst in diesem Lachen
auch alle anderen Geräusche und Worte
wieder aus der vollkommenen Stille lösen durften:
das Kreischen eines Steigeisens
auf dem vom Eis glasierten Fels,
das Klingen des Blutes in meinem Kopf,
unser Atemgeräusch,
das in der dünnen Luft dieser Höhe
dem Hecheln von Tieren glich.

Vielleicht sah mein Bruder an meinen Augen,
daß es vor allem sein atemloses Reden war,
das meine Aufmerksamkeit gefangennahm
und mich Satz für Satz in unser Leben zurückzog.

Er sprach so eindringlich und hastig,
als wären seine Worte die letzte Möglichkeit,
mich zu erreichen,
und ich müßte für immer verschwinden,
wenn er verstummte.

Aus einer allmählich schrumpfenden Ferne
hörte ich ihn *erinnerst du dich ...,*
weißt du noch sagen
du mußt dich erinnern, erinnere dich.

Wenn ich die Augen schloß,
rief er meinen Namen, immer wieder,
und dazu die Namen von Hochträgern
aus Nyemas Clan, Namen von Pässen,
die wir während unseres wochenlangen Anmarsches
zu den Eiswänden des Phur-Ri überquert hatten,
Namen, Namen, *hörst du mich,*
erinnerst du dich, steh auf!

Auf diesem Marsch
hatten wir Schmetterlingsschwärme
als Hunderte Meter lange, tanzende Bänder gesehen.
Sie flatterten selbst über höchste
schneeverwehte Pässe in unbewohnte,
von Schmelzwasserbächen durchzogene Täler,
folgten vielleicht einer Nahrungskette,
die blühende Sümpfe mit Gletschern verband,
vielleicht aber auch bloß
einer zum Irrweg gewordenen Route
einer Erinnerung, die in jene Urzeit zurückreichte,
als sich zwischen dem Ort ihres Aufbruchs
und ihrem Ziel

noch kein Eisgebirge erhoben hatte,
sondern nur sanftes, fruchtbares Hügelland.

Hörst du mich!
Steh auf!

Schon einmal, es war an jenem Nachmittag,
an dem uns der Gipfel des Phur-Ri
zum erstenmal wolkenfrei
und in großer Ferne erschienen war,
hatten wir gesehen,
wie einer dieser Schmetterlingsschwärme
von den Turbulenzen der Jahreszeit erfaßt
und in Säulen warmer Luft hochgewirbelt wurde
in die Unsichtbarkeit, in die Kälte, in den Tod
und dann, von der erschöpften Thermik
endlich losgelassen und vom Frost bereift,
auf die Gletscher zurückschneite.

Erinnere dich.

Nyema ... Es war Nyema, die gesagt hat,
daß mein Bruder mich im Windschatten
meiner letzten Zuflucht wohl aus dem Tod
ins Leben zurück*erzählte*,
indem er mit seiner Litanei von Namen
eine gemeinsame Erinnerung beschwor,
so unauslöschlich,
daß sie die Vergangenheit in Gegenwart verwandeln
und mich selbst aus einer Ferne zurückrufen konnte,
in der ich schon verschwunden war.

Ich erinnere mich, daß ich versuchte
den herabtaumelnden Faltern
mit meinem Blick zu folgen,
daß mich darüber ein rasender Schwindel erfaßte
und daß der erste Satz, den ich in den Armen
meines Bruders mit Mühe aussprach,
eine Frage war: *Sind sie tot?*

Und ich erinnere mich, daß mein Bruder
in seiner Begeisterung über mein Erwachen,
oder über die herabtaumelnden Kadaver
in ihren Reifpanzern, nicht aufhörte zu lachen
und mir aus einer Atemwolke,
die sein Gesicht verhüllte, zurief:
Aber sie fliegen! Sie fliegen immer noch!

Mein Bruder ist tot.

Seit mehr als einem Jahr liegt er nun
im Eis begraben,
am Fuß der Südwand des Phur-Ri,
durch die wir damals drei Tage und zwei Nächte
hinabgeklettert waren, schneeblind,
von Halluzinationen immer wieder in die Irre gelockt,
auf die donnernde Wolke jener Lawine zu,
in der er verschwand.

Ich glaube, Nyema war der erste Mensch,
der Wochen später das Furchtbare aussprach:
Sie bestrich meine blutigen Fingerkuppen
und die langsam vernarbende Steinschlagwunde
an meiner Hand mit einem zähflüssigen Absud
und sagte *dein Bruder ist tot.*

Tot.
Er hatte mich in einem Wirbel aus eisstarren Faltern
in den Armen gehalten.
Er hatte mich gewärmt
und mich ins Leben zurückerzählt
und war mir dann eine qualvolle Ewigkeit lang
durch die von Lawinen zerrissene Südwand
des Phur-Ri in eine Tiefe vorangeklettert,
die vor uns noch kein Mensch durchstiegen hatte.

Ich weiß nicht mehr, wie viele Stunden ich im Schutt
des Lawinenkegels nach ihm gegraben habe.
Ich hatte keine Fingernägel mehr,
als mich ein Hirte aus Nyemas Clan
auf der Suche nach verlorenen Yaks
in der Nähe eines verlassenen Lagers fand.
Meine Hände waren schwarz,
meine Zehen schwarz von Erfrierungen,
aber ich war am Leben.

Ich erinnere mich an bohrende Schmerzen,
als mich der Hirte auf einem aus Ästen, Fellen
und Lederriemen zusammengebundenen Schlitten
ein Hochtal hinauszog und -zerrte
und dabei manchmal in einen keuchenden
monotonen Gesang verfiel.

Ich wollte mich aufrichten,
nach dem Sänger greifen, ihn berühren,
um mich zu vergewissern,
daß er körperlich war, *wirklich* war
und nicht wieder nur eine von den Wahngestalten,
die mich auf dem Weg in die Tiefe begleitet

und sich in Schnee, in Steine
und Wolken verwandelt hatten,
wenn ich auf ihre Fragen geantwortet oder
nach ihren ausgestreckten Armen gegriffen hatte.

Ich wollte diesen Sänger umarmen
und blieb doch nur eine stöhnende Last,
bewegungsunfähig auf seinem Schlitten,
hatte nicht einmal mehr die Kraft,
einen mit Tee und Yakbutter gekneteten Klumpen
gerösteter Gerste zum Mund zu führen.
Der Sänger mußte mich füttern.

Heute,
während ich auf *Horse Island*
durch das sonnendurchflutete Haus
meines Bruders gehe,
von einem leeren, hallenden Zimmer zum anderen,
und durch ein von den Salzblüten der Gischt
fast blind gewordenes Fenster die Brandung sehe,
die Steilküste,
den von den Sturmböen der letzten Tage
aufgewühlten Atlantik, heute weiß ich,
daß uns ein Lachen vielleicht ins Leben zurückholen,
uns dort aber nicht halten kann.

Was Nyema, was ihren Clan
und mich und wohl die meisten von uns
am Leben erhält,
muß mit dem manchmal tröstlichen,
manchmal bedrohlichen Rätsel zu tun haben,
daß wir, wo immer wir sind,
nicht die einzigen sind:

Immer ist noch jemand *da*,
der zumindest von uns weiß, der uns nicht losläßt
oder von dem wir nicht lassen können,
jemand, der durch unsere Erinnerungen,
Ängste und Hoffnungen geht,
uns in den Armen hält, wärmt, füttert
oder uns keuchend, singend
auf einem Schlitten aus Ästen und Fellen
durch ein Geröllfeld schleift.

Der Hirte brauchte manchmal alle Kraft,
um mich über einen Schmelzwasserbach zu schaffen,
über eine Felsbarriere oder schuttbedecktes Toteis.
Wenn dabei ein Stein oder auch nur Wasser
an meine schwarzen, nägellosen Hände
oder an meine Füße schlug, schrie ich vor Schmerz.

Aber er ließ sich nicht beirren,
sondern nahm jeden meiner Schreie
wie ein neues Motiv in seinen Gesang auf
und wiederholte ihn, bis er sich einfügte
in die monotone Melodie seiner Lieder,
und sang mich so in eine Ohnmacht, in den Schlaf.

Ich erwachte,
als er mich vor einem schwarzen Zelt
vom Schlitten hochzuziehen versuchte
und dabei immer wieder die Gesichtszüge
meines Bruders annahm.

Wie ein unzerstörbares Bauwerk
ragte das Zelt in einen kreisrunden Himmel,
der von Federwolken durchzogen

und von menschlichen Gesichtern eingefaßt war:
Es waren die lachenden, neugierigen, mißtrauischen
und erschreckten Gesichter meiner Retter.

Sie beugten sich über mein Elend,
über einen von der Sonne und vom Frost
verbrannten Fremden,
der mit blutenden Händen zu ihren Füßen lag
und der nach den Erzählungen des Sängers

vom fliegenden Berg gefallen war,
aus dem Himmel
in den Schnee.

2 *Horse Island. Das Erbe in West Cork.*

Mein Bruder Liam
besaß zwölf Hochlandrinder,
mehr als einhundert Targhee-Schafe,
fünf Hirtenhunde
und zwei schnelle Rechner,
vor deren Bildschirmen er ganze Tage
und manchmal auch die Nächte verbrachte.

Bis zu unserem Aufbruch nach Kham
hatte Liam alles, fast alles, was er besaß
oder was für sein Leben von Bedeutung war,
auf diesen Flüssigkristallschirmen erscheinen
und wieder verschwinden lassen:

die mit dunklem Schiefer gepflasterte Einfahrt
seines hoch über den Klippen
von Horse Island gelegenen Hofes,
digitalisierte Gletscherpanoramen
aus dem Himalaya und Karakorum,
nautische, topographische und astronomische Karten,
Wertpapierkonten, Heiratsannoncen,
Briefe aus Neuseeland und Pakistan
und auch die rätselhaften Flugrouten
von Papageientauchern,
die auf einem von weißem Kot wie beschneiten Felsturm
im äußersten Westen von Horse Island brüteten.

Gelegentlich war aber auf allen der insgesamt fünf
in Arbeitszimmer, Wohnzimmer, selbst Küche
und Schlafzimmer installierten Bildschirme

nur das zum Meer abfallende,
von einer sturmsicher versiegelten elektronischen Kamera
Tag und Nacht angestarrte Weideland zu sehen,
auf dem sein Vieh das ganze Jahr
unter Möwenschwärmen graste.

Ich kann heute nicht mehr mit Bestimmtheit sagen,
welche von den über die Jahre
gestreuten Einladungen meines Bruders
mich am Ende bewogen hat,
nach Irland zurückzukehren
und ihm auf eine nahezu unbewohnte
und in Sturmtagen unerreichbare Insel zu folgen.
Welche von diesen Postkarten
mit immer neuen Ansichten der Westküste,
welcher von diesen Briefen,
für die er leer gebliebene Logblätter
des Leuchtturms von Dunlough verwendete
und denen er oft Fotos beilegte:

War es der Brief, aus dem mir ein Bild
unseres vermummten Vaters entgegenfiel?
Eine Farbfotografie,
die einen schwergewichtigen Mann
mit einer blauen Wollmaske zeigte.
Er hielt einen Hummer triumphierend
an den auseinandergezogenen Scheren
wie einen Gekreuzigten hoch.
(Beim Betrachten dieses Fotos hörte ich jedesmal
das durch die Wollmaske gedämpfte Kichern
meines Vaters.)

Oder war es das mit den Namen
von Ausflugszielen bekritzelte Foto
jenes rostzerfressenen *Ford Galaxy*,
in dem wir an so vielen Sonntagen unserer Kindheit
den Bergen von Kerry und Cork
entgegengeschaukelt waren?

In Efeu und Brombeergestrüpp versunken,
ohne Räder und Motorhaube
lag das Wrack auf diesem Bild
an der Einfahrt unseres Elternhauses.
Aus den leeren Wagenfenstern,
die auf Bergstraßen stets aufgekurbelt worden waren,
weil Liam in den Serpentinen
hinauf zum Healy Pass oder Moll's Gap
seekrank wurde, winkten Farne.

Gelegentlich schmückte Liam seine Briefe
mit Skizzen: Darstellungen
seiner astronomischen Beobachtungen
(wie etwa jener der *Merkurschleife*),
Plänen zur Erweiterung seines Bootshauses
oder der Position eines vor Jahrzehnten
oder Jahrhunderten am Dunlough Head gestrandeten
und gesunkenen Schiffes.

Komm nach Hause! Du mußt aus dem Wasser!
schrieb er dann zwischen diese Zeichnungen
und setzte dahinter stets ein Rufzeichen.

Obwohl Liam über seine Rechner Tag und Nacht
mit einem globalen Datennetz verbunden bleiben wollte,
mit Wetterberichten, Satellitenbildern,

Nachrichten von Katastrophen
und Kämpfen im Irgendwo, Aktienmärkten,
Archiven, Bibliotheken und elektronischer Post,
benutzte er dieses Netz niemals,
wenn er mich aufforderte, mein Leben zu ändern:

Komm nach Hause!
las ich nur auf Ansichtskarten
oder auf dem vergilbten Papier von Dunlough
(von dem er ganze Stapel besaß),
niemals auf einem Bildschirm.

Dabei waren wir jahrelang fast ausschließlich
über dieses Netz in Verbindung geblieben –
er vor den Rechnern seines Hofes,
ich vor dem Schirm irgendeiner Reederei
oder am Funktisch eines jener Frachter,
auf denen mich manchmal das Heimweh befiel.

Aber wenn ich ihm in einer digitalen Flaschenpost
von diesem Heimweh berichtete,
überging er in seiner Antwort meine Klagen
und schrieb mir erst viel später
und mit der anachronistischen Langsamkeit
eines Kurierdienstes in seiner jagenden Handschrift:
Du mußt aus dem Wasser!

Mein Entschluß, ein Leben in Maschinenräumen
und Wellentunnels von Frachtschiffen
oder in kahlen, lauten Hafenhotels aufzugeben
und wie ein Schiffbrüchiger auf Horse Island,
einem Felsen im Atlantik, festen Boden zu suchen,
rührte an eine Sehnsucht,

die mich wohl mit vielen, über drei Kontinente
verstreuten Auswanderern unserer Familie
und auch mit meinem Bruder verband:

Eine Sehnsucht nach etwas,
das er in einem seiner Briefe
als *unverrückbaren Ort* unter einem
unverrückbaren Himmel beschwor.

Natürlich wußten wir insgeheim beide,
daß es einen solchen Ort nicht geben konnte,
zu keiner Zeit, nirgends,
aber selbst wenn er mir Horse Island
nach einer seiner am Teleskop verbrachten Nächte
wie einen fliegenden, von Westwinden
und auf- und untergehenden Sternbildern
umwirbelten Teppich beschrieb,
der eine elliptische Bahn um die Sonne zog,

tauchte am Ende selbst solcher Schwärmereien
ausgerechnet diese von Ruinen übersäte Insel
immer wieder als Zuflucht
aus dem Atlantik bei Dunlough:
eine umbrandete Geborgenheit,
herausgehoben aus der Zeit
und so entrückt und unzerstörbar wie eine Utopie.

Ich kam nach Horse Island.

Und die Signale des Leuchtfeuers am Dunlough Head
(automatisierte Lichtblitze in der Finsternis)
huschten Nacht für Nacht
über die Wand meines Schlafzimmers

und ließen mich in der ersten Zeit auf der Insel
nicht schlafen.

Wer auf Horse Island lebt, ist wie an Bord
eines weit draußen auf Reede liegenden Schiffes
mit Irland und allem Land entweder
durch den Atlantik verbunden
oder durch ihn von allem getrennt.

Selbst der kaum zwei Seemeilen breite Meeresarm,
über den wir mit dem Fährschiff oder unserem eigenen Kutter
zwei- und dreimal jede Woche nach Dunlough übersetzten,
blieb in den Winterstürmen manchmal tagelang unpassierbar.
Dann fielen nicht nur Besorgungsfahrten aus,
sondern auch die Abende in *Eamon's Bar*,
auf deren mit Sägemehl bestreutem Boden
die salzigen Schuhe der Gäste
Spuren wie von einem Kampf hinterließen.

Als ich am ersten Tag der Räumung unseres Hofes
den tibetischen Teppich einrollte, den mein Bruder
im Jahr vor unserem Aufbruch nach Kham
bei einem Händler in Dublin gekauft hatte,
fielen aus einem feingeknüpften Ornament weißer,
von mythischen Schneelöwen bewachter Bergketten
Sägespäne aus Eamons Bar.

Der Teppich lagert nun mit den Rechnern
und Bildschirmen, den Teleskopen,
Büchern und allem Mobiliar
in Plastik gehüllt und bereit für Käufer
in einem Schuppen hinter der Bar.

Zwei Wochen habe ich mit der Räumung
des hellen, luftigen Hauses verbracht,
das mein Bruder aus Schieferstein, Teak und Glas
auf den Fundamenten eines Gehöftes erbaut hat
(der Hof war zur Zeit der katastrophalen Hungersnöte
des neunzehnten Jahrhunderts verlassen worden
und seither wie alle anderen Häuser auf Horse Island
verfallen).

Vier Sturmtage in diesen beiden Wochen
erschwerten meine Fahrten zwischen Insel
und Festland, aber schließlich war alles Vieh,
die Rinder in Paaren, die Schafe in Familien
(mit zusammengebundenen Hufen),
die Truthühner, ein Pfauenpaar, die Hunde,

mein Erbe,

mit unserem Kutter, meinem Kutter,
an die Mole von Dunlough verfrachtet.

Schafe, Geflügel und Hunde
wurden dort auf die Pick-ups von Farmern verladen,
mit denen Liam Handschlaggeschäfte gemacht hatte.
Die Kühe, schottische Hochlandrinder
(mit gälischen Namen), verschwanden
im Transporter eines Viehhändlers aus Cork,
denn *Schotten* blieben an unserer Küste
trotz der widerstandsfähigen Züchtungen
meines Bruders so fremd wie tibetische Yaks
und gaben an den Theken von Dunlough
bis Skibbereen immer wieder Anlaß
zu Kopfschütteln oder Gelächter:

Die *Horsemen*, die *Cliffhanger*
und ihre schottischen Büffel!

Auch wenn man am Festland manchmal
anerkennend auf den Eifer meines Bruders trank,
der auf Horse Island, der Hungerinsel,
der Ruineninsel, nach mehr als
einhundertfünfzig Jahren der Verlassenheit
ein Licht nach dem anderen
wieder zum Leuchten gebracht hatte –
das landwirtschaftliche Experiment
auf diesem Felsen dort draußen
galt den Küstenbauern als teure Verrücktheit,
nicht als bäuerliche, erschöpfende Arbeit.

Ich war aus der Handelsschiffahrt
nach Horse Island gekommen,
mein Bruder Jahre zuvor
aus den Programmierabteilungen
der Computerindustrie:
Da konnten das dünnwandige,
hellhörige Haus unserer Eltern
und ihre sauren Weiden und Torffelder
noch so nahe, fast in Sichtweite! liegen
(keine zwei Fahrstunden von Dunlough entfernt
an den Abhängen der Caha Mountains) –
um in Eamon's Bar in Fragen
der Schaf- oder Rinderzucht
ernst genommen zu werden,
kamen wir vermutlich doch von zu weit.

Der zumeist gutmütige Spott am Tresen
hat meinen Bruder nie gestört:

Cliffhanger, Buffalo Liam ...
Abweisend, ja grob konnte er aber manchmal werden,
wenn ihn dort jemand einen Aussteiger nannte: *Drop-out*.
Er sei niemals! und nirgendwo!
aus-, sondern immer nur eingestiegen
und dabei immer und Schritt für Schritt höher
und niemals zurück oder hinab, Arschloch!

Tatsächlich lebten wir auf Horse Island
in der Fülle jener technischen Möglichkeiten,
die selbst Inselbewohnern erlaubten,
bezahlte Arbeit am Bildschirm zu verrichten,
mit dem Festland oder transatlantischen Partnern
zu korrespondieren, zu verhandeln, Geschäfte zu machen,
ohne auch nur einen Schritt aus dem Haus zu tun,
und nebenher Schafe und Rinder zu halten
oder einer gärtnerischen Leidenschaft zu folgen,
Baumfarne zu züchten, Orchideen
oder gegen die Salzluft unempfindliche Strauchrosen.

Horse Island lag auf der Höhe der Zeit,
und wir hielten dort über das Netz
Kontakt mit der Welt und mit einem Leben,
das tiefer in die Vergangenheit zurückreichte
und langsamer und breiter dahinfloß
als jeder Datenstrom.

Der Insel droht nun wieder die alte Verlassenheit.
Obwohl von Liam mit der irischen Westküste
durch einen submarin verlegten Kabelstrang vernäht,
blieben auch nach ihrer schütteren Neubesiedlung
mein Bruder und ich die einzigen,
die hier das ganze Jahr über lebten.

Unsere drei Nachbarn,
Sommer- und Schönwettergäste
aus Kerry, Cork und Dublin
(unter ihnen Deirdre, eine Patentanwältin,
und Kieran, ein Verleger von Bildbänden),
bewohnten ihre ebenfalls über Ruinen errichteten,
schiefergedeckten Häuser nur zur Erholung,
genossen die Abgeschiedenheit als Luxus
und flüchteten lange vor den Winterstürmen
wieder in ihre Städte.

Am deutlichsten wird die Leere
unseres verlassenen Gehöfts
seltsamerweise draußen auf den Weiden
und nicht im blankgefegten Inneren des Hauses,
dessen Glasschiebewände immer noch
die Abschnitte eines vertrauten Panoramas enthalten:

den von Wolkenschatten gefleckten Atlantik
(in langen Farbskalen von Bleigrau, Silber
Lichtgrün, Nachtblau);
die schwarzen Zähne vorgelagerter Riffe und Felseninseln;
die am Bildrand nach Westen davonjagenden Linien
der irischen Steilküste; die Gischtlichter der Dünung
unter den Blitzen des Leuchtfeuers von Dunlough ...

Obwohl auf den von Mauern aus bemoosten,
unbehauenen Steinen und einem dornigen Geflecht
aus Draht und dürren Stechginsterzweigen
gefaßten Rinder- und Schafweiden
das Gras nun so hoch wogt, daß die Böen darauf
als silbrige Schatten sichtbar werden
und die Möwen wie je im Aufwind

über dem Gittermast unserer Windmühle stehen,
wirken gerade die Weiden
wie von einer Katastrophe heimgesucht
und trotz ihrer Fruchtbarkeit wüst.
Ich habe sie in meinen Jahren auf Horse Island
niemals so leer gesehen.

Wer die hüfthohen Grenzwälle dieser Weiden
auf der westlichen Meerseite durchbricht
oder einfach übersteigt, hat noch einen drei,
vier Meter breiten Streifen sanftes,
von Heidekraut, Brombeergestrüpp und Farnen
durchsprengtes Grasland vor sich,
bis er erkennt, daß er über dem Abgrund steht
auf einem überwucherten Felsbalkon,
unter dem nur noch die brausende Tiefe liegt.

Schwarze, von Seevögeln umschwärmte Wände
stürzen hier an manchen Stellen zweihundert Meter
senkrecht und überhängend
in den anrollenden, alles unterspülenden,
alles zertrümmernden Atlantischen Ozean.

Ich habe diese brüchigen Felswände und Klippen
bis zum Tag unserer Abreise
nach Westchina und Tibet
auf Dutzenden Routen verschiedenster
Schwierigkeitsgrade durchklettert,
zumeist gemeinsam mit meinem Bruder,
an seinem Seil,

manchmal auch ohne Sicherung dicht neben ihm,

und ein einziges Mal,
es war während eines Gewitters,
das wie eine Explosionswolke
über der Roaringwater Bay aufgeraucht
und dann auf Horse Island zugestürmt war,
allein, seilfrei
und wie betäubt vor Angst:
Aus einer finsteren Höhe
prasselten mir damals Hagelschloßen
und Steine entgegen, während mich die Böen
aus der Wand zu reißen drohten.
Tief unter mir schlugen Hagel und Steine
lautlos in die Brandung.

An Sommertagen, wenn der Ozean
in manchen Buchten so glatt und still wurde,
daß selbst der Flossenschlag
einer von Sonnenfelsen ins Wasser gleitenden Robbe
weithin zu hören war,
näherten wir uns diesen schwarzen Wänden
mit dem Boot, suchten im Fernglas
nach neuen Einstiegen und Aufstiegsvarianten,
ankerten in sicherer Entfernung vor den Riffen,
sprangen ins Wasser, *schwammen* die Felswand an
und ließen uns dann vom Meer selbst emporheben
zum ersten Tritt eines Weges in die Wolken,
die wir hoch oben
ungerührt hinausgleiten sahen
über den äußersten Rand der Weiden.

Schwimmend hatte ich manchmal das Gefühl,
über Abgründen, Tälern,
Gipfeln dahinzufliegen.

Wehende Algenfelder kippten tief unter mir
ins submarine Dunkel
und muschelbesetzte, versunkene Felsbänder,
an denen vorbei die unter den Krallen
auffliegender Möwenschwärme losbrechenden,
von Vogelkot geweißten Kiesel und Steine
taumelnd hinabsanken
und sanken
bis an einen Wandfuß, einen Grund,
an den kein Lot hinabreicht.

Schwimmend empfand ich die sanfte,
kaum spürbare Dünung
wie einen thermischen Auftrieb,
der mich über alle Schlünde hinwegsegeln ließ
und höher und höher emporhob,
dem Gipfel eines schwarzen, aus dem Meer
(und darin gespiegelten Wolken)
ragenden Berg entgegen.

Faßte ich schließlich Tritt
auf einem überspülten Felsen
und zog mich am ersten Griff
aus dem Wolkenspiegel,

dann ließ ich mich manchmal
mit dem enttäuschten Seufzer
eines aus Flugträumen Erwachten
gleich wieder in die Schwerelosigkeit,
ins Meer zurückfallen
und begann so einen Aufstieg
zweimal, dreimal von neuem.

An solchen Sommertagen
kletterten wir stets ohne Seil,
sprangen vor unüberwindlichen Passagen
ins Wasser zurück
oder machten aus einem spielerischen Versuch Ernst,
bis wir zu hoch für einen Sprung waren
und plötzlich weiter und immer höher mußten
bis hinauf zu jenem zerrissenen, dunklen Rand,
der Horse Island vom Himmel trennt.

Aber standen wir dann endlich oben,
dort, wo es keine Zweifel mehr am Ziel geben konnte,
weil uns der nächste Schritt nicht mehr höher,
sondern nur noch ins Leere geführt hätte,

fanden wir uns nicht auf einem Gipfel,
sondern vor grasenden Kühen wieder
auf einer sommerlichen Weide,
sahen tief unter uns das Boot
inmitten blendender Lichtreflexe schaukeln
und kehrten erleichtert (auf einem
in die Felsen geschlagenen Serpentinenpfad)
wieder an den Meeresspiegel zurück.
So begannen alle unsere Wege in die Höhe
mit einem Abstieg ans Meer.

Entsprechend der Tatsache,
daß selbst die Höhen und Gipfel
des küstenfernsten Wüstengebirges
als *Meeres*höhen vermessen werden
und so jeder Aufstieg
einem Weg aus dem Wasser gleicht,
tauften wir unsere Routen nach Fischen,

Turbot, *Hake* oder *Cod*,
beließen sie aber ohne Markierung und Wegzeichen,
sondern führten nur über Verlauf, Schwierigkeit
und die Dauer des Aufstiegs genau Buch.

Die einzige Route, die keinen Fischnamen trug,
war eine der schwierigsten und hieß
Passage to Kham,
weil jener Berg, in dessen Schatten
mein Bruder schließlich verschwinden sollte,
uns schon lange vor unserem Aufbruch
nach Tibet nicht mehr schlafen ließ.

Ich erinnere mich gut an jene Nacht,
in der er mich weckte,
weil er meine Hilfe beim Festmachen einer
im Sturm schlagenden Blechverkleidung brauchte.
Das Blech hatte sich von seinem Observatorium
(einer der Ostseite des Hauses angebauten Kuppel)
gelöst und drohte davongeweht zu werden.

Der Winddruck riß uns die meterlange Blechbahn
dann aber aus den Händen,
warf sie als donnerndes Segel
über den Rand der Weiden in die Tiefe hinab,
und wir kehrten durchnäßt
und fluchend ins Haus zurück.

Dort zeigte mir Liam auf dem Bildschirm
seines Arbeitszimmers eine Schwarzweißfotografie
aus dem vergangenen Jahrhundert:
Er hatte in dieser Nacht auf einem
(vom Sturm unterbrochenen) Streifzug im Netz

nach historischen Details zur Geschichte
der Vermessung des Transhimalaya gesucht,
war dabei auf diese Fotografie gestoßen
und schien wie besessen von dem Gefühl,
eine Entdeckung gemacht zu haben:

Das von der Tragfläche eines Flugzeugs
überschattete, ja überdachte Bild
zeigte eine von Hängegletschern, Verschneidungen
und Lawinenstrichen zerrissene Wandflucht –
die südlichen Abstürze eines Berges,
dessen Höhe ein chinesischer Bomberpilot
auf neuntausend Meter geschätzt hatte,
ein Berg höher als der Mount Everest!

Der Pilot hatte während des aussichtslosen
Widerstandes der Krieger von Kham
gegen eine aus Peking befehligte Besatzungsarmee
eine Klosterfestung bei Dege in Brand geschossen,
als ihn auf dem Rückflug eine Gewitterfront
zu einem weiträumigen Ausweichmanöver zwang.

Das Manöver drückte ihn dicht an die Flanken
eines Berges ohne Namen,
dessen gespenstische Gipfelhöhe
er in einem patriotischen Funkspruch
seiner Basis zuschrie: Dieser Berg,
dieser Koloß! sei die höchste Säule
der revolutionären Welt!

Rückfragen des Bodenpersonals
zersprangen allerdings unbeantwortet
im atmosphärischen Rauschen

eines Schneesturms über Chamdo,
in dem der Bomber dann
ohne eine weitere Meldung verschwand.

Das Wrack sollte erst zwanzig Jahre später
von Zoologen entdeckt werden,
die einen Schneeleoparden verfolgten.
Der Pilot blieb verschwunden.
Keine Spuren. Keine Reste.

Wer sich mit Atlanten und Karten
einer auf Erdsatelliten und Lasertechnik
gestützten Landvermessung beschäftigte
wie mein Bruder Liam,
wer geodätische Computerprogramme
zu schreiben imstande war, wie Liam,

der die Schraffur von Höhenlinien
im Käfig der Koordinaten
mit einigen Tastenschlägen auf seinem Rechner
dazu bringen konnte,
sich zu dreidimensionalen Hügelketten
und Gebirgszügen aufzubäumen,
zu virtuellen Landschaften, über deren Faltenwurf
die Schatten des Tagesverlaufs
oder die Farbtöne der Jahreszeiten huschten –

der kannte natürlich viele solcher Funksprüche
und Gerüchte aus der Vermessungsgeschichte,
Träumereien von vermeintlich unentdeckten
Geheimnissen der Erdkruste,
von im Himalaya oder Karakorum verborgenen,
unzugänglichen Talschluchten, riesigen Bergen
oder unter Gletschern begrabenen Vulkanen ...

Liam simulierte auf seinen Rechnern
die Bewegungen der Erdkruste
für digitale Atlanten und Globen,
verkaufte seine Animationen über das Netz
in jeden beliebigen Winkel
der bis auf die Bruchteile einer Bogensekunde
vermessenen Welt und wußte selbstverständlich,
daß sich Bildlegenden wie jene,
die zu der eisig strahlenden Fotografie
auf seinem Schirm gehörten,
immer wieder als Irrtum, Fehlmessung, Scherz
oder bloße Lüge erwiesen hatten.

Immerhin, auch das rief er in jener Sturmnacht
auf seinen Bildschirm, immerhin
hatte eine im Jahr nach dem Bomberflug
unternommene Vermessungsexpedition ergeben,
daß die Wandflucht zu einem von osttibetischen Nomaden
Cha-Ri genannten Massiv gehöre, nur zu einem von vielen
sechstausend Meter hochragenden Gipfeln der Welt,
und Cha-Ri, so schloß die Legende, bedeute *Vogelberg*.

Wenn ich mir den Anfang unseres Weges
von den Stränden Horse Islands nach Kham
vorzustellen versuche, den Aufstieg
vom atlantischen Meeresspiegel zu den Pässen
von Sichuan und des tibetischen Hochlandes
über wolkenverhangene, von Gletschern
begrenzte Yakweiden zu den Feuern
und schwarzen Zelten von Nyemas Clan
bis in die Lawinenstriche des fliegenden Berges,

dann finde ich mich stets in der Erinnerung
an das nächtliche Arbeitszimmer

meines Bruders wieder,
an das im Halbdunkel leuchtende Abbild
einer wie aus dem Zenit stürzenden Eiswand.

Auch wenn zwischen jener Sturmnacht
und unserem Verhängnis in Kham
noch fast zwei Jahre vergehen sollten,
lag der Anfang unseres Wegs wohl in jenem Rätsel,
das mein Bruder damals entdeckte –
ein kaum sichtbares Detail auf dieser Fotografie:

An ihrem Rand, von der Tragfläche des Flugzeugs
und einer anbrandenden Wolkenfront
fast vollständig verdeckt,
war über einem vergletscherten Sattel
ein weiterer Grataufschwung zu sehen,
der nach seiner Mächtigkeit und Steilheit
zu einem zweiten Gipfel, höher! als die Zinnen
der sichtbaren Eiswand, zu führen schien.

Aber alle topographischen Raster
aus Atlanten und Kartenwerken,
mit denen mein Bruder das Bild der Eiswand
überblendete, zeigten in der Umgebung des Vogelberges
nur Höhenlinien unter der Siebentausendergrenze,
eine unbesiedelte Wildnis ohne Wege, ohne Namen.

Gewiß, es gab gute Gründe,
an der Genauigkeit dieser Karten zu zweifeln,
aber Liam war mit vielen Möglichkeiten vertraut,
Fragen oder widersprüchliche Höhenangaben
über geodätische Quellen, manchmal sogar
über militärgeographische Institute, zu klären,

aber er tat es nicht,
er tat es in diesem Fall nicht,
sondern begann in den Tagen nach der Sturmnacht
erstmals von einer Reise
in den Osten Tibets zu schwärmen.

Vielleicht ist jenes Bedürfnis
tatsächlich unstillbar,
das uns selbst in enzyklopädisch gesicherten Gebieten
nach dem Unbekannten, Unbetretenen,
von Spuren und Namen noch Unversehrten suchen läßt –
nach jenem makellos weißen Fleck,
in den wir dann ein Bild unserer Tagträume
einschreiben können.

Projektionen der Phantasie oder der bloßen Gier
haben schließlich ganze Flotten
in Bewegung zu versetzen vermocht,
Karawanen oder Schlittenhundegespanne,
Armeen von Eroberern und Entdeckern,
die sich im Zweifelsfall
lieber von den Fluchtlinien eines Traums
als von Meßwerten leiten ließen.

Noch Liams astronomische Beobachtungen,
die er mit computergesteuerten Teleskopen betrieb,
erinnerten mich manchmal daran,
daß selbst mit Präzisionsinstrumenten
nach Welten Ausschau gehalten wurde,
die vielleicht nirgendwo anders zu finden waren
als in unserem Kopf.

Und so lag wohl der Fuß des fliegenden Berges
nicht in Tibet, nicht im Land der Khampas,
sondern am Meer,
dort, wo die schwarzen Felswände Horse Islands
vor dreihundertfünfzig Millionen Jahren
aus der Brandung gestiegen waren.

Denn Monkfish, Turbot, Hake und Cod
und alle unsere nach Fischen benannten
Routen durch diese Wände
führten aus dem Wasser
durch Gischtnebel und über brüchige Felsbänder
und vorüber an Seevogelnestern
nicht bloß bis an den Rand einer Viehweide,
sondern von dort über das Leben
und alle Weiden hinaus
bis ins Eis der Gipfelpyramide des Phur-Ri.

Wir jedenfalls gerieten mit jedem Schritt,
mit dem wir uns vom Meeresspiegel entfernten
und an Höhe gewannen,
gleichzeitig tiefer in unsere eigene Geschichte.
Denn wie jede Fluchtlinie,
die an die Ränder des Lebens führt,
verbanden uns auch Kletterrouten
schon vom ersten Aufstieg an
nicht nur mit dem Fernsten, sondern ebenso
mit dem Nächsten, Vertrautesten,

mit Erinnerungen an früheste Wanderungen,
Kindheitswege zu den hochgelegenen Torffeldern
und Schafweiden unseres Vaters
und zu sommerlichen Bergseen in Kerry und Cork,

an deren felsigen Ufern Klettern
ein Spiel gewesen war.

Selbst die von Gebeten
und Marienliedern begleiteten Familienwallfahrten
zu einer in den Caha Mountains sprudelnden Quelle
tauchten aus dieser Tiefe wieder empor:
Ein Band mußte an dieser *wishing well* in die Zweige
eines Rhododendronstrauches geflochten
und ein Schluck Quellwasser
aus der hohlen Hand getrunken werden,
um einen lange gehegten, geheimen Wunsch
seiner Erfüllung näher zu bringen.

Wer das Geheimnis dieses Wunsches
jemals preisgebe,
so hatte man uns auf diesen Wallfahrten gedroht,
werde bis an sein Ende
von unstillbaren Sehnsüchten geplagt.

In den ersten Wochen nach Liams Tod,
auf meinem Krankenlager in einem der schwarzen Zelte
von Nyemas Clan, habe ich geträumt,
daß es nicht Fernweh oder die Sehnsucht
nach einem unbetretenen weißen Fleck
der Weltkarte gewesen war,
was uns nach Kham geführt und dort
nach einem vergessenen Berg hatte suchen lassen,
sondern daß dieser Berg *uns* gefunden hatte,
seine Opfer, zwei verschwindend kleine Gestalten
in den Felswänden Horse Islands.

Unaufhaltsam war er auf uns zugetrieben –
zuerst als weißes, digitales Datenfragment,
dann als wachsendes, von rasch ziehenden Wolken
immer wieder verhülltes Trugbild,
schließlich mit Gletschern und Firnwächten behängt,
ungeheuer und übermächtig auf uns zu
und mit lodernden Schneefahnen über uns hinweg,

und hatte uns in seinem Sog
aus der Geborgenheit von Horse Island
und unseres Lebens fortgewirbelt
in die Atemnot und in die Verlassenheit
seiner höchsten Höhen,
fort unter einen dunklen Himmel,
der selbst am Tag Sternbilder trug.

3 *Schlaflos am Yangtsekiang. Schlaflos in den Cahas.*

Wie klein die Faust meines Bruders war.
Den Mund leicht geöffnet, flach atmend
lag er in seinem Daunenschlafsack neben mir,
verstrickt in einen Traum,
der ihn eine Faust ballen ließ, während er
mit der anderen Hand ins Leere griff.
Versuchte er, sich hochzuziehen
in einer imaginären Wandflucht?

Es war Liam gewesen, der mir gezeigt hatte,
wie man im senkrechten Fels die Hand
tastend in einen Riß schob,
im Inneren des Gesteins die Finger verkeilte
oder zur Faust ballte
und sich an diesem Anker
zum nächsten Griff hochzog, zum nächsten Tritt.
Träumte er von einer unserer Routen
auf Horse Island?

Er wußte es nach dem Erwachen nicht mehr.
Ungerührt von den gelegentlichen Schreien
und dem Gelächter der Khampas
draußen in der Nacht,
schlief er in unserem olivgrünen Kuppelzelt,
das sich zwischen den fünf schwarzen Yakhaarzelten
in diesem Nomadenlager am Fluß
klein wie eine Hundehütte ausnahm.

Ein Speichelfaden,
der aus seinem Mundwinkel sickerte,

glänzte auf, wenn eine der Fackeln draußen
zu flackern begann und ihr Schein
durch den offenen Zelteingang
in unsere Dunkelheit fiel.
Dieses schwache, unruhige Glänzen
schien in einer rätselhaften Verbindung zu stehen
mit den tanzenden Lichtsignalen,
die unser Lager begrenzten, Flammenreflexen
auf den Wellen des Yangtsekiang:

Scheu, wie in kindlicher Vorsicht
glitt der mächtigste und längste Strom Asiens
in dieser Nacht aus dem Scherenschnitt der Berge
auf unser Lager zu – ein schmaler,
die Feuer von Nomaden spiegelnder Gebirgsfluß,
der noch keine Zeichen jenes Ungeheuers trug,
das sich mehr als sechstausend Kilometer
von seinem Quellgebiet entfernt
und Tausende Meter tief unter unserer Schlafstätte
ins Ostchinesische Meer ergoß.

In sicherer Entfernung von den Fackeln
und noch weit vor dem ersten
der am Ufer verstreuten Nomadenzelte
schien der Fluß aber alle Neugier
an menschlichen Behausungen zu verlieren,
wandte sich in einem von Sandbänken gefaßten
Mäander ab und verschwand,
in ein murmelndes Selbstgespräch versunken,
in der Finsternis.

Liams Faust und Hand klein wie die eines Kindes,
der Yangtsekiang kaum mehr

als ein breiter, springender Bach,
selbst die Schattenrisse der Gebirgszüge
nur Scherenschnitte, ja das ganze Lager
der Khampas, das aus zweiundvierzig,
in fünf Zelten lebenden Menschen bestand
(die meisten davon Frauen und Kinder),
aus sechsundneunzig Yaks und acht Mastiffs –
Hirtenhunden in der Größe von Doggen, die Wölfe
und andere nächtliche Angreifer abwehren sollten:

alles bloß eine über der felsigen Flußlandschaft
entleerte Spielzeugschachtel voll winziger Zelte,
zierlicher Hirtenhunde, beschneiter Hügelkuppen
aus Pappmaché und faustgroßer Herdentiere ...

Was immer ich in dieser Nacht im zweiten Monat
unserer Reise an den Fuß des fliegenden Berges
im Zeltdunkel oder im helleren Dreieck
des offenen Eingangs erkennen konnte,
erschien mir seltsam geschrumpft,
ja losgelöst von allen Dimensionen der Wirklichkeit.

Selbst die Geräusche wechselten ihre Bedeutungen
im An- und Abschwellen der Lautstärke:
das Schlagen der Zeltbahn im Wind –
Grollen eines abziehenden Gewitters;

Das Rascheln des Schlafsacks
(wenn Liam sich träumend bewegte) –
Geröll, rieselnder Sand, Vorboten des Steinschlags.

Und schließlich das Murmeln des Yangtsekiang –
Stimmengewirr, Strophen.

Unablässig und besänftigend wie eine Gebetsmühle
begann der Yangtse aber allmählich alle Geräusche
der Nacht zu durchdringen und zu verwandeln:
Die rumpelnde Fahrt im Lastwagen
eines Händlers aus Ya'an, die uns seit Tagen
den Hochtälern Khams näherbrachte
und mir noch im Schlafsack in den Ohren dröhnte,
verlor sich ebenso in den Geräuschen des Wassers
wie die miauende Schlagermusik,
die der Händler Abend für Abend
aus einem Kurzwellenempfänger hörte,
während er sich in seinem Feldbett
auf der gedeckten Ladefläche des Lastwagens
in den Schlaf trank.

Der Mann aus Ya'an war gegen Bezahlung bereit,
Vorschriften und Gesetze zu mißachten
und zwei Europäer in seinem Laster
(seinem Warenlager und mobilen Verkaufsstand)
auf lawinengefährdeten Bergstraßen und Pisten
zu den Zeltplätzen seiner Kundschaft mitzunehmen,
Khampas, die ihn am Yangtse erwarteten.

Dort wollten wir uns von ihm trennen
und mit den Nomaden weiterziehen.

Manchmal glaubte ich, Worte, ganze Sätze
in jener vielstimmigen Wassermusik zu verstehen,
mit der dieser Fluß an seinen Ufern nagte,
Felsen umfloß, an Schotter- und Sandbänken schliff,
über flache Steinstufen hinabsprang
oder in den Wirbeln des Kehrwassers spielte.

Ich hörte Auszählreime und die Refrains
von Liedern aus den Caha Mountains,
Schwungräder aus den Maschinenräumen
längst abgewrackter oder gesunkener Frachter
und schließlich sogar
das Schnarchen meines Vaters.

Zeltnächte.
Ich habe diese Zeltnächte immer gehaßt,
gehaßt diese endlosen, schlaflosen Stunden
in einer muffigen Dunkelheit,
das quälende Warten auf das Morgengrauen.

Liam dagegen,
Liam hatte schon in den Cahas, damals
ein von der Wildnis begeisterter Halbwüchsiger
und damit ganz auf der Seite unseres Vaters,
klamme Schlafsäcke, taufeuchte oder regentriefende
Zeltbahnen, von denen im Morgengrauen
auch noch Kondensnässe tropfte, nicht nur
als selbstverständliche Begleiterscheinungen
unserer Wanderungen durch die Berge
von Cork und Kerry hingenommen,
sondern schien diese Strapazen und Prüfungen
sogar zu genießen.

Wenn wir mit Ausrüstung und Lebensmitteln,
ja selbst Torfziegeln für das Lagerfeuer
schwer bepackt durch die Hochtäler der Cahas
oder der Macgillicuddys Reeks trotteten,
lange vor Einbruch der Dämmerung
unser Zelt am Ufer von Bergseen aufschlugen
und dann zur linken und rechten Hand unseres Vaters,

der stets die Mitte und damit den Zelteingang
blockierte, in der Finsternis lagen, dann schien
für Liam die Zeit bis zum Morgengrauen zu verfliegen,
für mich dagegen stillzustehen.

Liam wurde in diesen Kindheitsnächten nicht müde,
mir über den schnarchenden Vater hinweg
immer neue Deutungen der rätselhaften
bedrohlichen Geräusche draußen in der Nacht
zuzuflüstern, versprach, mir,
dem um drei Jahre jüngeren, ängstlichen,
hellwachen Bruder, gegen alle Gespenster,
Trolle und Ungeheuer beizustehen,
und weckte dann doch den Vater,
wenn ein Schaf unseren Zeltschnüren zu nahe kam
oder ein Windstoß am Vordach riß.

Manöver nannte unser Vater diese sommerlichen Plagen,
denen Liam entgegenfieberte,
während ich dazu stets überredet
oder mit Geschenken und Versprechungen
verführt werden mußte.

Gegen den manchmal besänftigenden,
manchmal wütenden Einspruch unserer Mutter,
die nicht vergessen konnte,
wie sie als Rotkreuzschwester in ihrer Geburtsstadt Belfast
klaffende Splitterwunden, aus denen Blut hervorkochte,
und Brandverletzungen
nach einem Bombenanschlag versorgt hatte,
tat unser Vater auf diesen Wanderungen,
als müßte er seine Söhne in den Bergen
auf kommende Schlachten
um die Einheit Irlands vorbereiten:

gegen die englische Armee,
gegen die Ulster-Separatisten
und gegen alle verfluchten Protestanten im Norden –
lobte Liam dann als seinen *wahren* Sohn
und bestärkte damit meine Abneigung
gegen Fußmärsche, gegen Zelte,
nebelverhangene Berge und
ein Leben unter freiem Himmel.

Als *wahr* und *wirklich* pries unser Vater nur,
was seinen Vorstellungen von der Welt
in allen Belangen entsprach.
Ein fensterloser Korridor etwa hieß *das wahre Irland*,
seit er dessen Wände mit Hunderten Fotos
und einer ölfleckigen Weltkarte tapeziert hatte:

Wenn wir nach langen Packzeiten
das Haus mit unseren Rucksäcken verließen,
um entweder für eine kurze Gnadenfrist
noch im Ford Galaxy bis zum Ausgangspunkt
eines Manövers zu fahren oder aber

gleich durch die hintere Gartenpforte
über einen von Stechginster überwucherten Steilhang
den Bergkuppen entgegenzukeuchen,
stolperten wir – wie auf jedem unserer Wege ins Freie –
stets durch dieses wahre Irland:

Die Fotos an den Wänden
zeigten vor Jahren oder Jahrzehnten ausgewanderte,
über Kontinente verstreute nächste und ferne
Verwandte, Freunde und Bekannte der Familie,
auf ihren Hochzeiten, bei ihren Geburtstags- und

Weihnachtsfeiern, bei Taufen, Paraden
am St. Patrick's Day, vor Denkmälern und
vor ihren neuen Häusern, neuen Autos,
ja sogar Swimming-pools.

Wie inmitten eines immergleichen Traumes
vom Glück, der in irgendeinem Winkel der Welt
in Erfüllung gegangen zu sein schien,
standen sie lachend oder mit der feierlichen Miene
der Verewigung vor den Trophäen des Wohlstands –
die Alten ihre Pranken
auf die Schultern der Nachkommen gelegt,
die Nachkommen wie erstarrt unter dieser Last,
und riefen unserem Vater, riefen uns ins Gedächtnis:
So weit sind wir gekommen!
Das sind wir! Erinnert euch!

Alle diese Fotos in Schwarzweiß oder in grellen,
unter Blitzlichtern schreienden Farben umschwärmten
wie auf Stecknadeln gespießte Schmetterlinge
ein einziges Bild: das Porträt
des erzkatholischen Erfinders Henry Ford,
dessen Vorfahren einst aus Ballinascarthy,
dem Geburtsort unseres Vaters,
vor dem Elend geflohen waren
und in Amerika wenn keine neue,
dann eine zweite Heimat und
ein exotisches Glück gefunden hatten.

Was für ein seltsamer Kontrast
zwischen den Sommerhimmeln
auf diesen Familienbildern und Porträts,
den Wochenendhimmeln, Garten-,

Hochzeits- und Meereshimmeln
und all den anderen lichtvollen, von Kerzen,
ja sogar Feuerwerksgarben erhellten Hintergründen
dieser in ihrer Fröhlichkeit oder Festlichkeit
eingefrorenen Szenen

und dem Dunkel unseres fensterlosen Korridors,
in dem es auch im Sommer
nach nassen Kleidern und feuchten Stiefeln roch:
eine finstere Galerie der Sehnsucht,
nur von einer einzigen, nackten Glühbirne erhellt.

Im mageren Schein dieser Birne verbrachte mein Vater
Abende mit einer Schachtel voll Fotos,
neben sich eine Papierschere, Nadelkissen
und eine Kollektion vielfarbiger Fadenspulen:
Denn über die zweite,
dem Fotomosaik gegenüberliegende Wand
war jene quadratmetergroße Weltkarte gespannt,
auf der er mit Stecknadelköpfen und Fäden

alle Orte und ihre Verbindungen markierte,
an denen nicht nur ins Glück entkommene Verwandte,
Freunde und Bekannte zu finden waren,
ihre Häuser, Vorgärten, Garagen,
sondern alle irischen Gemeinden,
von deren Existenz er erfahren konnte.

Alle Siedlungen, Zufluchten, Glücks-
und Endstationen der Emigration
waren durch Fäden miteinander verwoben,
deren verschiedene Farben
über die Art der Beziehungen Auskunft gaben,

über den Grad einer Verwandtschaft,
Heiratsgeflechte oder die Zugehörigkeit
zu einem für immer verlassenen Heimatort.

Erst dieses Irland,
von den Träumen so vieler Auswanderer
oder der bloßen Armut ins Endlose gespannt,
ein Gespinst, das Australien und beide Amerikas,
Neuseeland und südpazifische Inseln umwob,
die Küstenstriche Indonesiens und des südlichen Afrika,
erschien meinem Vater endlich weit genug,
groß genug, um die Auszeichnung
wahr zu verdienen.

Dabei haftete sein eigener Nadelkopf
auf dieser Weltkarte unverrückbar, unbewegt,
versenkt zwischen den Buchstaben O und U
im Schriftzug der Caha Mountains,
ein Ganztonzeichen, eine schwebende Note
zwischen zwei Höhenlinien dicht über dem Meer,

denn mein Vater konnte nur von Abschieden,
niemals von einer Ankunft erzählen:

So vielen Auswanderern hatte er schon als Kind
an den Piers von Cobh und Dun Laoghaire nachgewunken
und an klaren Tagen mit dem Fernglas
die stürmischen Weiten um den Leuchtturm von Fastnet
nach Schiffen *bound for America* abgesucht,
nach Containerfrachtern, Passagierschiffen,
die tief im Westen zu Punkten wurden
und dann winzig und lautlos
unter den Wasserhorizont sanken.

Wie oft hatte er an den Theken
von Glengarriff und Bantry davon gesprochen,
an unserem Sonntagstisch und (kaum verständlich)
selbst in seinen Träumen davon gesprochen,
es den Verschwundenen auf diesen Schiffen
eines Tages gleichzutun: *Auf und davon!*
Und war doch geblieben
unter einem unverrückbaren Himmel
an einem unverrückbaren Ort.

Ich habe die vielen Stecknadelköpfe
auf dieser Weltkarte, erstarrte Tropfen,
Tränen im Schleppnetz
der Längen- und Breitengrade,
in den Jahren meiner Kindheit stets
als Markierungen für Zelte gesehen, Zelte in Rot,
Zelte in Schwarz, in Blau und allen Farben
der über Gebirge, Wüsten und Meere
gespannten Fäden, Zelte, weil mein Vater
stets von irischen *Lagern* sprach,
wenn er auf einen dieser Punkte verwies.

So blieb Irland, das *wahre*,
für mich lange Zeit ein Schwarm von Nadelköpfen,
eine rätselhafte, über den Globus verstreute
Ansammlung von Zelten,
und ich haßte jedes einzelne davon.

Wahr und *wirklich*:
schon die Worte wurden mir verhaßt,
und ich begann bereits am Vortag eines Manövers
über Brechreiz und Kopfschmerz zu klagen
und entkam den Bergen doch nur,

wenn ich tatsächlich an solchen
oder ähnlichen Beschwerden litt.
(Und das geschah selten,
denn seltsamerweise war es Liam,
der in den Serpentinen unserer Fahrten in die Berge
gegen den Brechreiz kämpfte, sich auch deswegen
stets lieber zu Fuß auf den Weg machte
und dem direkten Aufbruch aus dem Korridor
durch den Garten in die Berge
jeder Anfahrt im Ford Galaxy den Vorzug gab
und dadurch manche unserer Manöver
um erschöpfende Meilen verlängerte.)

Noch Jahrzehnte später, nach meiner Rückkehr
vom Meer auf festes Land,
meiner Übersiedlung auf Horse Island
und in die Welt meines Bruders,
bedurfte es gemeinsamer Sommerreisen
in die Faltenwürfe des europäischen Kontinents
(Wanderungen, Hochtouren schließlich
im Montblanc-Massiv, Biwaks, Zeltnächten,
zu denen mich Liam nicht bloß einladen,
sondern überreden mußte),

bis ich in dünnen, im Wind schlagenden Zeltwänden
in signalfarbenen Bahnen aus haarfein verwobenem,
sturm- und wasserbeständigem Kunststoff,
unter dem wir in Unwettern, einmal sogar
in einem Schneesturm im späten August, wachlagen,
die rettende Trennwand zwischen Überleben
und Tod zu sehen begann.

Was mir so lange verhaßt gewesen war,
wurde mir vertraut: Ich begann an Nächten im Freien
manchmal sogar Gefallen zu finden,
an Nächten ohne den Schutz von Mauern
und festen Dächern, Gefallen
an der seltsamen Geborgenheit
in einer tragbaren, faltbaren, rollbaren Haut,
die sich über ein paar Quadratmeter Felsboden spannte.

Wie oft habe ich mir die Sinnlosigkeit
dieser Rechnung vorgeworfen, aber vielleicht
wäre Liam noch am Leben,
hätten wir auf unserem Weg zum Gipfel des Phur-Ri
das Zelt unseres letzten Hochlagers abgebaut
und mit uns getragen und diese Zuflucht
nicht unter einer Gratwächte zurückgelassen,

im Vertrauen darauf zurückgelassen,
daß es uns innerhalb eines Tages gelingen würde,
die fehlenden paar hundert Höhenmeter
bis zum Gipfel auf- und von dort
auch wieder abzusteigen zum rettenden Zelt.

Vielleicht hätte das Gewicht dieses Zeltes
in unserem Gepäck für den Gipfel nicht bloß
die befürchtete Vergeudung von Kräften bedeutet,
sondern auch die beruhigende Gewißheit,
im Schutz dieser Haut selbst einen plötzlichen Sturm
überleben, abwarten zu können.

Vielleicht hätte uns dieses Zelt
vor jener panischen Eile bewahrt,

in der wir voll Entsetzen
über den aus dem Abgrund aufrauchenden Wolkenturm
eines Wettersturzes vom Gipfel zurück,
schneller, immer schneller zurück,
zurück in die Tiefe geklettert waren,
schneller! weiter! gehastet
und dann wohl auch an der Wächte
und dem zurückgelassenen Zelt vorbei
in die Irre, in den Tod.

Dabei hätten sich ausgerechnet in Gipfelnähe,
in der Verlassenheit der letzten Höhen,
die an jenem Tag unter unseren Füßen
plötzlich wieder abzufallen und sich
zum Rücken des Berges zu krümmen begannen,
ausgerechnet dort, irgendwo ganz oben, Mulden,
Senken, windgeschützte, flache Kuhlen gefunden,
in denen ein Zelt
wie im Schutz einer hohlen Hand
dem Sturm hätte trotzen können
und wir geborgen in ihm.

Dort oben, ganz oben!, nur dort oben,
habe ich mir wieder und wieder gesagt,
nur dort hätte sich jene Zuflucht geboten,
die auf unserem Weg in die Tiefe,
zurück zu den Menschen,
nicht mehr zu finden war.

Oder haben wir diese Kuhlen bloß geträumt?
auch die Senken und Mulden
und das flache Schneeland der Gipfelregion,
in unserer Erschöpfung und Atemnot bloß geträumt,

eine Erinnerung an die sanften, umzäunten Weiden,
die uns am Ende unserer Routen durch die Klippen
von Horse Island so oft erwarteten?

Unendlich lange, eine Ewigkeit lang
hatte sich der Gipfel des Phur-Ri
in den qualvollen letzten Stunden des Aufstiegs
in Eiswolken, kristallinen Fahnen verborgen,
ja schien, als er sich endlich
und wie zum Hohn zeigte,
eine gleißende Kuppe in der tiefen Nachmittagssonne,
sogar zurückzuweichen vor uns,
mit jedem Mal weiter zurück,
indem er für einige schmerzhafte Atemzüge
zwischen den Wolken aufglänzte
und gleich wieder verschwand,
vor jedem unserer Schritte zurück
ins immer tiefere Blau des Himmels,
dann in die drohende Schwärze des Alls,
die sich durch zerreißende Vorhänge aus Eis
auf uns herabzusenken begann.

Und als aller Himmel endlich zerrissen
und bis auf diesen ungeheuerlichen Wolkenturm
im Nordwesten geklärt und verfinstert war,
wußten wir nicht mehr, ob wir hinab- oder aufblickten
zu sterngleichen flimmernden Lichtquellen,
versprengten Sonnen, weil dort oben, ganz oben,
Höhe und Tiefe eins
und ununterscheidbar wurden.

Und wir starrten uns an
und starrten empor und starrten hinab

und rangen nach Luft, keuchten, hechelten,
spürten, wie der Schneeboden
unter unseren Füßen nachgab
und dann sachte und immer steiler
wieder abzufallen begann:

Wir hatten den Gipfel erreicht.

Von hier, endlich,
führte kein Weg mehr in die Höhe,
sondern jeder Weg nur in den Abgrund,
und ich stolperte in Liams Arme,
weil der fliegende Berg so jäh
keinen Widerstand mehr bot, keine Steigung,
keinen Grund.

Ich trat ins Leere und begann,
nachdem Liam mich vorm Fallen bewahrt
und gleich wieder losgelassen hatte
und der Berg mich wieder trug,
zu schreiben: unsere Namen.

Unsere Namen
mit dem Schaft meines Eispickels
in den Schnee.

Wie sanft dieses Oben war,
von dem alle Routen in den Abgrund zeigten.

Und dieses häßliche, bestialische Geräusch,
war das unser Atem?, mein Atem?

Eine Stunde? Waren es bloß Minuten?

Ich weiß nicht mehr, wie lange wir blieben,
dort oben, ganz oben,
und ich habe auch keine Erinnerung mehr daran,
wann der Wolkenturm im Nordwesten
sich zu neigen, zu fallen, einzustürzen,
auf uns herabzustürzen begann:

Arkaden, Gesimse, Stützpfeiler, Streben,
Dämonen, segnende Heilige, Wasserspeier,
alles in den Farben verwitterten Steins
und alles auf uns herab.

Ich spürte den ungeheuren Druck
rundum berstender, rundum aufschlagender Mauern,
Wellen eisiger Luft,
die mich fortzureißen, zu verwehen drohten,
hörte den Donner eines plötzlich aufklaffenden Vakuums
und in der folgenden, jähen Stille
das Knistern des ionisierten leeren Raums,

sah im selben Augenblick
die Flämmchen des Elmsfeuers
auf meinem Eispickel, eine aufflackernde,
gleich wieder erlöschende Feuergirlande,
und erst dann
den in Schneewirbeln erstickenden Blitz.

Jetzt war es Liam, der sich an mich klammerte:
Weg mit allem Metall!, weg mit der Eisaxt!
Weg, nur weg von hier, hinab, in die Tiefe,
in Deckung, in eine Höhle, eine Zuflucht,
weg mit allem Metall, die Bergstöcke, Eisschrauben,
alles weg, hinab. Nur hinab und heraus
aus dem Innern dieser krepierenden Wolke.

Und wieder ein Krachen,
so unmittelbar gefolgt von einem Blitz,
als wäre die Blendung
der sichtbar gewordene Donner.

Hinlegen! Flach auf den Boden. In den Schnee.
Und dann weiter!
Schneller.
Hinab.

Aber die Löcher, die Furchen, die Gräben,
die wir, Sieger und panische Flüchtlinge zugleich,
talwärts stürmend immer wieder zu graben versuchten,
aufspringend, kaum aufgesprungen
auch schon wieder in Deckung fallend,
liegend, kriechend und da und dort
und immer entlang einer der bloßen Schwerkraft
folgenden Fluchtlinie, mit verklumpten
behandschuhten Pranken zu schlagen versuchten,
zeigten uns nur unantastbaren, seichten Felsengrund.
Die Höhen, der Grat, unser Weg
waren nahezu blankgeweht: Kein Schutz.

Und selbst in Schneekuhlen war ohne Zelt
kein Bleiben – der Sturm schliff sie vom Fels
oder ebnete sie ein, füllte sie mit Nadeln, Kristallen
wie der Sand den Glaskörper
einer plötzlich gewendeten Uhr.
Die Zeit, unsere Zeit zerrann,

und wir jagten ihr nach, dem flüchtenden Leben,
sprangen, rannten, fielen, sprangen,
um Himmelswillen! zurück auf jenen Sattel,

auf dem unser Zelt stehen mußte,
nur hinab, weiter, schneller hinab,
bis wir einander verloren,

einer nach dem anderen schreiend,
einer dem anderen unhörbar,
geknebelt vom Winddruck,
voll Zweifel am eigenen Leben
und am Leben des Bruders,
jeder allein in der donnernden Leere.

Das zurückgelassene Zelt,
die Spur unseres Aufstiegs,
ein auf dem Weg nach oben,
in den steinharten Schnee geschraubtes Sicherungsseil,
die Felsformationen des Gipfelgrats:
alles verschwunden,
verschluckt von einer Wand wie aus Chrom,
aus der Blitze schlugen: kein Zelt.
Nirgendwo Schutz.

So irrten wir, jeder für sich, an allem vorüber
und blieben, jeder für sich,
gefangen in den Trümmern eines Himmels,
der uns nicht gnädig war.

Himmel, gütiger Himmel
hörte ich aus meinem eigenen Mund
zweimal, dreimal einen Schreckensseufzer
unseres Vaters.

Ich stammelte Worte,
die *er* in unseren Zeltnächten in den Bergen

von Kerry und Cork manchmal gemurmelt,
sogar geschrien hatte: *Gütiger Himmel!*
wenn er von Schlachten um Irland träumte,
von in den Tod stolpernden Gefährten,
den Salven der Hinrichtungen
im Mountjoy-Gefängnis von Dublin, von allem,
was er in seinen martialischen Erzählungen
heraufbeschwor: *Gütiger Himmel!*

Und Liam und ich, von seinen Seufzern
aus dem Schlaf oder Halbschlaf gerissen,
sahen uns über den nach saurem Schweiß riechenden
Träumer hinweg erschrocken an,
bevor wir ratlos zu kichern begannen
und sich der Vater ächzend, endlich schnarchend,
und ohne jemals die Augen zu öffnen,
wieder auf Liams oder auf meine Seite drehte
und weiterschlief, *gütiger Himmel.*

Hatte der Alte am Lagerfeuer des vergangenen Abends
zu seinen irischen Opfer- und Heldengeschichten
Whiskey getrunken, lief manchmal
ein Speichelfaden aus seinem Mund.

Ich erinnere mich, daß ich am Ufer des Yangtsekiang
schlaflos im unruhigen Dunkel unseres Kuppelzelts
immer wieder den in seinen Träumen
gefangenen Vater und nicht Liam zu sehen glaubte.
Auch dieser Vater, der so leidenschaftlich und laut
von Aufstand und Bürgerkrieg erzählen konnte,

aber an Tagen, an denen Schafe geschlachtet wurden,
stets einem Nachbarn das Töten überließ,

hatte seltsam kleine Hände, kleine Fäuste,
als gehörten sie zu einem anderen Körper,
einem anderen Mann.

Selbst den Hofhühnern mußte entweder
unsere Mutter oder später dann Liam
die Krallen fesseln und ihnen auf einem Holzblock
des Schuppens die Köpfe abschlagen.
Vater konnte das nicht:

Meine Hände, sagte er stets,
wenn seine Frau gegen die Schlachtarbeit protestierte
oder gegen den Lohn, den der Nachbar
für seine Dienste nahm, *meine Hände*
sind dafür zu klein – und grinste
und streckte die Arme hoch wie ein Soldat,
der sich ergeben will.

Wie kalt die Bilder waren,
die mir aus dem Dunkel unseres Kuppelzeltes
am Yangtsekiang zufielen:
die Manöver in den Bergen von Kerry und Cork
so gegenwärtig, als wären sie eben erst ausgestanden,
und selbst die Schlachttage auf dem Hof unserer Eltern
so lebendig, als flatterten noch jetzt
zwischen den in der Finsternis weidenden Yaks
kopflose Hühner.

Ich lag neben Liam wie im Drehpunkt eines Kreises,
schlaflos, von allem gleich weit entfernt
und allem gleich nahe – nicht nur dem,
was längst hinter uns, sondern auch dem,
was noch in der Zukunft verborgen war:

die Weglosigkeit dieses Gebirges
und seiner Gletscher so nahe
wie die Klippen der irischen Steilküste ...,
die Yaks eines Nomadenclans
nicht weiter entfernt als die Kühe,
die uns erstaunt anglotzten,
wenn wir nach Stunden des Kletterns
durch die überhängenden Wände Horse Islands
bis zu dem an die Wolken gehefteten
Rand des Abgrunds emporgestiegen waren
und selbst über diesen Himmelsrand noch hinaus,
um oben, ganz oben,
bloß Weideland zu betreten,
sanftes Weideland.

Gleich neben den überwächteten Graten
des Landes Kham lagen die Berge Irlands,
ihre kahlen Höhen nicht weiter entfernt
als der letzte Gipfel unseres gemeinsamen Lebens,
der einige Windstöße lang
unsere Namen tragen sollte, bevor er
in jagenden Eiskristallschleiern wieder verschwand –

alles so gegenwärtig im Dunkel
unseres olivgrünen Kuppelzeltes, in dem ich
den Yangtsekiang die Strophen von Liedern
aus den Caha Mountains murmeln hörte
und selbst das Schnarchen unseres längst begrabenen,
vom Krieg träumenden Vaters,
der nicht töten und nicht kämpfen
und Irland niemals verlassen konnte.

In unseren Tagen im Zeltlager von Nyemas Clan
sollte sich Liam und mir,
zwei kurzatmigen Gästen, die vom Meer kamen,
ein Berg zum erstenmal wolkenfrei zeigen,
den der Clan *Cha-Ri*, Vogelberg, nannte.

Cha-Ri, ein gleißendes Bollwerk
inmitten einer Festung aus Gebirgen,
war der erste von drei eisgepanzerten Riesen.
Sie wachten über Hochtäler,
deren ansteigende Talböden wie eine Treppe
in die Wolken emporführten;
auf jeder Stufe ergrünten frische Weiden
im höher und höher fortschreitenden Jahr.

Bei klarem Wetter in jener schlaflosen Nacht
hätte ich vielleicht die Gletscherkaskaden des Vogelbergs
durch den offenen Eingang des Zeltes
im Mondlicht schimmern sehen.

Aber die Nacht war mondlos, kalt,
wolkenverhangen, und als der Morgen graute,
begann es zu schneien.

4 *Ankunft der Meermenschen. Ein Täuschungsmanöver.*

Gebirge in schwarzblauen Wassertiefen, Grate,
auf denen Algen in der Gezeitenströmung wehen,
Schluchten, die nicht in die Wolken und in kein Tal,
sondern bloß zum finsteren Grund hinab
oder ins Licht der Wellen emporführen,
Korallenriffe, Untiefen, Strände,
das Donnern der Brandung:

Liam hatte meine Schwärmerei belächelt,
hatte am Feuer von Tsering Dorje, dem Vater Nyemas,
eine meiner Beschwörungen des Meeres
unterbrochen und spöttisch nach
submarinen Gipfelkreuzen auf den Korallenriffen
der See bei Horse Island gefragt ...

Aber wovon hätte ich sonst berichten,
was sonst antworten sollen?

Was konnte ich einem Hirten antworten,
der seine Hochtäler und abschüssigen Weidegründe
niemals verlassen hatte und niemals verlassen würde,
der in den Sommerwochen mit seinen Yakherden
bis dicht unter die Hängegletscher hinauf-
und doch nur den Jahreszeiten und frischem Gras nachzog,
selbst im Winter in Tälern Zuflucht suchte,
die noch vier- und fünftausend Meter über dem weit,
unendlich weit entfernten Spiegel des Meers lagen?

Was einem Mann aus Nyemas Clan antworten,
dem schon Lhasa auf einem anderen Stern zu liegen schien,

der Potalapalast bloß ein Wahnbild,
der seit Jahren verschollene Dalai Lama
entrückt wie ein Gott ...?

Welche Ortsnamen waren einem Nomaden verständlich,
einem Fußgänger, einem Reiter,
dessen lebenslang aneinandergereihte Wege
zusammengenommen nicht einmal die Länge
unserer Anreise von Horse Island
zur Südflanke des Phur-Ri ergaben?

Die erste Frage, die man Liam und mir
und unserem Führer, dem Händler aus Ya'an,
bei unserer Ankunft vor den Zelten am Yangtse
zugerufen hatte, lautete übersetzt immer nur:
Woher? Woher kommt ihr?
Woher kommen die?

Wir hockten auf der Ladefläche des Lastwagens
jenes Chinesen aus Ya'an, zu dem uns Liams Suche
im Netz nach einem Verbündeten geführt hatte:
Ergebnis einer elektronischen Korrespondenz
mit Vertragspartnern in Shanghai und Hong Kong.

Das von Lehm wie überbackene Gefährt
wurde schon auf Hunderten Metern
der von Geröll übersäten Anfahrt zum Lager
von barfuß durch Naßschnee hüpfenden Kindern
eskortiert, dann belagert von ihren Müttern –
mit Korallen und Türkisen geschmückten Frauen
(unter ihnen, wie ich später erfuhr
auch die lachende Nyema) und Hirten,
die rote Bänder und goldglänzende Fäden

in ihrem langen, zu Zopfturbanen
geflochtenen Haar trugen.

Wir wagten nicht, abzusteigen,
solange im Lärm des Empfanges
auch Mastiffs bellend, *brüllend*
und mit entblößten Fangzähnen
an den Bordwänden hochsprangen.
(In den Wochen unseres gemeinsamen Zuges
mit den Nomaden mußten wir zweimal
Bißwunden verbinden, die diese rasenden Wächter
selbst ihren Herren zufügten.) Wir standen abwartend
und winkten den Andrängenden zu,
bis die Hunde gebändigt
und an Zeltpflöcke gekettet waren.

Woher kamen wir?

Der Händler aus Ya'an war den Nomaden vertraut:
ein jährlich zweimal, selten öfter
in ihren Lagern erscheinender Gast.
Aber in den Hochtälern, aus denen Nyema
mit ihrem Clan bis an die Windungen
jener von Erdrutschen und Lawinen bedrohten
Paßstraße zog, auf der auch wir
aus den Reisfeldern von Sichuan
bis in die Höhen von Kham gekommen waren,
hatten die meisten Ortsnamen,
Titel von Meeren, Flüssen, Kontinenten,
keine Bedeutung mehr.

Ach ja, *Horse Island*, eine Insel der Pferde,
mochte einem Hirten vielleicht noch etwas sagen,

aber der Name eines Tals, einer Hochfläche,
eines Landes irgendwo in *Europa*?

Wenn einer aus Nyemas Clan
seine aus Wolken und Eis herabfließenden
Hochweiden und Almen jemals verließ,
dann nur zu einer Wallfahrt nach Lhasa
oder mit einer Yakkarawane,
die ihn an den Rand seiner Welt brachte,
zu den großen Salzseen im Nordwesten.

Und dennoch schmückten sich Männer wie Frauen,
die unseren Lastwagen umdrängten
(als er endlich zum Stillstand kam),
mit Ahnungen von einer unerreichbaren Ferne,
mit Kostbarkeiten von der Kehrseite ihrer Welt,
trugen an Gürtelschnallen, Armreifen, Ringen
Türkise, deren Farben unter der Sonne Khams
vom tiefsten Blau bis zum leuchtenden Grün
verblaßt waren: Meerfarben,

ja trugen, als kostbarste Zierde,
Muschelketten und rote Korallen
aus dem südchinesischen und Indischen Ozean,
Kleinodien aus den Abgründen von Meeren,
die selbst die Pilger und Salzträger unter ihnen
niemals zu Gesicht bekommen würden
und die doch jeder von ihnen wieder und wieder sah:

in Erzählungen am Feuer, in Träumen,
manchmal sogar auf Bildern in monatealten Zeitungen
(stockfleckigem Verpackungspapier)
und in Berichten von Händlern

wie unserem Gewährsmann aus Ya'an,
der diese Schätze mit anderer Ware
bis in die dünne Luft ihrer Yakweiden emporschaffte
und gegen Wolle und Leder, Felle,
Fetische und Heilkräuter tauschte,
ja selbst gegen rußige Zettel:
chinesische Geldscheine, Zauberpapier!,
mit dem noch die geheimsten Wünsche
erfüllbar gemacht werden konnten.

Türkise. Korallen. Das Meer.
Für alle Zeiten durch die höchsten Gipfel der Welt
von Küsten, Häfen, Stränden getrennt,
hatte doch jeder aus Nyemas Clan
schon Wellenberge gesehen –
mit den Augen eines Träumers
die anrollende Brandung, den tiefdunklen Grund,
aus dem Muscheln und Schmucksteine
und jeder Schatz, ja das Leben selbst geborgen
und den Wolken entgegengehoben worden waren.

Eines der ersten Gesetze, von denen Liam und ich
in den Zeltlagern der Khampas erfuhren,
galt dem Wasser:
Den Nomaden war alles Wasser so heilig,
das der Flüsse ebenso wie das stille der Seen
und das tiefste und mächtigste von allen:
jeder ungenießbare Tropfen des Meeres,
daß es dem Menschen verboten war,
Fische zu essen.

Wasser brachte alles und trug alles fort,
wusch und überflutete, legte frei und begrub

und spülte Gebete, die auf Steine graviert
und in Furten versenkt worden waren,
unter den offenen Himmel ans Meer
und so unter die Augen der Götter,

Wasser befreite ein Tal von Eis und Geröll
und verschloß ein anderes für immer mit Gletschern,
was kam, was war,
hatte sich aus dem Wasser gelöst
und kehrte ins Wasser zurück,
wie das Salz in den Tränen.
Wer Fische tötete, störte diesen Strom,
nein: störte das Leben selbst
und verpraßte seine Kraft
auf der Nachtseite der Welt.

Woher? Woher kommt ihr?

Liam und ich, wir kamen vom Meer:
Also sagte ich, schrie ich schon in der Stunde
unserer Ankunft herab vom Lastwagen
eines Händlers aus Ya'an und später
an den Feuern und im Dunkel der Zelte
und später, wenn ich in verschneiten Tälern
geröstete Gerste und Salz als Gastgeschenk annahm,
wiederholte ich schreiend oder flüsternd
immer wieder: *Vom Meer. Wir kommen vom Meer.*

In den nahezu zwei Jahren der Vorbereitung
hatte Liam unsere Reise nach Kham
mit unzähligen Fäden aus dem Netz umsponnen,
in so vielen Nächten vor seinen Bildschirmen
(und stets mit Blick auf das Meer)

mit einem tarnenden Gespinst
aus höflichen Anfragen, Bittgesuchen
und seinen Verbindungen
in die Kontore der digitalen Kartographie,
in Parteibüros und zu den Marktplätzen
des Geschäfts mit Abenteuern und Expeditionen.

Im Schutz dieses Kokons
nahm unser Weg zum fliegenden Berg
so allmählich und unwiderruflich Gestalt an
wie ein Insekt in der Puppe:
Liam bedrängte Vertragspartner in Südostasien und China,
Agenturen in Hong Kong und Shanghai
mit akademisch verbrämten Reiseplänen und bat Kopisten,
die ihm freundschaftlich verbunden waren,
um ihre Vermittlung bei zentralen Behörden.

(Diese Kopisten im südlichen China –
Liam führte mir ihre erschöpfende Arbeit
in einem Netzvideo vor – lieferten ihm das Rohmaterial
für geodätische Animationen, indem sie
ihre an chinesischen Zeichen geschulten,
unbegrenzt scheinenden graphischen Fähigkeiten
in den Dienst der Übertragung von Atlanten
und enzyklopädischen Werken
aus dem lateinischen Alphabet
in die binäre Verschlüsselung stellten.
Sie erinnerten mich an mittelalterliche Mönche
und deren reich bebilderte Abschriften der Bibel –
und sie taten ihr Bestes auch für unsere Reise.)

Während auf den Weiden Horse Islands
das Vieh im Wind graste

und die Klippen unserer Insel mit jeder neuen,
nach Fischen benannten Route ein Geheimnis verloren,
schrieb Liam an tibetische Exilgemeinden
im indischen Dharamsala, an Parteibüros in Peking
und Chengdu elektronische (selten sogar handschriftliche),
mit Zeichnungen und Fotografien
Horse Islands versehene Briefe,
gab diplomatischen Vertretungen und Behörden
am anderen Ende der Welt scheinbar bereitwillig Auskunft
über sein Inseldasein, über unsere Herkunft und Pläne

und legte bei allen Beschreibungen, Beschönigungen
und Darstellungen unserer Reise nach Kham
größten Wert darauf, ihren wahren Grund zu verschleiern:
die Suche nach einem vergessenen Berg.

Denn Kham galt in diesen Monaten, Jahren
wieder einmal und auf allen Reisemärkten
als kaum betretbares, ja verbotenes Land.

Aus der autonomen chinesischen Provinz Xizang,
aus Tibet, durchdrangen in diesen Zeiten der Vorbereitung
nur wenige Bilder und Berichte die Nachrichtensperren.
Informationen glichen eher verschlüsselten Kassibern,
Gerüchten, die fast ausschließlich
einen rätselhaften *Aufstand* zum Inhalt hatten,
Revolten in den großen Klöstern von Tsang
und auch denen von Kham,
Sturmläufen von Pilgern in Lhasa
gegen chinesische Besatzungssoldaten.

Im Netz flackerten schemenhaft Bilder von Mönchen,
die das verbotene Porträt des verschollenen Dalai Lama

auf Transparenten und Tafeln hochhielten,
ja Bilder von Mönchen,
die mit Sturmgewehren und Steinen kämpften.

Die Empörung, so hieß es,
drohe auf die Provinzen Xinjiang Uygur
und Qinghai und Sichuan überzuspringen.

In den tibetischen Osten? Nach Kham?
Unmöglich, lautete das abschließende Urteil
der ersten Bescheide, die Liam erhielt.

Ein Wechsel der Oligarchie in Peking,
ein Fall an der Spitze der mächtigsten Partei der Welt
hatte zu Kursstürzen an den Wertpapierbörsen geführt
und in den entlegensten Ausläufern des tibetischen Plateaus
zum erneuten Hochschlagen
eines erloschen geglaubten Feuers,

eines uralten Schwelbrandes,
der sich nach Kommentaren im Netz
zu einem Flammensturm erheben konnte
in jenen von Himalaya, Karakorum, Kunlun-Shan-Gebirge
und den Bollwerken einer *Volksarmee* ummauerten Wüsten,
in denen immer noch viel Glut
unter der Asche verborgen lag.

Aufstand? Revolution? Beginn einer neuen Zeit,
die nach einer gefräßigen Ökonomie nun endlich
auch den Geist, die Gedanken! entfesseln würde?
Nachrichten, Gerüchte, Kassiber blieben widersprüchlich
wie alle gesendete oder gedruckte Information.
Tibet war trotz Hunderter im Orbit kreisender Augen

und Ohren, Kameralinsen, Signalsender, Satelliten
so stumm und geheimnisvoll
wie in einer längst begrabenen Zeit.

Unbeirrt von Ereignissen, die nicht in die Zukunft,
sondern in die Vergangenheit wiesen,
spann Liam an seinem Kokon weiter
und begann auch mich so allmählich wie zuvor
für den Weg aus dem Wasser auf festes Land
und den Weg in die Höhe, die Berge,
für das Wagnis einer unmöglichen Reise zu gewinnen
und legte mir schließlich
den Plan einer Verwandlung vor:

Wir sollten von harmlosen Liebhabern bäuerlicher Kultur,
an Beweidungsformen und Techniken des Ackerbaus
und insgesamt an der Geschichte des Übergangs
vom Nomadentum zur Seßhaftigkeit
interessierten Touristen
zu Erstbesteigern, ja Entdeckern
und Landtäufern werden, zu Abenteurern!
Und das unter den Augen
einer mißtrauischen, allgegenwärtigen Behörde,
unter den Augen von Begleitoffizieren
und zur Überwachung und Meldung verpflichteten Helfern.

Wenn mein Bruder Liam neben dem Weg in die Vertikale
noch eine zweite unbeherrschbare Leidenschaft hatte,
dann war es wohl die Täuschung und Umgehung
jeder Autorität, die Verspottung tatsächlicher
oder vermeintlicher Macht.

Den *Ford Galaxy* unseres Vaters hatte er,
ein kaum Vierzehnjähriger damals (mit Hut und Mantel
als rechtmäßiger Fahrer kostümiert), noch im Monat
der Neuanschaffung jenes Gefährts, das nun
unter Disteln und Brombeergestrüpp rostet,
so dicht vor dem Kirchentor abgestellt,
daß sich die Torflügel nicht mehr öffnen ließen
und die Besucher eines Pfingsthochamtes ihr Gotteshaus
durch ein Fenster der Sakristei verlassen mußten.

Der Streich war Liams Vergeltung gewesen
für das wütende *Nein* unseres Vaters,
nachdem mein Bruder ihm seine neuesten,
auf den Zugmaschinen einer Farm in den Hügeln von Bantry
heimlich erworbenen Fähigkeiten als Pilot
im neuen Ford hatte vorführen wollen.

Vorschriften, deren Notwendigkeit er nicht einsah,
befolgte Liam grundsätzlich nicht,
er tat, wozu er sich fähig glaubte, und blieb unbeeindruckt
von allen Maskeraden der Obrigkeit,
verglich Talare und Uniformen mit Anstaltskleidung
und Prozessionen, Aufmärsche, gar Paraden
mit einem Idiotenballett.

Daß er aussichtsreiche Positionen in der Programmindustrie
gegen die Ruinen und Weiden Horse Islands getauscht hatte,
war vielleicht dem einfachen Umstand zuzuschreiben,
daß ihn die meisten Grenzen empörten –
es sei denn, sie hatten die Gestalt eines Strandes.

Allein in seinen virtuellen Animationen
genoß mein Bruder die Unbegrenztheit von Herrschaft –

wenn er etwa Höhenschichtlinien und
Schwärmen von Gipfelvermessungspunkten befahl,
sich aus der Zweidimensionalität
zu schattenwerfenden Gebirgen
oder umbrandeten Kontinentalsockeln zu erheben;
wenn er Ozeane aus ihren tiefsten Becken abfluten ließ,
um die trockenfallenden Gräben
und Schichten des Grundes in den Farben
einer prähistorischen Verwerfung sichtbar zu machen.

Selbst die Zukunft der höchsten Gebirgsketten
konnte er als in Äonen abrollende Wellen zeigen,
die sich unter den Kräften von Erosion und Tektonik
und deren Übersetzung in die Parameter eines Programms
zu Wüsten oder fruchtbaren Ebenen besänftigten,
aus denen nur noch Türme emporragten, Moscheen,
Kathedralen (oder Verwaltungspaläste, so anmaßend
wie das wolkenbekränzte Hochhaus von Babel).

Aber was auch geschah oder besser,
was Liam geschehen ließ:
Er verzierte seine kartographischen Werke stets
(wie ein Mönch seine Kopien der Heiligen Schrift)
mit einer Art Buchmalerei, Hintergrundbildern
und brachte so die unmerklichen Prozesse der Veränderung
ebenso wie ihre katastrophalen Beben
als Definitionen elementarer Modulsprachen zum Ausdruck,
Strophen, Kolonnen, Delirien im binären Code,

ließ etwa im Hintergrund einer Reliefkarte
Lavaströme zu Riffen erstarren und hundert Zeitalter später
in Sandstürmen wieder verwehen.
Kontinente leuchteten vor ihrem Untergang

im samtschwarzen Vakuum noch einmal auf
wie ein Blendungsbild, Meere verdampften
in Urgesteinsbrunnen und vulkanischen Schloten.

Nur an der schnittmusterähnlichen Oberfläche
dieser elektronischen Mosaike glitten Straßen,
Provinzgrenzen, Schiffahrts- und Eisenbahnlinien
und alle zivilisatorischen Zeichen der Kartographie
als belanglose, fließende Muster
über dem unaufhaltsamen erdgeschichtlichen Drama dahin,
erschienen maßstabgetreue, brauchbare, druckbare Karten.

Mit seiner Beharrlichkeit, dem Erfindungsreichtum
und Spieltrieb eines Schöpfers
gelang es meinem Bruder nicht nur,
Einreisebewilligungen für uns beide nach Lhasa,
sondern sogar die Genehmigungen für eine Fahrt
durch den schwelenden Osten Tibets zu erreichen,
zwei Plätze in einem Konvoi aus vier Geländefahrzeugen,
der über nahezu sechstausend Meter hoch gelegene Pässe
von Lhasa nach Chengdu in Sichuan hinabkriechen
und den Reisenden (und damit wohl auch der Öffentlichkeit)
beiläufig vorführen konnte,
es herrsche Ruhe im Land.

Eine Abordnung aus vertrauenswürdigen
Landvermessern, Agrartechnikern, Botanikern
aus Nepal und Indien, Bhutan, Sichuan,
dem Norden Koreas und als bemerkenswerte,
beneidete Ausnahme – auch zwei Inselbewohner,
Vertreter Horse Islands! Experten jedenfalls
der Land- und der Forstwirtschaft –
eine von Peking geladene,

auf verjährte Revolutionen und Dogmen
eingeschworene Reisegesellschaft –
sollte neben Antworten auf technische,
wissenschaftliche Fragen von Anbau,
Düngung und Ertrag auch finden:
Nichts brannte hier.
Nicht in den Tälern
und nicht auf den Bergen
(an deren Steilhängen wir dann doch
riesige Felder von Gebetsfahnen flattern sahen,
Fahnenschäfte in Hunderte Meter langen Reihen,
so unzählbar wie die Stengel im Wind rauschender,
wogender Plantagen der Agrarindustrie).

Alles ruhig, sollten wir finden.
Alles unter Kontrolle
und der vermeintliche Lärm der Unruhe
nichts als das Rattern des Fortschritts,
und doch sei unvermeidlich geworden:
die Errichtung von Dämmen
gegen den Vielfraß
des allgemeinen Reiseverkehrs,
der die tibetische Ruhe gefährde:
Maßnahmen im Interesse des Landes.

Unser Konvoi, so oder ähnlich lasen wir
zwischen den Zeilen jener Korrespondenz
(in der ich nie die Rolle des Schreibers übernahm),
sollte so zu einer Reihe von Beobachtern,
nein: aufgerufenen *Zeugen* werden,
die entlang einer eintausendsechshundert Kilometer
langen Route hören und sehen und bestätigen sollte,
was in den Augen der großen Partei Chinas

und ihrer aus dem Volk
(und nur dem Volk) rekrutierten Armee
hörens- und sehenswert war.

Nach einer Abschiedsnacht auf Horse Island,
in der alle, die sich in den drei (allerhöchstens vier)
Monaten unserer Bergfahrt um Liams Hof,
um Weiden und Vieh kümmern sollten
– unsere Freunde Eamon also, Marian, Declan ... –
bis zum Morgengrauen tranken
und am Ende sogar sangen (aber nicht tanzten,
Liam tanzte nicht gern) und bei Sonnenaufgang
wie eine Botschaft von unserem Ziel
auf den fernen Hängen der Caha Mountains
Schnee liegen sahen, zerrissene Felder
(es hatte dort seit Jahren nicht mehr geschneit),
Schnee!, der unter der Vormittagssonne wieder zerrann,
schaukelten wir bei hohem Seegang
in unserem Kutter ans Festland
und nach einem müden Chor
letzter Glückwünsche in Eamons Bar
von Dunlough nach Cork, von dort weiter
nach Dublin und London und Peking und Lhasa.

Aber selbst in Routenflughöhe
durchbrachen Berggipfel das Packeis der Wolken
und trieben als Inseln davon
und schlug die Dünung, schlugen Wellen nach uns,
Brecher, Jetstreams, Turbulenzen der Jahreszeit,
als ob die Irische See (wie allen Auswanderern)
auch Liam und mir bis ins Hochland von Tibet
nachrollen würde. Dort
mußte der Frühling schon fortgeschritten sein.

Kaum fünfzig Stunden nach unserem Ablegen
vom Pier auf Horse Island
schnappte ich in Lhasa nach Luft,
beschämt von der plötzlichen Kurzatmigkeit:
Wie oft war ich zuvor
in vergleichbaren Meereshöhen gewesen?,
dreimal, öfter?, jedenfalls stets nur an Liams Seite
in den italienischen und französischen Alpen;
diesmal aber kamen wir geradewegs vom Meer.

Atemnot. Schon hier?, auf den Treppen
und in den Höfen des Potalapalastes,
den kein Gottkönig jemals wieder betreten durfte,
hier, im *Juwelenpark* und an anderen Stationen
einer jagenden Besichtigungsfahrt
unter der Aufsicht eines Übersetzers,
der uns wie Gefangene vom Flugfeld
in ein kaltes Quartier brachte.

(Die Hänge hier – tatsächlich so dünn beschneit
wie die Berge im Westen von Cork
am Morgen unseres erst zwei Tage
und doch schon weit zurückliegenden Aufbruchs.)

Wie müde wir waren.
Und warfen doch schon am nächsten Vormittag
unser Gepäck, es enthielt die empfohlene Ausrüstung
(Schlafsäcke, Bergschuhe, Matten, ein Zelt,
aber noch nicht die in Chengdu heimlich bereitliegenden
Pickel, Steigeisen, Karabiner, Eisschrauben),
in das zweite der vier Allradfahrzeuge unseres Konvois
und machten uns mit akademischen Reisegefährten
und drei schweigsamen Begleitoffizieren bekannt.

Nur drei Spione? Auch von anderen Mitgliedern
dieser zwölfköpfigen Delegation, glaubte Liam
(der seit seinen Jahren in Hong Kong
stockendes, Überraschung wie Heiterkeit
auslösendes Kantonchinesisch sprach),
ließe sich nur schwer sagen, welchen Herren sie dienten.
Also sei Vorsicht geboten,
selbst beim Reden über Bäume, Hochweiden, Berge.

Liam gab sich mit allen Einschränkungen zufrieden
und nahm an keinem einzigen Verbot
in diesen Tagen des Mißtrauens Anstoß.
Für ihn befanden wir uns ja nach wie vor
bloß inmitten eines untergeordneten,
vorbereitenden Täuschungsmanövers, das uns,
getarnt als teilnehmende Landvermesser
an einer behördlich genehmigten Fahrt,
ohne Aufsehen unserem eigentlichen Ziel näher brachte.

(Und war dieser Plan, flüsterte mir Liam grinsend
während der Begrüßungsrede eines Begleitoffiziers zu,
nicht ein wenig wie damals, als wir, Traumkämpfer, Kundschafter
unseres Krieg spielenden Vaters,
die Berge durchstreiften zwischen Kerry und Cork?)

Wie Späher sollten wir auch jetzt
Ausschau halten nach verborgenen Wegen, Hinweisen,
Gerüchten aus Tälern, über die sich ein Berg
namens *Cha-Ri* erhob, der Vogelberg,
in dessen Nähe, Schatten oder Windschatten
wir unser verborgenes Ziel suchen mußten,
den weißen Fleck, den Sockel eines Gipfels,
der flog: *Phur-Ri*.

(Dieser Name fiel allerdings kein einziges Mal
in den Wochen unserer Dienstfahrt nach Chengdu,
ich hörte ihn erstmals in den Tagen der Ankunft
im großen Zeltlager am Oberlauf des Yangtse.)

Unsere Reisepapiere enthielten in Klarsichtfolie
geschweißte Kopien amtlicher Empfehlungsschreiben
und waren versehen mit den Stempeln
zweier Universitäten und einer Roten Armee.

Wir, Kinder einer zuverlässigen,
weil an Geschäfte und Gewinne geknüpften Protektion,
galten unseren Gastgebern wie unseren Hütern
wenn schon nicht als verläßlich, so doch als harmlos:
Was war von zwei europäischen Insulanern
schon zu befürchten? Von zwei Meermenschen
in den höchsten Bergen der Welt!

Dabei sollte *unsere* Reise nach Kham
(so hatte es Liam beschlossen, und so geschah es dann auch)
wie der Weg an die Einstiege unserer Kletterrouten
auf Horse Island als ein Abstieg ans Meer beginnen,
aus der Höhe der Weiden ans Meer:
Auch von Lhasa nach Chengdu führten ja
alle Straßen am Ende bergab,
in die Reisfelder von Sichuan.

Auf diesen nur mit Vorsicht zu befahrenden Pisten
und Paßstraßen, Nachschubwegen der Roten Armee,
sollten wir uns als Delegationsmitglieder
gewöhnen an die dünne Luft und vertraut werden
mit den Schwierigkeiten und ragenden Landschaften,
die sowohl hinter uns als auch vor uns lagen,

wenn wir in Chengdu unsere Dienstfahrt beschließen
und dann ohne Aufsicht, aber mit Hilfe
des wartenden Händlers aus Ya'an
aus dem Spiegel der Reisfelder von Sichuan
zurückkehren würden in die Wolken von Kham.

Waren denn nicht alle unsere Wege
und von allem Anfang an *Rück*wege gewesen?:
zurück aus der Dünung auf festes Land;
aus den Funkenschwärmen und dem Gesumme
der Programmindustrie in den Wind von Horse Island;
und auf Kletterrouten wie *Hake* und *Turbot* und *Cod*
von der Brandungslinie zurück ins Vertraute,
in die Höhe der Weiden.

Wo sonst als am Ende von Rückwegen
sollte sich denn entscheiden, ob uns ein Aufbruch
ins Leben, ins Glück geführt hatte
oder ins Verschwinden, in unseren Tod?
Erst wenn wir wieder dort ankamen,
von wo wir irgendwann aufgebrochen waren,
konnten wir etwas so Kindisches,
immer nur Vorläufiges und niemals Gewisses
behaupten wie: *Wir haben es geschafft.*
(Geschafft? Was geschafft? Und wohin?
Aus der Welt? Aus dem Sinn? Aus unserer Gier?)

Am Ende unserer Dienstfahrt, in Chengdu
(so hatte es Liam beschlossen, und so geschah es dann auch),
in der allgemeinen Erleichterung
über die geglückte Durchquerung des tibetischen Ostens
auf Paßstraßen und Nachschubwegen,

im Nachlassen der Aufmerksamkeit
und vielleicht sogar in der milden Laune,
ja Heiterkeit eines Abschieds,
sollten wir jedenfalls unsichtbar werden,
Liam und ich unsichtbar:

Denn nach unserer Ankunft in der Tiefe
und der Entlassung aus der behördlichen Aufsicht
würden wir die bewilligte, aktenkundige Reise
um eine weit von allen Schwelbränden entfernte,
unverdächtige Exkursion verlängern –
in die Bambuswälder am Fuß des Berges Minya Gongga
(eines Kolosses siebentausendsechshundert Meter hoch),
verlängern um einen Ausflug in jene subtropische Wildnis,
in der die Reviere der Pandabären lagen –
eine regionale Fremdenverkehrsattraktion
(und wohl auch für entlassene Delegationsmitglieder
ein plausibles, selbstverständliches Ziel).

Erst in den Tagen dieser Besichtigungsfahrt
sollten wir unseren Gewährsmann treffen,
den Händler aus Ya'an, und uns davonstehlen,
um mit ihm auf jenen Routen in Höhen zurückzufahren,
aus denen wir eben gekommen waren,
dann aber auf andere Spuren wechseln, in verbotenes Land.

Wo alle Nachschubwege und Straßen endeten
(so hatte Liam es beschlossen, und so geschah es dann auch),
würden wir als unsere eigenen Herren weiterziehen,
zu Fuß, immer weiter, mit Yaknomaden,
bis in ein Tal, über dem jener Berg aufragen mußte,
dessen von Wolken und Eisfahnen verhüllte Grate
mein Bruder so oft auf seine Bildschirme befohlen hatte,

und weiter, bis ins Herz jenes Rätsels,
das er um jeden Preis lösen wollte
(und das uns schließlich enthüllt wurde
als der eigene Tod).

Wie umsichtig Liam unsere Reise und alle
mit ihr verbundenen Tarnungsmanöver geplant hatte.
Wie erwartungsgemäß sich das meiste davon erfüllte.
Für Liam war alles leicht zu begreifen
(es war doch ganz einfach):
Jeder unserer Schritte diente einem einzigen Zweck,
der Tilgung einer Leerstelle auf seinen Karten.

Für mich aber, den aus einem unsteten Leben,
aus dem Meer an die Küste und auf eine Insel
in Sichtweite unserer Kindheit gezogenen Bruder, mich,
den zu Klippen und Bergen bekehrten Schiffsmaschinisten,
war alles, auch auf dieser Reise
und schon in Peking und Lhasa, alles
und von allem Anfang an anders:

Ich war empört; wütend auf meinen Bruder
und auf meine Entscheidung, ihn zu begleiten:
Reiste ich, lebte ich denn in seinem Schatten?
War ich sein Schatten? Ein Fragment aus dem Netz
war also mein Ziel? Eine Leerstelle?
Oder war es vielleicht so, daß *er* nichts begriff
von dem, was *ich* sehen und *ich* begreifen wollte?

In einem dämmrigen, nach dem kalten Rauch
erloschener Butterlampen riechenden Saal
des Potalapalastes in Lhasa, Residenz eines verjagten Gottes,
hatte ich einen keuchenden Wachsoldaten gesehen:

Er stand vor Regalfluchten, die unter der Last
tantrischer Bücher zusammenzubrechen drohten –
es mußten Tausende in Holz gebundene Schriftfahnen sein,
die dort unlesbar unter Staub lagen.

Von diesen Büchern hatten die Untertanen
des letzten Dalai Lama geglaubt
(nein: glaubten noch immer,
auch wenn seine Wiedergeburt nur noch ein
von den Besatzern dementiertes Gerücht blieb),
daß selbst des Lesens und Schreibens unkundige Pilger
unter diesen Regalen durchkriechen, bloß kriechen müßten,
um mit ihrem Rücken den Staub, einen Hauch
der hier gelagerten, überlieferten Lehren abzustreifen
und dadurch weiser, sanfter zu werden,
dem Himmel verbundener.

Der keuchende Wächter in grüner Armeeuniform
fiel allerdings nicht auf die Knie, um kriechend
an eine Lehre zu streifen,
sondern stand hochaufgerichtet
und hielt einen der größten Folianten,
der die Form und wohl auch das Gewicht
einer Truhe hatte, in seinen Armen,
begann, das Buch hochzustemmen,
ein ums andere Mal hochzustemmen,
immer wieder, eine athletische, muskelbildende Übung.

Wenn die staubige Hantel ihn allzu schwer drückte,
grunzte er, kämpfte ächzend gegen das Nachlassen der Kraft
und litt an der Last, bis man im Dämmerlicht
Schweißrinnsale auf seinem Gesicht glitzern und
auf die Brusttaschen seiner Uniform tropfen sah.

Irgendwann wuchtete er alle Gebete, Anrufungen,
Lehren und Empfehlungen für den Weg aus der Zeit
mit einem erleichterten Aufschrei
wieder in eines der Regale zurück und grinste
und bedeutete Liam, ob er wohl Zigaretten hätte.
Aber Liam beachtete ihn nicht, Liam folgte ungerührt
den schon weitergehenden Mitgliedern der Delegation.

Am späten Nachmittag unseres ersten
und letzten Tages in Lhasa sah ich Hunderte Pilger
auf dem Platz vor dem Dshokhang,
dem heiligsten Tempel des alten Tibet,
an dessen Säulen auch jetzt noch
ein Lichtermeer hochschlug,
Flammen Tausender Butterlampen.

Aber nicht die Pilger, von denen einige
auf einem mühseligen, manchmal Jahre erfordernden Weg,
den sie mit ihren Körperlängen ausgemessen hatten:
gehend, nach drei, vier Schritten innehaltend, dann kniend,
dann mit ausgebreiteten Armen auf den Boden gestreckt,
sich wieder erhebend, um drei, vier Schritt weiterzugehen,
und diese Übung wiederholend, alles wieder und wieder,

nicht die Pilger, kein einziger von den Wartenden,
wurden in das Allerheiligste vorgelassen,
sondern wir, Delegationsmitglieder, wurden gemeinsam
mit anderen Eintritt zahlenden Gleichgültigen,
Stadtrundfahrern, Museums- und Tempelbesuchern
an den betenden, ihre Mantras murmelnden Ausgesperrten
vorüber und ins Innere des Heiligtums geführt,
wo wir schimmernde Reihen von Buddhas
und Bodhisattvas aus Stein, Holz und Bronze abschritten

wie eine allein zu unserem Empfang angetretene Parade
entthronter Götter, entmachteter Dämonen, Geister,
Inkarnationen und Wiedergeburten,
über deren verlorene Reiche
uns Flugblätter Auskunft gaben,
Mitteilungen in drei Sprachen, die wir
vor dem Betreten von Kapellen und Schreinen
bereitstehenden Pappschachteln entnahmen:

Aber auch diese Hilfen zeigten uns nur,
wie ahnungslos wir waren; Lichtjahre entfernt
von jenem Paradies, das die Ausgesperrten
im grellen Tageslicht draußen anriefen.

Im Vorübergehen drehten wir an Gebetsmühlen,
die sich unter den Händen von Gläubigen
bis ans Ende der Zeit hätten drehen sollen:
In unserem Rücken standen sie still.

Und dann (es war kurz vor Einbruch der Dämmerung)
hatte ich, hatten wir auf einem offenen Lastwagen
zum Tode Verurteilte hocken sehen,
Häftlinge, die Schilder um den Hals trugen:
Anklagen? Listen ihrer Verbrechen? Hochverrat?
Aufruhr? Widerstand gegen den Fortschritt?

Unser Übersetzer verriet nur, daß die Verurteilten
Diebe waren und daß auch, wenn sich der einzelne
am Eigentum des Volkes vergriff,
ein todeswürdiges Verbrechen geschah.

Mit Stricken aneinandergefesselt, erschöpft,
Schulter an Schulter mit ihren Henkern,

hockten fünf Männer, von denen gewiß keiner
älter war als Liam und ich, auf der Ladefläche,
unterwegs mit verbundenen Augen zu einem Ort
(der Übersetzer nannte einen unübersetzbaren Namen),
an dem ihnen die Halswirbel
unter Genickschüssen zerspringen würden.

Liam blieb ungerührt.
Liam betrachtete, was er sah, schweigend
wie auf einem Bildschirm: Soldaten, Pilger, Verurteilte,
ließ sich von ihrem Anblick und allem,
was uns an diesem und anderen Reisetagen entgegenkam,
bloß bescheinen und betrachtete den Wechsel der Bilder
mit der gleichen Unbewegtheit, mit der er verfolgte,
was auf Bildschirmen erschien und wieder verschwand:
wachsam, auf alles gefaßt,
aber ohne Wut oder Empörung.

Mein Bruder Liam schien, was immer er hörte und sah,
allein danach zu beurteilen,
ob es seinen Absichten ein Hindernis war oder nützlich.
Und wie beim Schreiben in den Elementarsprachen
der Programmierer gab es für ihn auch in Kham
keine Frage, deren Antwort
nicht *Ja* oder *Nein* lauten konnte.

Er verwandelte selbst die Abfolge unserer Tage
in binäre Kolonnen, Zeichenreihen,
die sich zu Wunsch- oder Trugbildern erheben
und fügen mußten:
zum Schattenwurf eines unbestiegenen Berges
oder zum Muster der Höhenschichtlinien,
von Orten so blendend weiß,

daß alles Wirkliche, Faßbare,
Unbezweifelbare in ihrem Schein
zu verblassen begann.

Liam wollte nichts sehen,
Liam wollte nichts hören.
Liam entwarf. Liam träumte.

5 *Master Kaltherz. Billard im Schnee.*

Also gut, Master Kaltherz,
flüsterte ich in das Schnarchen meines Bruders
(welche Abenteuer mußte Liam bloß Nacht für Nacht
bestehen, wenn er träumend Beschwörungen oder Flüche?
stammelte und in der Finsternis um sich schlug,
als sei sein Schlafsack eine Falle, ein Netz
und er das Tier, der Gefangene darin),

also gut, Master Kaltherz, wiederholte ich
am nächsten Morgen und in der nächsten Nacht
und in so vielen Nächten
und während so vieler Wegstunden
in seinen Fußstapfen:
Also gut, entwirf dir die Welt,
knüpf sie an deine Module, Master,
nagle sie an deine Bildschirme,
laß sie an den Felswänden erscheinen,
ja!, wirf sie, von mir aus, an die Wand!
Aber ohne mich!,

schrie ich in das Motorengeheul, wenn unser Konvoi
in Schnee und Schlamm manövrierte, und schrie ich
in den blanken Schacht eines Felskamins empor,
den Liam mit Seil und Eisschrauben
auch für mich begehbar gemacht hatte,
und schrie ich einmal sogar
in einen Strauß Gebetsfahnen
(sie knallten auf einer Paßhöhe im Wind):
Ohne mich!

Manchmal gelang es mir auch, ganz ruhig zu bleiben.
Hör zu, murmelte ich dann wie im Selbstgespräch
und voll bester Absichten
(er sollte ja verstehen, worum es mir ging):
Hör zu, Liam, so weit sind wir also gekommen;
bist du nicht überrascht, daß sich der Schnee,
die Eiswand, daß sich jeder Höhenmeter
dieser verfluchten Route deinem Programm widersetzt?,
daß alles ganz anders läuft als geplant?
Weißt du denn noch, wußtest du jemals, wo *wir* sind?
Du weißt es nicht. Wie denn auch,
du bist ja blind. Blind und taub.

Blinder, tauber, armer Liam,
sagte ich manchmal sogar voll Mitleid …
und wurde im nächsten Augenblick doch wieder wütend:
Soll ich dir flüstern, Kaltherz,
soll ich dir flüstern, wohin wir geraten sind?

Liam, mein Liam, mein Bruder:
Habe ich nicht in dein Schnarchen geflüstert
und dich nicht angebrüllt?

Habe ich dir jemals gesagt,
daß ich nicht länger in deiner Spur,
nicht an deinem Seil und nicht auf deiner Insel,
nicht in deinen Leidenschaften und auch nicht mehr
in deinen Programmen, verflucht, Liam!
weiterleben, weiterstolpern wollte?

Habe ich nicht.
Ich habe es versäumt.
Ich war wütend, ich war oft wütend,
aber ich schwieg.

Schwieg, wie ich immer geschwiegen habe,
schon in den Nachtlagern an der Seite unseres Vaters
und in unseren Gesprächen per Funk
und über die Ozeane hinweg
und selbst nach meiner Rückkehr auf Horse Island
und immer. Das heißt …
einmal, dochdoch, ein einziges Mal habe ich Liam
laut und unüberhörbar *Kaltherz* genannt (er lachte darüber).
Aber sonst.

Wie oft habe ich mich wortlos, vollkommen stumm
an meinen Bruder und dabei doch nur
an mich selber gewandt –
und als ich dann, es war an diesem Spätnachmittag im Mai,
an dem es so still wurde, daß in der glasigen Luft
das Knistern der Eiskristalle zu hören war,
die das Sonnenlicht in mikroskopischen Blitzen
in den Himmel zurückwarfen und darüber zersprangen,

als ich endlich zu reden begann
und zum erstenmal aussprach, was ich die ganze Zeit,
unser ganzes Leben lang sagen wollte,
war ich plötzlich allein,
war ich schon seit Stunden allein.

Ich gebe zu, ich bekenne: Ich habe versäumt
zu reden, zu flüstern, zu brüllen,
habe versäumt, Liam meinen Zorn zu gestehen
oder ihn vielleicht bloß zu fragen:
Was mache ich hier?,
was auf Horse Island?,
was in deinem Haus?,
in deinem Leben?

Wie leicht mir das Fragen
und mein Geständnis am Ende fielen,
auf jenem Schuttkegel, unter dem er begraben lag,
die Sätze, jedes Wort flogen mir zu,
und ich sprach alles aus.

Ich sagte: Liam, ich kann nicht mehr,
ich will nicht mehr weiter,
ich will zurück in mein eigenes Leben,
nicht auf deine Insel,
und schon gar nicht zurück in dein Haus,
sondern auf meine Schiffe zurück, auf das Meer.
Ich will nicht von Kristallschirmen umflackert
und von Rechnern in den Schlaf gesummt werden,
sondern in den Schlaf sollen mich allein wiegen:
Schiffe. Mein Schiff. Das Meer.

So oder so ähnlich redete ich wohl
und schrie und murmelte schließlich
erschöpft vor mich hin und gestand Liam alles,
aber er, er konnte mich bei dieser Gelegenheit
selbst bei jenem besten Willen
(den er mir gegenüber so selten gezeigt hatte)
nicht hören,
nicht mehr,
er lag ja begraben unter Eis und Geröll
und zersplitterten Bäumen und Schnee,
geborgen, unerreichbar wie immer
in seiner Lawine,

auf deren zur Ruhe gekommenem,
wie versteinertem Kegel ich dann herumkroch,
stundenlang, bis in die Nacht,

auf und ab kroch und im Schutt grabend,
am Eis kratzend, meine Fingernägel verlor.

Erst jetzt, endlich, schrieb ich, schrieb ich wirklich,
nicht bloß unsere Namen, wie auf dem Gipfel
und nicht mit dem Schaft meines Eispickels,
sondern mit tobenden Fingerkuppen in den Schnee,
unlesbare, blaßrote Zeichen.

Vor allem an dieses Gekritzel, rote Gravuren,
erinnerte ich mich, als ich Monate später,
ein Geretteter, ein Überlebender,
wieder durch Liams Haus auf Horse Island ging,
und ich habe dieses Haus niemals wärmer,
lebendiger empfunden als in jener Stunde,
in der es endlich leergeräumt, leer!, und mein Erbe
ans irische Festland, nach Dunlough und
in den Schuppen hinter Eamons Bar verfrachtet war:

Die hallenden Räume sonnendurchflutet,
in den verriegelten Glasschiebewänden,
in jedem Fenster: Das Meer.
Und die Salzblüten am Glas wie Eisrinden, Schnee.

Auch dieser Tag blieb so klar, daß in der Ferne
die Caha Mountains zu sehen waren,
die Abhänge, in deren Schatten die Weiden, die Ställe,
der Hof unserer Eltern lagen und seit Jahren
wieder zurückfielen an das verwilderte Land,
unter Ginster und Brombeergestrüpp verschwanden,
wie schon lange davor auch *Irland*,
das *wahre* unseres Vaters verschwunden war,
abgeblättert von der fensterlos kalten Wand eines Korridors,

von der Zugluft gepflückt aus einem Mosaik
unerfüllbarer Wünsche und selbst die letzten
noch an der Wand verbliebenen Farbfotografien
gemustert, getarnt mit Feuchtigkeitsflecken und Schimmel.

Obwohl Liam nie davon gesprochen hat,
den Hof unserer Eltern, *diese* Ruinen,
anstelle der verfallenen Steinbauten auf Horse Island
wieder in ihre alte Form zu bringen
und so zurückzuholen aus der Vergangenheit,
waren es in Wahrheit doch wohl gewesen:

das Haus unserer Eltern, die Weiden, die Einfriedungen,
die Kulissen unserer Kindheit, die er auf Horse Island
(lange vor meiner Ankunft) wiedererrichtete,
eine Rekonstruktion, in der am Ende
nur die Darsteller fehlten,
die verschwundenen Bewohner,
ich.

Ich allein, obwohl auf Schiffen, in Maschinenräumen
irgendwo auf den Meeren jener Welt verschollen,
die unserem Vater zeitlebens
als das *Wahre Irland* erschienen war,
das Liam schon Jahre vor mir wieder verlassen hatte
(zugunsten eines mit verfallenen Häusern,
Erinnerungen überfrachteten Felsens im Atlantik
vor Dunlough), ich allein war noch erreichbar.

Unsere Mutter, die von Vater zweideutig *mummy,*
von Liam und mir dagegen nur Shona,
bei ihrem Vornamen Shona genannt wurde,
Shona hatte Vaters Gerede, seine Manöver,

seine endlosen Wunschlisten und Verfluchungen,
seine Beschwörungen des Bürgerkriegs
und aller Kämpfe um die irische Einheit
nicht mehr ertragen
und war nach Belfast zurückgegangen,

in den Norden desertiert! wie unser Vater beklagte,
aber sie hatte ihn nicht verlassen,
nein, war nicht *geschieden* von ihm,
denn nur der Tod konnte trennen, was von Gott selber
(auch das Vaters Worte) verbunden war,
Shona, *mummy*
hatte etwas Schlimmeres getan, als zu sterben:
sie hatte ihren Mann und mit ihm Irland verraten,

sie war auf und davon,
und das ausgerechnet mit einem *Souper*,
einem Mann, dessen Vorfahren in den Zeiten der Hungersnot
ihren rechtmäßigen, katholischen Glauben
für einen Napf Suppe
und ihre Seele dem Teufel verkauft hatten –
protestantischen Missionaren:
eine in den Augen unseres Vaters
noch in dreihundert, noch in fünfhundert Jahren
unvergessene Schande.

Shona war geflüchtet mit einem Mann namens Duffy,
einem Elektriker aus Bearhaven,
den Liam und ich wie einen Magier bewunderten,
hatte er doch im Haus unserer Kindheit
den ersten Bildschirm zum Flackern gebracht,
ein Fernsehgerät, das uns manchmal
(selbst bei gutem Antennenwetter)

nur gleichförmiges Rauschen und tief darin verborgene,
knackende Stimmen hören ließ, Geisterlieder,
und uns dazu elektronisches Gestöber zeigte;
Schneestürme.

Ich glaube, am Ende waren es weder
seine zerfressenen Lungen noch Vaters Trauer
über den Verlust seiner Frau,
sondern vor allem seine Wut über ihren Verrat,
die ihn nur drei Jahre nach ihrer Flucht in den Norden
seinen endgültigen, unverrückbaren Ort
unter einem unverrückbaren Himmel finden ließ,
sechs oder sieben Fuß unter einem Stein
auf dem Friedhof von Glengarriff.

Der Grabstein trug seinen Namen,
und darunter war zu lesen *A Gentleman*,
aber kein Geburts- und kein Todesjahr,
und sank so rasch tiefer ins Erdreich,
daß er wieder leer erschien, als ich ihn
nach meiner Rückkehr aufs Festland zum erstenmal sah:

als wäre der Name seinem Träger gefolgt
in ein überwuchertes Grab im Schatten der Kirche
von Glengarriff, an der Gabelung der Nationalroute 71:
die Abzweigung nach links
führt weiter die Küste entlang
(nach Adrigole und Bearhaven),
die nach rechts hinauf zur Paßhöhe
und Grafschaftsgrenze nach Kerry.

Der Kopf des Alten, sagte mir Liam per Funk,
zeige jetzt und wie immer in die Berge.

Dann zeigen seine Füße, antwortete ich,
zum Meer.

Ich erfuhr von Vaters Tod und Begräbnis
per Schiffsfunk und auch,
daß Shona selbst aus diesem Anlaß
nicht mehr aus Belfast zurückgekehrt war.

Einen Tag und eine Nacht sei der Alte
im offenen Sarg aufgebahrt gewesen,
und zwar auf einer mit der irischen Trikolore verhüllten,
zum Katafalk gewordenen Theke in Glengarriff:

Gekleidet in eine nach Mottenkugeln riechende Uniform
der Irisch-Republikanischen Armee,
glich er so endlich Michael Collins, dem Helden der IRA,
seinem Collins (neben Henry Ford, dem Erfinder,
der andere von Vaters zwei Heiligen), Collins,
der nach seiner Erschießung aus einem Hinterhalt
in den Hügeln von Bealnablagh bei Macroom
im Rathaus von Dublin aufgebahrt worden war
und nun Ewigkeit und unvergeßlichen Ruhm
in der gleichen Uniform erwartete.

Vater endlich ein Freiheitskämpfer, ein Krieger, ein Held:
Die Aufbahrung im *Sandboat*, seiner Kneipe in Glengarriff,
hatte zu seinen letzten Wünschen gehört
(einer von den erfüllbaren), aber schon die *pints*
für die an der Theke salutierenden Trauergäste
mußte Liam bezahlen;
das Barvermögen des Toten reichte
für solche Paraden nicht aus.
(Ich erfuhr selbst von der Höhe der Zeche per Funk,
ich erfuhr alles, ich allein war noch erreichbar.

Liam ließ mich jede Einzelheit wissen.
Liam schrieb mir. Immer wieder.
Beschwor mich, rief mich schließlich zurück.
Und ich kam.)

Aber war ich auf Horse Island
und davor schon im Haus unserer Eltern,
im Zelt an der Seite unseres Vaters
jemals mehr gewesen als ein schlechter Ersatz?
Ich war nicht, war eben nicht jener verbotene Freund,
niemals der Geliebte, nach dem Liam,
wohl auch in seinen Jahren im Irgendwo
in London und Südasien, vergeblich gesucht hatte.

Das Tabu jener Liebe, die Liam meinte,
wenn er von Liebe sprach,
ließ sich wie viele andere Verbote und Regeln brechen:
in Dublin und London und mit Strichjungen anderswo.
Nicht zu überwinden und nicht zu brechen
war aber die Unmöglichkeit, eine solche Liebe
auch dort zu zeigen, wo er, wo wir herkamen
(jedenfalls nicht, ohne den eigenen Frieden
und den Frieden der Nachbarn zu stören).

So hatte Liam wie unser Vater gewiß früh begonnen,
Listen zu führen mit unerfüllbaren Wünschen,
und einer davon war wohl der nach dem Leben
mit einem Gefährten, einem Geliebten,
nicht im Verborgenen,
sondern an jener von Westwinden beherrschten Küste,
nach der er sich zurücksehnte
(auch das stand in seinen Archiven)
während all seiner Jahre im Irgendwo.

Und du?, fragte er mich in einem
auf den Logblättern des Leuchtturms von Dunlough
geschriebenen Brief: Warst du nie krank vor Heimweh?

Bevor ich als erste Verfügung über mein Erbe
die Speicher in Liams Computern neu formatierte
und damit unwiderruflich löschte
(soviel verstand schließlich auch ich von seinen Rechnern),
habe ich in seinen digitalen Archiven
die Kopien von Annoncen gelesen, Aufrufe,
Hilferufe im Netz, mit denen er sich selbst
und seine Insel anpries, ja sogar die Idee bewarb,
gegen Entgelt und zur Tarnung eine Ehefrau
nach Horse Island zu holen und dazu später
einen aufs Landleben versessenen Geliebten
als unverdächtigen Knecht (dessen Arbeit
an Zäunen und Viehweiden dann ich übernahm).

Mein Leben auf Horse Island war nie mehr gewesen
als eine Art Zwischen- und Notlösung für die Jahre,
in denen Liam seinen Träumen noch nachlaufen mußte,
und sollte wohl enden,
wenn der wahrhaft Gesuchte endlich erschien.

Ohne mir jemals davon zu erzählen,
schlug Liam in verschlüsselten Anzeigen im Netz
einigen Interessierten unverdächtige Treffen vor:
in Dublin und Cork. Ohne Erfolg.
Denn solche geheimen Besprechungen seiner Pläne
samt einigen flüchtigen Abenteuern
(auch das bewiesen seine Archive vor ihrer Löschung)
kamen zwar gelegentlich zustande, mehr aber nicht.

Nein, Liam hat gewiß von einem anderen Gefährten
als von seinem ans Meer verlorenen Bruder geträumt.
Ich sollte vorübergehend bloß jene Leerstelle besetzen,
die einem Hirngespinst zugedacht war,
einer Gestalt in einem seiner Programme.

Noch unsere Wochen im Konvoi erschienen mir manchmal
bloß als ein weiteres Beispiel für unsere gemeinsame Zeit
auf seiner Insel ebenso wie schon Jahrzehnte davor,
bloß als Fortsetzung eines Schauspiels, in dem ich,
wenn überhaupt etwas, dann nur stumme Person, Statist,
bestenfalls Zuhörer oder Stichwortgeber gewesen war.

Denn mein Bruder verlor auch im Konvoi nach Chengdu
niemals sein Ziel, das wahre, aus seinen Augen,
das Verbotene, den weißen Fleck irgendwo in der Ferne,
blieb dabei aber stets höchst beherrscht, ungerührt,
hielt seine Aufmerksamkeit ganz auf Illusionen gerichtet
und zeigte sich an Lebensumständen, Stimmen,
den wirklichen Menschen, die uns umgaben
oder denen wir in Dörfern und Zeltlagern begegneten,
nicht besonders interessiert.

Ich dagegen war verwirrt, oft begeistert von allem
und manchmal so überwältigt von dem,
was ich hörte und sah,
daß mir entweder darüber gleichgültig wurde
oder daß ich einfach vergaß,
was meinem Bruder als das Wahre,
das Wesentliche vorschwebte.
(Schließlich hatte ich von dieser Art Wahrheit
schon im Korridor unseres Elternhauses
mehr als genug gesehen.

Auch dort war der Wegweiser zur Erfüllung
aller Wünsche nur eine mit Erinnerungen,
Ansichtskarten und verblassenden Schnappschüssen
beklebte, vernagelte Wand gewesen.)

Die chinesischen Fahrer der Geländewagen unseres Konvois
trugen weiße Baumwollhandschuhe,
die sie Tag für Tag wechselten (so rasch wurden sie grau,
dann schwärzlich im Schmutz unserer Fahrt).
Und diese Handschuhe erschienen mir
als eine der vielen Gesten, die uns wohl zeigen sollten,
daß Kham, das besetzte Land, unser Ziel,
nicht mit bloßen Händen anzufassen war:

Es sei Barbarenland, sagten unsere Fahrer,
Barbarenland, von abergläubischen Wilden bewohnt,
von Stämmen, besessen vom Glauben
an Dämonen und Wiedergeburt,
Unbelehrbare, vor denen ein Reisender
sich besser in acht nahm.

Die Khampas trugen Zierschnüre im Haar
und um den Hals Muschelketten und Türkise,
an ihren Gürteln scharfe, geschmiedete Schwerter
und in Satteltaschen oder an Schulterriemen
manchmal Gewehre.
(Am Sattel eines die Paßstraße kreuzenden Reiters
hatte ich sogar Handgranaten baumeln sehen ...
Aber der Reiter war noch vor dem Alarmgeschrei
unserer uniformierten Beschützer
wieder zwischen Felsen verschwunden; ein Spuk.)

Diese Uneinsichtigen, diese Aufständischen,
sagte einer der Alarmierten, ein Offizier aus Nanchong
(der ebenfalls Handschuhe trug), konnten zwar beherrscht,
beschrieben, studiert werden
als steinzeitlich ausgerüstete Jäger,
als Viehhirten, autarke Nomaden,
sie blieben aber auch in Gefangenschaft
unansprechbar, unbekehrbar und unfähig,
die Wohltaten des Fortschritts
ohne die Hilfe einer Armee zu begreifen.

Die Armee!, bekräftigte der aus Nanchong
noch in einer Rede zur feierlichen Verabschiedung
der Delegation in einem kalten Saal in Chengdu,
allein die Armee habe ein neues Zeitalter
aus Peking nach Lhasa getragen
und mit ihm unzählige Erleichterungen des Lebens,
den Frieden der Gleichheit, das Recht auf die Zukunft ...

Und Liam, Liam!,
entweder bloß an der ungestörten Verwirklichung
seiner eigenen Pläne interessiert oder aus anderen
strategischen Gründen mit unseren Bewachern einer Meinung,
stimmte in einem Toast an diesem Abend
(wie manchmal auch schon während der Fahrt)
den uniformierten oder chauffierenden,
denunzierenden Handschuhträgern zu,
stimmte ihnen zu!

Seine Haltung, seine Berechnungen waren mir vertraut,
und wir waren schon im Konvoi darüber gelegentlich
in Streit geraten, aber sie wurden mir unerträglich,
als schließlich Nyema in unser Leben,
nein: in mein Leben trat.

Aus den Wagenfenstern des Konvois und aus der Sicherheit
unserer bewachten Nachtlager sahen wir vieles,
was nach Ansicht unserer Fahrer und Führer
nicht für unsere Augen bestimmt war:
Das Tempo der Fahrt wurde dann auf Befehl
(und ohne Rücksicht auf Straßenverhältnisse)
manchmal kommentarlos beschleunigt:

So rumpelten wir an meterhohen Pyramiden
aus Yakschädeln und Knochen vorüber,
den verwesenden Resten von Herden,
die im vergangenen Winter verhungert waren,
Opfer einer Jahreszeit, in deren Schneehöhen
und Kältegraden auch die Schwächen einer allmächtig
auftretenden Besatzungsarmee offenbar wurden:
Schützenpanzer, Lastwagen, ja sogar Truppentransporter
waren einfach verschwunden im Schnee.
Wir sahen am Pistenrand sogar einige (in Gefechten?
oder bloß unbewachten Wagenburgnächten?)
ausgebrannte Wracks aus dem Fuhrpark dieser Armee.

Und wir sahen auf unserer genehmigten Fahrt
jenseits der blutroten Mauern von Klöstern,
deren Wiedererrichtung in den Jahren vor dem Aufruhr
als ein Zeichen des guten Willens in Peking
erlaubt worden war, die ungleich größeren Ruinen
ganzer Klosterstädte: Schuttfelder, Brandstätten,
deren Ausdehnung auf das Ausmaß der Wut schließen ließ,
mit der die revolutionäre Vernunft
gegen die Unbelehrbarkeit angerannt war.

Und in den breiten Mäandern von Hochtälern,
in die unsere Route von Lhasa nach Chengdu

schließlich einmündete, sahen wir Lastwagenkolonnen
dahinkriechen, turmhoch beladen
mit den Stämmen riesiger Himalayazedern,
Hemlocktannen und Tränenkiefern –
den in Rohstoff für Chinas Zukunft verwandelten
Urwäldern von Kham, an deren Stelle nun nackte,
mit Millionen Baumstümpfen beschlagene Hügel
in alle Himmelsrichtungen
und bis an den Horizont davonrollten:

Kahlschläge, aus denen Wild, Vögel
und Menschen geflüchtet waren und den Insekten,
Ameisen, Borkenkäfern und ihren Artgenossen
überlassen hatten:
ein schattenloses, verwüstetes Land.

Und Liam, Master Kaltherz, nickte bloß abwesend,
wenn einer unserer Führer, unserer Bewacher und Wärter
von Aufbau, von Entwicklungsprogrammen
und Sinn und Notwendigkeit
radikaler forstwirtschaftlicher Maßnahmen sprach.
Liam war an einer Leerstelle, einem weißen Fleck,
nicht an Wäldern interessiert.

Aber ich erinnere mich, daß uns die alte, heitere Kumpanei
manchmal wieder verband, wie einst,
als wir uns in den Zeltnächten in den Bergen
über den als Krieger kostümierten,
schnarchenden Vater lustig gemacht hatten,
eine Vertrautheit, als wäre unsere Kindheit
noch längst nicht vergangen:

Es war in jener Nacht im Nomadenlager am Yangtse,
kaum eine Woche nach der Auflösung
der Delegation in Chengdu und einen Tag
bevor uns auch der Händler aus Ya'an verlassen
und Liam und ich mit Nyemas Clan
endlich allein, zu Fuß weiterziehen sollten,
in einer sternklaren, windstillen Nacht, an deren Ende
es dann doch wieder zu schneien begann.

In der plötzlich gestiegenen Lufttemperatur waren
der versteinerte Schlamm und das Glas der Pfützen getaut,
und die Nacht wurde, verglichen mit der Kälte
vorangegangener Tage, so frühlingshaft mild,
daß Liam und ich an einem Kochfeuer
unter den Sternen hockten,
während sich unsere Gastgeber
(auch sie unter offenem Himmel)
in ihr Lieblingsspiel vertieften
und der Händler aus Ya'an in seinem Lastwagen schlief:

Vom Gelächter oder auch beifälligen
und mitleidigen Zwischenrufen
eines sachkundigen Publikums unbeeindruckt,
spielten vier Khampakrieger an einem
zwischen Yakhaarzelten aus dem Morast aufragenden Tisch
Billard, spielten *Pool!*, und zwar nach ähnlichen Regeln,
wie wir erst vor Wochen, vor einer Ewigkeit
in einem Hinterzimmer von Eamons Bar gespielt hatten,

und im Schein mannshoher Pechfackeln
spielten sie immer noch weiter,
als unser Feuer längst niedergebrannt,
das Publikum schläfrig geworden und verschwunden war
und es im Morgengrauen zu schneien begann.

Liam und ich hockten vor unserem Kuppelzelt
und sprachen von unseren Nächten in den Cahas,
sahen belustigt auf, wenn vom Billardtisch
zwischen den Fackeln ein Schrei der Begeisterung
oder der Enttäuschung kam,
und traten zwei- oder dreimal sogar an den Tisch,
um Zeugen eines besonders schwierigen,
spielentscheidenden Queuestoßes zu werden.

Der Händler aus Ya'an führte zwei dieser speckigen
Billardtische auf seinem Lastwagen mit sich,
um sie an Kundschaft in den Nomadenlagern von Kham
zu vermieten, auf Märkten in chinesischen Garnisonsiedlungen
oder auf den Plätzen vor wiedererrichteten Klöstern:
Dort waren dann heilige Männer, Asketen
und Mönche in roten Kutten
mit triumphierend erhobenen Queues zu sehen.

Selbst Khams heilige Männer spielten Pool
mit der gleichen Hingabe, mit der sich in jener Nacht
unsere Gastgeber von ihrem Zeitvertreib verabschiedeten:
Morgen würde der Händler weitergezogen
und dann wieder für Monate verschwunden sein.

Als ob ihre Geschäfte mit dem aus Ya'an
noch einer letzten Rechtfertigung bedürften,
spielten die Krieger um jenes Geld, das er ihnen
für Leder, Kräuter, Wolle und Felle und Schnitzereien
aus Knochen und Steinen geboten hatte.
Der Verlierer zahlte eine Nacht Miete für den Tisch.

Die Fackeln warfen lange, flackernde Schatten
über die in ihre Fellmäntel gehüllten Khampas

und erhellten nicht bloß den Tisch,
sondern hielten in ihrer Anordnung zum Bannkreis
auch die Geister der Eisregion davon ab,
über Schlafende in den schwarzen Zelten herzufallen
oder über das in der Finsternis weidende Vieh.

Dennoch hatte kein Spieler sein Schwert abgelegt
(auch wenn es manchmal in der versilberten Scheide
an die Schöße des Fellmantels schlug
und einen Queuestoß behinderte).
Die mit Glanzfäden durchwirkten Bänder
in dem bis zum Gürtel herabfallenden Haar der Spieler
schimmerten kostbar, wenn einer von ihnen
sich weit über den Tisch beugte und aufschrie,
wenn er eine schwierige Kugel
in eine der Netztaschen versenkte.

Begannen die Mastiffs, alarmiert
von einem solchen Schrei, einem Schatten
oder einem aus der Finsternis äugenden Tier,
wütend zu bellen, hob kaum einer der Spieler den Kopf.
Das Klacken der Elfenbeinkugeln nagelte jeden Alarm
und alle Geräusche wieder in die Stille zurück,
in einen Frieden, in dem nur der Yangtse
ohne Unterbrechung und ohne Respekt
vor dem Ernst dieses Spiels sein Selbstgespräch führte.

Versunken in ihre Hingabe, schienen den Kriegern
alle Gefahren gleichgültig zu sein,
die aus den Bergen drohten, lichtlosen Mauern,
von denen das Bett des kindlichen Stromes,
Weiden und Zeltlager so hoch umschlossen waren,
daß die Mauerkronen bis an die Sternbilder reichten.

Was nicht zum Spiel gehörte, war vergessen,
auch der Schneeleopard und bissigere Dämonen,
die so viele Namen tragen und so viele Gestalten
annehmen konnten, wie ein Baum Nadeln hervorbrachte
oder Früchte, Blätter;
alles vergessen.

Der Friede, der in diesen Stunden am Yangtse herrschte,
versetzte auch Liam und mich zurück in eine Zeit,
in der die Angst das Vorübergehende, Flüchtige
und die Geborgenheit das Dauerhafte gewesen waren.
Wir sahen die Schattenrisse des Transhimalaya
als die Scherenschnitte vertrauter Bergketten,
erinnerten uns an den Tarnfarben tragenden Vater
und kicherten wieder über ihn
wie in Zeltnächten, in denen wir Kinder gewesen waren,
Soldaten eines Schläfers, unbesiegbar, unsterblich.

Als Liam müde und schweigsamer wurde, dann,
ohne den Zelteingang hinter sich zu schließen,
in seinen Schlafsack kroch und kurz darauf
wie damals der Vater schnarchte,
lachte, kicherte ich alleingelassen weiter
(wohl auch, weil der Reisschnaps aus unserem Gepäck
seine Wirkung tat), und der Friede hielt an,
ja wurde noch einmal heiter wie je,
als ich Liam weckte, weil es zu schneien begann.

Der Schnee taumelte auf die Fackeln, die Spieler,
den Tisch herab, fiel in dichten Flocken
auf den speckigen Filz und setzte selbst Elfenbeinkugeln,
die der Spielstand gerade verschonte und unbewegt ließ,
Kristallmützchen auf: Billard im Schnee.

Liam, sagte ich, Liam, und er
richtete sich aus seinen Träumen ohne Protest auf
und verstand meinen Weckruf noch im Augenblick,
in dem er ihn erreichte, verstand,
warum ich wollte, daß er sah, was ich sah:

Gerahmt von der offenen Luke unseres Zeltes
den Bannkreis der Fackeln, den Tisch, darauf
weiß behelmte Elfenbeinkugeln, davor
geschmückte, langhaarige Krieger in Fellmänteln –
ein von Flocken umwirbeltes Spiel.

Liam sagte nichts, fragte nichts,
sondern nickte mir lächelnd zu,
und ich, ich kauerte an seiner Seite,
legte meinen Arm um seine Schultern
und wiegte ihn zurück in den Schlaf.

6 *Sie sagt ihren Namen. Ort ohne Träume.*

Wenn ich schwieg und stillhielt,
einige Augenblicke nicht atmete, nur horchte
und den Kopf nach jener westlichen Richtung hob,
in der er verschwunden war, nur horchte
und stillhielt, konnte ich am nächsten Morgen
immer wieder den Mann aus Ya'an hören,

immer wieder und noch sehr lange
das Motorgeräusch seines Lasters,
das nach den Gesetzen der Wellenlehre
mit zunehmender Entfernung tiefer wurde,
schließlich nur noch als gelegentliches, fernes Grollen
aus den steinernen Resonanzräumen
der Schluchten des Yangtse zurückschlug
und erstarb:

Es war das Geräusch einer verschenkten Möglichkeit,
keinen weiteren Schritt mehr in Liams Schatten zu tun,
keinen einzigen mehr ins Innere seiner Programme,
sondern meinen eigenen Weg aus der Wildnis von Kham
zurück in mein Leben zu finden –
und sei es an der Seite eines Händlers aus Ya'an.

(Eine eigene Route? Daß ich nicht lache!
hörte ich die Stimme meines Bruders,
dachte ich mir die Stimme meines Bruders:
Eine eigene Route!
Wohl wie damals in den Felsen Horse Islands,
als ein von einem Sommergewitter
und der wahrscheinlichen Fallhöhe

eingeschüchterter *Cliffhanger* ohne Haken und Seil
vor Entsetzen zu heulen begann?)

Im Stillhalten und Schweigen und Horchen
spürte ich, wie etwas an mir zu ziehen,
an mir zu reißen begann und mich fragte,
warum bist du geblieben, Idiot,
warum bist du noch da?,
er hätte dich mitgenommen,
du könntest schon ebenso fern sein wie dieses Geräusch . . .

Gewiß, der aus Ya'an hätte mich mitgenommen,
ich hatte ihn ja beiläufig, *nur einmal angenommen*, gefragt.
Aber was dann?

Ich wäre an seiner Seite noch weitere zwei Wochen
oder ein paar Tage länger in Richtung Lhasa geschlingert,
hätte Märkte, Zeltlager, Klöster besucht,
mich vor Militärkontrollen mit seiner Hilfe versteckt
und wäre dann mit ihm wieder zurück
und ein zweites Mal nach Chengdu gekommen,
aber was dann?

Wo ist dein Bruder?, hätte mich die Armee
(spätestens) auf dem Flughafen gefragt,
wo warst du? Wo ist dein Bruder?

Bin ich der Hüter meines Bruders:
Hätte ich gewagt,
die Rote Armee so zurückzufragen?

Nein, ich hatte mich schon so tief in eines von Liams
Programmen verirrt, daß ich wohl nur an seiner Seite

daraus auch wieder zurückfand.
(Oder war es doch Angst, die mich hielt,
Angst, ohne ihn auf und davon zu gehen
in diesem Land Kham,
in Liams Land, seinem Land?)

Angst? Hatte ich mich nicht in der vergangenen Nacht
im kichernden Einvernehmen über den Anblick
einer im Schneetreiben verschwindenden Gruppe
langhaariger, Billard spielender Krieger
mit Liams Absichten ausgesöhnt?, mit dieser Reise?
Oder war auch die besänftigende Wirkung
der Nachtstunden mit dem gefallenen Schnee
in der Morgensonne wieder zerronnen?

Wir waren doch Brüder. Wir waren die Söhne
eines Kriegers, der nun friedlich
unter einem leeren, versinkenden Stein
auf dem Kirchhof von Glengarriff begraben lag.
Und wir machten diesem Helden,
dem der Titel eines Gentleman erst auf seinem Grabstein
zugesprochen worden war, alle Ehre.
Wir, seine kichernden Söhne, waren dabei,
einen weißen Fleck, eine Leerstelle zu erobern.

Der Morgen des Aufbruchs blieb mild und windstill
wie die vergangene Nacht, aller Neuschnee
war gegen Mittag bis auf ein paar Reste verschwunden,
und die Männer des Clans begannen eben
mit dem Abbruch der Zelte (unsere grüne Kuppel
war längst abgespannt, eingerollt und mit den
Rucksäcken an den Tragsattel eines Yaks geschnallt),
als dieses Reißen und Ziehen an mir

endlich nachließ, die heimliche Selbstbeschimpfung,
als Fragen und Zweifel verstummten
und einer seltsamen Zufriedenheit wichen,

daß nun auch die letzte Fluchtmöglichkeit vergeben
und allein der Weg in die Berge geblieben war,
der Weg an der Seite von Yaknomaden,
die sich an diesem Morgen aufmachten,
um höher gelegenen Weidegründen entgegenzuziehen –
den Frühlings- und Sommerweiden ihrer Herden
und jener kurzen, schneefreien Zeit,
in der die höchsten Gipfel und Festungen der Götter
den Zelten der Menschen nahe kamen
wie nirgendwann sonst im Jahr.

Meine Zufriedenheit, dort und nur dort zu sein, wo ich war,
hatte wenig mit Liam und vor allem damit zu tun,
daß ich in den Stunden des Aufbruchs
den Namen jener Frau erfuhr,
die uns der Händler aus Ya'an vor seiner Abfahrt
(ohne sie vorzustellen und ohne sie anzusprechen)
bloß gezeigt und gesagt hatte,
die dort, ja, die da drüben,
könne zwar wie alle anderen im Clan
weder lesen noch schreiben, verstehe und spreche aber
unsere Sprache vielleicht sogar besser als er.
Außerdem sei sie die einzige von diesen Wilden hier,
die schon einmal in Lhasa gewesen sei, in der Zivilisation.

Ich habe mich nie besonders für die Beschreibungen
von Gesichtern und Körpermerkmalen interessiert,
habe sie, wenn sich irgendein Chronist oder Buchhalter
Mühe mit solchen Auskünften

nach erkennungsdienstlichem Muster gab,
nur flüchtig gelesen und zumeist schnell vergessen,
weil ich meine eigenen Gesichter in jeder Geschichte
entdecken wollte und mir dabei stets wichtiger
als der Schwung einer Nase, die Farbe der Augen
oder die Größe von Ohren und Mund

die Frage war, *was* denn durch diese Augen
gesehen oder beweint, was durch diese Ohren gehört,
durch diesen Mund gesagt oder geschluckt
und insgesamt von der Welt erfahren, erlitten
oder genossen worden war – und doch war ich erstaunt,
als ich bei der Durchsicht meiner Notizen
vom Tag des Abbruchs der Zelte am Yangtse
als ersten Satz über Nyema fand:
Sie ist größer als ich, nicht viel, aber doch größer.

Ich mußte, als sie an diesem Morgen vor mir stand
und mich ansah, den Blick heben, ja sogar
(wenn auch kaum merklich) – den Kopf.
Ihr langes, zu schnurdünnen Zöpfchen geflochtenes Haar
war schwarz wie das aller anderen Mitglieder des Clans,
selbst ihre Augen, die Iris, dunkel,
fast so schwarz wie die Pupille,
ihr Gesicht schmaler als die Gesichter anderer Frauen hier
und von einer gleichmäßigen Bronze, aber die Wangen
nicht wie die der anderen tiefrot getönt
von den Erfrierungen, mit denen der Eiswind
sein Volk wie mit Brandmalen zeichnete.

Erst auf den zweiten Blick
war der sanft geschwungenen Nase dieser Frau anzusehen,
daß sie wohl schon einmal gebrochen war.

Eine Frau aus dem Volk der Khampas.
War sie schön?

Ich erinnere mich, daß mich ein plötzliches,
rätselhaftes Begehren überkam,
als ich sie zum erstenmal sah,
und daß ich wie zur Entschuldigung dafür
an das Wort *schön* dachte, *wie schön sie ist.*
Sie ist schön.

Es war am Tag unserer Ankunft aus Chengdu im Zeltlager,
nach dem Tumult der ersten Begrüßung,
nach dem umständlichen Abladen des Billardtisches
und im Lärm der Neugier auf die Waren des Händlers.
Sie kniete vor einem der schwarzen Zelte
und schlug und rührte Butter aus Yakmilch
in einem von silbernen Reifen umschlossenen Behälter,
der halb Köcher, halb Faß war.

Ich erinnere mich, daß ich mir unwillkürlich
ihre Gestalt vorzustellen versuchte, die Brüste,
den nackten Körper, von dem unter ihren bestickten Kleidern
kaum ein Umriß zu sehen war: Ich begaffte sie,
bis sie plötzlich den Kopf hob und meinen Blick
zu Boden zwang; ich glaube, ich wurde sogar rot:
einer der ersten Europäer in diesem Lager am Yangtse,
und gleich in der Stunde seiner Ankunft
beim Gaffen ertappt.

Als sie mich Tage später
am Morgen der Abfahrt des Händlers
zum zweiten Mal ansah, war ich auf ihren Blick
zwar gefaßt, wurde dann aber doch wieder überrascht:

vom Mißtrauen, das ich darin entdeckte
– als ob sie *dem da*
sein unschuldiges Interesse nicht glaubte,
als ich sie (noch war der Laster in der Ferne zu hören) fragte,
wieviel Zeit denn bis zum allgemeinen Aufbruch noch bliebe.

Erst jetzt fiel mir die Nachtfarbe ihrer Augen auf,
und sie antwortete etwas, das ich zunächst nicht verstand,
das am Ende aber wohl *zwei oder drei Stunden* bedeutete.
Auf meine nächste Frage sagte sie mir ihren Namen,
auch den beim ersten Mal in fliegenden Lauten, so schnell,
daß ich noch einmal und ein drittes Mal fragen mußte,
bis sie ihn schließlich so langsam wiederholte,
als buchstabiere sie einem Idioten.

Nyema sagte sie und noch einmal, dann lachend,
Ny-e-ma Dol-ma und schlug zu jeder Silbe,
mit großen, schlanken und sehr weichen Händen
(wie ich später noch fand) den Takt.

Nyema war die einzige im Clan, die unsere Sprache verstand.
Tashi Gyeltso, der Vater ihres kaum zweijährigen Sohnes,
hatte ihr alle Worte weitergesagt, die er als Hochträger
von neun verschiedenen Expeditionen in die Wolken
und zu den leeren Orten der Götter mitgebracht hatte.

Obwohl seine Sprachlehrer – Schneewanderer, Bergmenschen,
Kletterer aus Ländern von unermeßlichem Reichtum –
selbst für die Göttin *Chomolungma* ein eigenes Wort hatten,
für Chomolungma!, deren Name doch
Himmlische Mutter der Täler bedeutete, ein eigenes Wort
erfunden hatten und seither von ihr bloß
als *Mount Everest* sprachen, kam Tashi Gyeltso

dieser Frevel niemals über die Lippen,
und er riet seiner Frau Nyema, es ihm gleichzutun.
Namen waren heilig und schon eine einzige ihrer Silben
mächtiger als jedes Wort.

Fünfmal hatte Tashi Gyeltsos Lebensweg
über die höchsten Höhen der Chomolungma geführt,
fünfmal an einen Ort, den seine Sprachlehrer
Gipfel nannten, Gipfel ..., ein Wort,
das zu ihrer Ausrüstung zu gehören schien
wie Seile, Helme, Daunen, Lampen, Schlafsäcke,
Decken, Leitern, Eisäxte, Haken und Schrauben,
Metallflaschen voll gepreßter *englischer* Luft
und zahllosen weiteren Traglasten voll Delikatessen,
schimmernden Instrumenten, Werkzeugen, Geschirr ...

Und mit all diesem Überfluß wollten seine Lehrer –
nirgendwohin, nirgendwohin!,
sondern bloß höher und höher, immer nur höher,
um oben, endlich ganz oben,
ihrem Ziel noch in der Stunde der Ankunft
oder nach einer atemlosen, erschöpften Rast
wieder den Rücken zu kehren:
einem leeren, von steinhartem Schnee gepanzerten Ort,
8850 Meter über dem Meer und tief
in der Schwärze eines Himmels,
der Tashi am Ende nicht gnädig war.

Noch in den von Nyema begleiteten
und in ein singendes Englisch übersetzten Gesprächen
mit Liam und mir behaupteten viele im Clan,
daß es der Zorn dieses Himmels
über die Schändung der Chomolungma gewesen war,

der Tashi Gyeltso schließlich getötet hatte – und nicht
die Maschinenpistole eines chinesischen Soldaten
am Nangpa La, jenem Paß,
an dem seine Mörder ihn dann nicht verbrannten,
sondern wie ein Seuchenopfer oder wie einen Verbrecher
unter Steinen begruben.

Dabei hätte der Nangpa La an der Grenze zu Nepal,
wie für so viele Flüchtlinge vor ihnen,
auch für Tashi Gyeltso und seine Nyema
zu einem Tor ins Glück werden sollen,
in ein neues Leben im Königreich Nepal,
vielleicht sogar einem Leben
an den vom Monsun begrünten Hängen
im indischen Dharmsala
(dort hatte ja auch der vierzehnte und letzte Dalai Lama
Zuflucht vor den Armeen Chinas und Frieden gefunden);
aber was immer jenseits des Nangpa La wartete,
es würde besser, viel besser sein als alles, was war.

Die Schwangerschaft seiner Frau hatte Tashi bewogen,
von seiner letzten Wallfahrt zur Chomolungma
nicht wieder zu den Hochweiden von Kham zurückzukehren,
sondern gemeinsam mit Nyema und zwanzig anderen Tibetern
aus Dhatse Dor, aus Tawiu und selbst aus Lhasa
aus ihrem Schneeland zu fliehen –

wenn nicht ins Paradies oder ans Meer,
dann wenigstens aus den Augen einer Armee,
die selbst Nomadenzelte nach Waffen
und nach den verbotenen Bildern des Dalai Lama
durchsuchte, alle ihre Funde zerstörte
und die Besitzer oft mit dem Tode bestrafte.

Sieben Monate mußten vergehen, bis Nyema
aus den vergitterten Kellern dieser Armee
wieder zu den Zelten ihres Clans zurückkehren durfte,
Monate, in denen der Schnee tief war
wie seit Jahren nicht mehr,
Schnee, in dem sie dann auch ihr erstes Kind
zur Welt bringen mußte;
es war an der Piste nach Dhatse Dor.

Sie nannte die Frühgeburt nach dem Verlorenen *Tashi*,
Tashi, damit das in diesem Namen geborgene Glück
nicht am Nangpa La begraben blieb,
sondern aus all dem Geröll und der gefrorenen Erde
wieder zurückkehrte ans Licht.

Der Nangpa La?
Das Grab eines erschossenen Flüchtlings?
Ein Khampa, ein Yakhirte, der den Gipfel des Everest
nicht bloß öfter erreicht hatte als
die meisten Höhenbergsteiger der westlichen Welt,
der seinen Sprachlehrern und Schutzbefohlenen
Routen in die höchsten Höhen gespurt,
mit Seilen und Leitern gesichert, aus dem Eis geschlagen
und ihnen Lebensmittel und Brennstoff voraus-
oder nachgetragen hatte, selbst in Katastrophen
und immer und immer bei ihnen geblieben war,
sie unter unausgesetzter Gefahr für sein eigenes Leben
höher und höher – und dann wieder zurück
in die rettende Tiefe gezogen, gezerrt
und manchmal sogar getragen hatte ...?

Ach, Liam war mit den Lebensläufen
von Hochträgern vertraut

und nicht mehr besonders interessiert
an Geschichten von Expeditionen,
die Jahr für Jahr Gipfel im Himalaya und Karakorum
wie feindliche Festungen berannten –
mit Abertonnen, Waggonladungen voll Ausrüstung
und massenhaft Fußvolk, das für Trägerlohn bereit war,
Höfe und Felder, Herden und Zelte
in der Obhut der Frauen zurückzulassen,
alles zurückzulassen.
Manchmal für immer.
Liam kannte diese Geschichten gut,
sie wurden von Kartenzeichnern und Landvermessern
immer noch und natürlich auch im Netz überliefert.

Nein, hier und jetzt, auf dieser, auf unserer Reise
war für ihn von weitaus größerer Bedeutung
als Leben und Tod eines Mannes aus Nyemas Clan
die Gewißheit, daß er sich auf dem richtigen,
auf *seinem* Weg befand, wenn wir uns den Leuten
aus dem Lager am Yangtse anschlossen
und ihnen bis zu den Sommerweiden folgten.
Schließlich hatten sie ihm schon am Tag unserer Ankunft
einen Namen bestätigt: *Cha-Ri*, der Vogelberg.

Einen solchen Berg gab es also tatsächlich!,
er beschattete Hochtäler, zu denen die Khampas
mit ihren Yaks unterwegs waren,
und neben diesem Vogelberg, auch das
wurde dem Mann aus Ya'an auf Liams Fragen erzählt,
ragten noch zwei weitere Berge auf,
deren Namen nur im Gedächtnis des Clans,
in Geschichten und Liedern,
aber auf keiner von Liams Karten erschienen:

Te-Ri, der Wolkenberg,
und *Phur-Ri*, ein Berg, der flog.

Wie hoch diese Berge waren?
Höhe? Was war das, *Höhe*?
Berge hatten machtvolle Namen,
Namen, die Lehren enthielten über den Himmel,
über das Leben, über den Tod.
Siebentausend, achttausend Meter über dem Meer
und höher!: neunundzwanzigtausend Fuß ...
Natürlich hatten auch die Männer des Clans
von solchen Maßen gehört;
sie sagten ihnen nichts.

Unbestreitbar blieb doch, daß einer, der seinen Fuß
in die Schneegärten der Götter setzte, Gefahr lief,
daß er damit das eigene Leben zertrat,
denn der Taumel höher und höher
und über diese grellweißen, verbotenen Höhen hinaus
führte einen, der selber kein Gott war,
bloß in die Schwärze, in die Leere,
hinaus in die Nacht.

Everest. Zumindest in dieser Frage konnte Liam
mit dem Hochträger Tashi Gyeltso übereinstimmen:
Ein beschissener Name.
Liam sprach ihn längst nicht mehr aus,
schrieb ihn nicht, ja ließ ihn selbst
in seinen digitalen Atlanten niemals aufleuchten.
Nicht, weil ihm seine Verwendung
ein Frevel gewesen wäre, sondern einfach,
weil es der Name des englischen Landvermessers
George Everest war:

Während Irland unter seinen englischen Herren
der katastrophalsten Hungersnot seiner Geschichte
entgegenfiel, hatten Sir Everest und seine Gefährten
einer unersättlichen Majestät in London bereits
fettere Beute vermessen: indische Kolonien!, Teeplantagen
samt malerischen Bergketten im Hintergrund,
deren Triangulierung aus sicherer Ferne
unerhörte Gipfelhöhen ergab:
zwanzig-, fünfundzwanzig-, neunundzwanzigtausend Fuß!,
so ungefähr jedenfalls.

Die englischen Landvermesser hatten nicht lange
nach Namen gefragt, sondern beispielsweise
ein überirdisches, gleißendes Ding in den Wolken
mit der Inventarnummer *Peak XV* beworfen,
aber nur George Everest war für diese Kühnheit
im Jahr vor seinem Tod mit der Umtaufe dieser Erscheinung
in *Mount Everest* geehrt –
und dennoch nicht unsterblich geworden.

Nein, und damit sprach Liam wohl nicht allein
die Überzeugung eines am Nangpa La
verscharrten Hochträgers aus,
sondern vor allem die unseres Vaters,
eines Gentleman, der seine Heimat
so oft in Richtung Paradies verlassen wollte
und nun doch unter den Steinen von Glengarriff
begraben lag: Everest war kein guter Name.
Weder für einen Lebenden noch für einen Toten;
und erst recht nicht für den höchsten Berg
der vermessenen Welt.

Auch Liam nannte dieses Monster, dessen Gipfel
nur zu einem von unzähligen Vermessungspunkten
der Grenzlinie zwischen dem besetzten Tibet
und dem Königreich Nepal geworden war,
nicht! Chomolungma,
sondern bediente sich lieber eines Titels,
der in Nepal, an den südlichen Abstürzen
und Wandfluchten des Berges Gültigkeit hatte:

Sagarmatha, denn das konnte
(aus dem Sanskrit übersetzt) auch bedeuten:
Mutter des Ozeans, Mutter der Meere.
(Und das gefiel Liam, und ich gebe zu,
auch seinem zur See fahrenden Bruder
in allen Verwendungen besser.)

Everest war für uns nur ein Wort aus einem Kinderspiel,
das schon auf unseren Manövern in den Cahas
regelmäßig zu Streit geführt hatte – aus einem Spiel,
das wir *Luftschlacht* genannt und mit dem wir uns
Vaters Kriege in Kerry und Cork (vor allem
die Stunden der Rast, in denen der Captain
auf Moos- oder Heidekrautpolstern schnarchte)
verkürzt hatten:

Wir zeigten dann auf einen vom Meer herantreibenden
Wolkenkoloß, einen Nebelvorhang oder bloß auf die rasch
dahinsegelnden, von Winden zerrissenen Reste
einer atlantischen Front und schätzten ihre Flughöhe
über einem vereinbarten Punkt weit draußen im Meer,
jedenfalls aber noch vor der Küste
(über dem Leuchtturm von Fastnet beispielsweise,
über dem Hog's- oder Crow Head oder dem Perch Rock),

je nach Manövergebiet und nur bei Winden
aus Süd und Südwest:

Spätestens wenn diese Wolken,
die wir als feindliche Luftschiffe, englische Sperrballons
oder fliegende Protestantenbollwerke sahen,
mit unseren Bergen kollidierten,
ließen sich die geschätzten Flughöhen nachprüfen,
denn unser Vater hatte seine Freiheitskämpfer
nicht umsonst dazu gezwungen,
die Gipfelhöhen in den Cahas, den Sheehys
oder den Macgillicuddys Reeks
Berg für Berg auswendig zu lernen.

Traf eine Wolke den *Hungry Hill* etwa auf jener Felsterrasse,
auf der einer unserer sommerlichen Badeseen lag,
betrug ihre Flughöhe zweitausend Fuß,
schrammte sie über seinen Gipfel,
gewann der einen Punkt (den gedachten Abschuß),
dessen Schätzung sich auf zweihundertsechzig Fuß höher belief;
traf die Wolke den *Sugarloaf*
oder gar den *Carrauntoohil*, mußte sich,
wer die Luftschlacht als Sieger beenden wollte,
mit seiner Schätzung in Höhen
bis dreitausendvierhundert Fuß wagen.

Kriegsheld und Spielgewinner war,
wer als erster fünf seiner Voraussagen
bis auf mindestens einhundert Fuß oder genauer
bestätigt fand,
degradiert wurde,
wer sich um diesen Wert irrte.

Manchmal irrten wir beide,
Gewinner konnte es aber immer nur einen geben,
und der hieß zumeist Liam.

Unserem Vater, dem Captain, war es allerdings nicht genug,
wenn ihm seine Rekruten die Gipfelhöhen
ihrer Einsatzgebiete kartengenau vorleiern konnten,
zu ihren Pflichten gehörte ebenso die Kenntnis
der gälischen, nein *irischen*! Namen.
Ein Ire bediente sich schließlich allein
aus strategischen Gründen der Sprache
seiner englischen Feinde und bevorzugte,
zumindest was die Ortsnamen der Heimat betraf,
den Wortschatz seiner Ahnen,

ein Ire sprach weder Englisch noch Gälisch,
sondern Irisch!,
war denn das so schwer zu begreifen?
und deswegen hieß es auch nicht,
verflucht nochmal!, Hungry Hill, sondern *Cnoc Daod,*
nicht Sugarloaf, sondern *Gabhal Mhór*,
nicht Baurearagh Mountain, Depp!,
sondern *Sliab Bharr Iarthach*,
und natürlich und schon gar nicht
sagte ein irischer Kämpfer Carrauntoohil,
sondern der höchste Berg seines Landes hieß
Corrán Tuathail!

Wer sich in den Bergen von Cork und Kerry
für den Kampf gegen England und
gegen den Protestantismus bereit machen wollte,
mußte die wahren Namen der Gipfel
im Schlaf wissen, und erst recht

wenn er aufsah, um den dreifaltigen Gott
um Sieg und Segen zu bitten.
Ein Rekrut, der solche einfachsten Prüfungen nicht bestand,
durfte am Abend nach einem Manöver
zwar am Lagerfeuer irische Balladen mitsingen,
bekam zum Nachtmahl aber nur Tee und trockenes Brot.

Über den angreifenden Wolkengeschwadern
trieben manchmal allerdings Strato- und Altocumulusbänder,
die sich dem Kampfgebiet unangreifbar hoch
über den heimatlichen Bergen näherten,
über sie hinweg und ungerührt weiterflogen,
in nord und nordöstlicher Richtung und vielleicht weiter
bis zum englischen Hauptquartier!

Diese Unbesiegbaren zählten wir stets auf unserer Seite.
Die gehörten zu uns!
Sie überschütteten unsere tiefer fliegenden Feinde
mit einem lautlosen Bombenhagel
und lösten in ihren Formationen Panik
und Fluchtbewegungen aus: *Broken Arrow!*
Ende der Schlacht, gemeinsamer Sieg.

Diesen und nur diesen hochfliegenden,
unbesiegbaren Wolkenschiffen
schrieben wir den Ehrentitel *Everest* zu,
tauften sie *Everest*wolken, *Everest*kreuzer,
*Everest*bomber, zumindest so lange,
bis unser Captain eines Tages
unbemerkt aus seinem Mittagsschlaf
im Moos vor dem Zelt erwachte,
unseren Funkverkehr abhörte und uns dann
über den Makel dieses Namens Vorträge hielt.

Er sagte uns aber nie,
wie ein unbesiegbares Wolkenschiff
denn anders zu taufen wäre,
und er kannte auch keinen anderen der vielen Namen
für jenen *Peak XV*, den selbst die Engländer
in den Zeiten ihrer größten Übermacht
nur aus der Ferne vermessen, nicht aber erobert hatten,
ach, unser Captain . . ., unser Captain
bestand stur und unbeirrbar darauf,
daß auf seinen Schlachtfeldern und in seiner Armee
weder die Unbesiegbarkeit noch irgendein Gipfel
den Namen eines englischen Landräubers tragen sollte . . .

Am Tag, an dem Nyema mir ihren Namen sagte
und wir uns Stunden nach dem Aufbruch des Händlers
mit einer schwerbeladenen Yakkarawane auf den Weg
in die Berge machten, setzte gegen Mittag
Schneetreiben ein und ließ selbst die Spuren
Hunderter Hufe in kurzer Zeit unsichtbar werden.

Am frühen Nachmittag blickten wir auf einen
endlosen Steilhang zurück: Die zahllosen Serpentinen
unseres Aufstiegs verloren sich in makellosem Weiß,
in Wolken und treibenden Nebelbänken,
die uns nicht nachsteigen konnten bis zu jenem Sattel,
zu dem ich mich stundenlang emporgesehnt hatte:

Dort oben! Dort oben würden wir gewiß Rast machen.
Unser Gepäck trugen die Yaks, und doch war ich erschöpft,
als wir die Höhe endlich erreichten,
zum erstenmal auf dieser Reise trug ich den Höhenmesser
am Handgelenk: 5400 Meter über dem Meer.

In der Tiefe vor uns lag ein Tal in der Nachmittagssonne,
so breit, daß darin Städte Platz gefunden hätten, und so lang,
daß sich sein Ende in bläulichen Schleiern verlor.
Auf dem Talboden, dessen tiefste Stelle
immer noch 4620 Meter hoch lag
(wie ich erst am nächsten Tag messen sollte),
wand sich ein Fluß in Mäandern dahin.
Von Straßen, von Häusern, Zelten, Wegen
auch im Fernglas keine Spur,
ein menschenleeres Tal, ein Land ohne uns.

Nach dem Abstieg zum Fluß
und zwei Marschtagen an seinem Ufer entlang, sagte Nyema,
erwarteten uns ein Kloster, ein weiterer Aufstieg,
ein weiterer Paß und dahinter
die ersten fetten Weiden des Jahres.

Keine Rast auf dem Sattel.
So langsam wie zuvor in die Höhe
trotteten die Yaks über das ersehnte Ziel hinweg,
ihre Hirten lösten sich zwar nacheinander aus dem Troß,
um vor einem Strauß Gebetsfahnen auf der Paßhöhe
Gebete zu murmeln und sich tief zu verneigen,
sprangen dem Zug dann aber nur umso schneller
in die Tiefe nach.
Keine Rast, kein Feuer, kein Atemholen.

Als die Dämmerung wie eine langsam stauende Flut
aus dem Tal bis in unsere Höhe zu steigen begann,
schimmerten die Mäander des Flusses
immer noch fern in der Tiefe,
aber eine kahle Terrasse auf unserem Abstieg
bot selbst einer Karawane genug Platz für ein Lager.

Zelte? Für eine Nacht wurden keine Zelte errichtet,
für eine Nacht wurden keine Kochstellen
und Lehmöfen gemauert, wurden keine Schlafplätze
geweiht und das Innere des Wohnraums nicht aufgeteilt
und verschiedenen Schutzgeistern anempfohlen,
für eine Nacht genügten Wegopfer
und Gebete im Gehen, genügten
einige über Stangen gezogene Wollbahnen,
genügten Felle, Decken, offene Feuer.

Nur Liam und ich, zwei Meermenschen
aus dem Zoo des Händlers aus Ya'an,
zurückgelassen von dem aus Ya'an,
spannten ihre grüne Kuppel auf
und verkrochen sich in diesem Bau,
dessen Kunststofflagen in den Nachtstunden
immer wieder nach innen gebeult wurden
von den Nüstern andrängender Yaks.

Der Atem der Yaks, ihr Grunzen
so dicht an unseren Daunenschlafsäcken,
Wind, der um Mitternacht aufkam
und in den Felssäulen, die zu Sternen emporzeigten,
zu heulen begann,
und dann auch noch das Gebell der Mastiffs
ließen weder Liam noch mich schlafen.
Nur von den Feuerstellen unserer Gastgeber,
von unseren Beschützern, hörten wir keinen Laut,
keinen Befehl an die Hunde, kein Wort, kein Lachen.

Nyema sagte am folgenden Morgen,
die Felsterrasse dieses Nachtlagers
trage in den Erzählungen ihres Clans

und in allen Erinnerungen einen Namen,
der einen seltenen Makel bezeichnete:
Ort ohne Träume.

7 *Der fliegende Berg: Nyemas Geschichte.*

Natürlich bleibt es Nyemas Geschichte,
es war ja vor allem Nyema,
die mir von Zeiten erzählt hat, in denen die Berge
sich aus dem Funkenschwarm der Sterne lösten
und wie Lichtflöße durch die Himmelsnacht trieben,
bis sie schließlich herabschwebten
auf die Ebenen einer Welt, die flach war
und allein aus Sümpfen, Geröll- und Schneewüsten,
Weiden, Auen und Savannen bestand:

Aber wie ungeheuer und unverrückbar
diese Berge nun auch erschienen, hatte Nyema gesagt,
keiner von ihnen sollte für immer
in der Menschenwelt bleiben; einer nach dem anderen
würden sie sich irgendwann wieder erheben
und verschwinden, wie sie gekommen waren,

würden auffliegen und rauschend, donnernd
von Schmelzwasser- und Gesteinsströmen höher
und höher steigen und von Schneefahnen umweht
davontreiben, heimwärts, zurück zu den Sternen,
langsam, unaufhaltsam und in strahlendem Weiß
wie Haufenwolken an einem friedlichen Nachmittag.

Nyema sprach so selbstverständlich von den Umständen,
unter denen die allergrößten Gewichte dieser Welt
plötzlich leicht würden, federleicht und auf und davon flögen,
wie von Naturgesetzen, die Wasser in steinhartes Eis
oder Felsen in flüssige Lava verwandeln.
Aber sie erzählte die Geschichte fliegender Berge

nicht an einem einzigen Tag, einem Abend,
an einem einzigen Feuer, sondern streute sie
in Abschnitten, Bruchstücken über unsere Wochen
in den Gebirgen von Kham, als müsse sie
vor jeder Fortsetzung oder Erweiterung ihrer Erzählung
erneut prüfen, ob ihr Zuhörer dem Gesagten gewachsen
und imstande war, darin
das Selbstverständliche zu erkennen.

Ich weiß nicht einmal mehr genau,
wann sie ihre Geschichte begann, denn Nyema
begann ja nicht einfach und fuhr fort
und weiter bis an ein Ende ...
Ob einer ihrer Hinweise zur Geschichte
fliegender Berge gehörte oder bloß die Erklärung
irgendeiner Erscheinung in der ragenden Landschaft war,
ließ sich manchmal erst sagen,
wenn sie schon längst wieder schwieg.

Der Zusammenhang wurde mir oft
erst aus meiner Erinnerung klar, in der sich Worte,
Sätze, Bruchstücke in ein Ganzes fügten,
und so entspricht es wohl auch der Wahrheit,
wenn ich sage, daß ich Nyemas Geschichte
allmählich in meine eigene verwandelte.

Wenn sie etwa von *Nägeln* sprach,
als sie die Schäfte von Gebetsfahnen beschrieb –
das verwendete Holz, die daran flatternden Gebete
und Mantras –, war sie in Wahrheit
tief in der Erzählung von einem Berg, der flog ...
Aber ich dachte damals, diese *Nägel* seien bloß
Umschreibungen, Annäherungen an ein Wort,

das sie nicht kannte oder das ihr gerade nicht einfiel,
und glaubte zu verstehen und fragte nicht weiter.
Wo also begann ihre Geschichte? Und wann?

Der Anfang reicht in die Tage zurück, in denen wir
aus dem kalten Nachtlager am *Ort ohne Träume*
mit unserer Yakkarawane zu den Mäandern des Flusses
hinabstiegen und dann stets in Ufernähe
dem wolkenverhüllten Talschluß entgegenzogen –
die Yaks behende und auf seltsam zierlichen Hufen,
die ihre massigen, von langer Wolle umflatterten Körper
noch schwerer erscheinen ließen,
ich mit wunden Füßen, an denen
im Gehen auf nassem Grund und Geröll
immer wieder Blasen aufbrachen.

Die Wolken füllten das Tal wie einen Trog,
wälzten sich im Sog der Thermik manchmal die Hänge empor,
verschwanden, verrauchten über den Graten
in einem Himmel, der sich im Nachtblauen verlor,
und ließen den Fluß, die Gebirgszüge, das Tal jedesmal
in einer anderen Schattierung zurück,
als spendeten sie nicht bloß Regen, Schnee oder Hagel,
sondern auch Farben
und tönten so das Bergland abwechselnd
mit allen Wellenlängen und Spektren des weißen Lichts.

Der Clan unterbrach seinen Weg zu den Almen
manchmal für Stunden, um die Herden weiden zu lassen.
Liam und ich sammelten dann Feuerholz,
ließen flache Kiesel über den Fluß springen
oder schrieben den Wolken vertraute Gestalten,
Formen und Namen zu;
wir spielten.

An einem dieser Frühlingstage jedenfalls
wurde die Luft so klar,
daß uns über dem Talschluß in der Ferne
eine Wandflucht des Vogelberges
in furchterregender Größe erschien
und am Wandfuß zwar nicht das versprochene Kloster
(dafür war die Entfernung doch noch zu groß),
aber eine zarte Rauchsäule, die zu einer von Spalten
zerrissenen Gletscherzunge aufstieg ...,
vor allem aber erschienen in der klaren Luft
plötzlich Farbfelder, dreieckige Felder!
Sie mußten riesenhafte Ausmaße haben,
wenn sie aus unserer Entfernung erkennbar waren.

Die Dreiecke erinnerten mich an die vom Gelb
blühenden Stechginsters oder dem Purpur der Besenheide
leuchtenden Kartoffelfelder an den Hängen der Cahas,
an aufgegebene, überwucherte Anbauflächen,
die seit den Zeiten der großen Hungersnot und dem Tod,
der Vertreibung oder Auswanderung ihrer Pächter brachlagen
und doch über mehr als einhundertfünfzig Jahre hinweg
in ihren alten Begrenzungen sichtbar geblieben waren.

Der Anblick jener unter englischer Herrschaft
verwilderten Felder hatte in unserem Vater
in unseren Manövertagen stets eine uralte Wut wachgerufen,
und was ich beim Anblick dieser Farbzeichen
am Talschluß empfand ...,
war das ein Nachhall dieser Wut?

Militär! Flugzeichen! Diese verfluchten Besatzer!
Das mußten Signalfarben der chinesischen Luftflotte sein,
Markierungen von Eroberung und Landnahme;

diese Arschlöcher bemalten,
beschrifteten selbst die Wildnis, das Gebirge
mit Wegweisern für ihre Bomber,
um jederzeit neue Brandmale anbringen zu können:
Unser Land! Unsere Beute!

Aber ..., auch das empfand ich wie damals
beim Anblick der ginstergelb und heideviolett
leuchtenden Felder: Losgelöst von ihrer Bedeutung
erschienen diese Male an den Berglehnen
wie eine Botschaft an eine ... eine Himmelsmacht?
Eine Macht jedenfalls hoch in den Wolken,
die durch dieses rot-blaue Farbenspiel verehrt,
gewarnt, unterrichtet oder besänftigt werden sollte.

Und während sich die Signale im Talschluß
mit jedem Huftritt der Yaks deutlicher,
ja schließlich bewegt zeigten wie wogende Kornfelder,
drängte ich mich durch die in endloser Reihe
dahintrottende Herde und versuchte
zu Nyema aufzuschließen.

Es war das zweite Mal,
daß ich mich mit einer wohlüberlegten Frage
an diese Frau wenden wollte, nicht, weil mich,
was ich in der Ferne sah, so sehr beschäftigte,
sondern weil ich ihre Stimme hören wollte,

ich wollte, daß sie mich ansah, und ich wollte,
daß weder sie noch mein Bruder Liam
etwas von meiner Sehnsucht bemerkten,
denn noch konnte ich mir nicht eingestehen,
daß ich Nyema mit der aufgeregten Scheu

eines Mannes, der die Zurückweisung fürchtet
und deshalb nach immer neuen Gründen sucht,
die einen Blick, ein Wort, eine Frage
rechtfertigen konnten – nachlief.
Ich lief ihr nach.

Ich brauchte sie nicht zu suchen,
ich wußte ja stets, wo sie war – weit vorne in der Karawane
an der Seite einer von wenigen dunklen Streifen geflammten,
sonst nahezu weißen, wie für einen endlosen Winter
getarnten Yakkuh ihrer Herde.

Der sandige Pfad, der zwischen grobem Geröll
und einer drei oder vier Meter steil abfallenden
Uferböschung verlief, war so schmal, daß die Yaks
nur hintereinander trotten konnten
und ich von jedem Tier, an dem ich vorbeidrängte,
gegen Steinblöcke
oder den Rand der Böschung gedrückt wurde.

Und dann, noch bevor ich Nyema erreichte,
hörte ich sie murmeln, einen Singsang,
Gebete, Kinderreime ..., ich wußte nicht,
ob sie auf einen ihrer Götter, auf die Kuh an ihrer Seite
oder auf ihren Sohn Tashi einsprach,
den sie in einem Tuch auf dem Rücken trug.

Sie murmelte, sang vor sich hin, spann im Gehen
mit einer Handspindel Yakwolle, und doch
hatte ich in der dünnen Luft Mühe,
gleichzeitig zu sprechen und Schritt zu halten mit ihr:
Nyema, keuchte ich, Nyema.

Aber es war Tashi, das Kind auf ihrem Rücken,
das plötzlich seine Augen aufschlug
und mich unbewegt ansah.
Ich war wie gebannt von diesem Blick –
und stolperte, taumelte in die Gefahr,
zum Fluß hinabzustürzen.

Erst jetzt, wie durch den Augenaufschlag ihres Sohnes
und nicht durch meine Anrede
aus ihrer Versunkenheit erwacht,
wandte Nyema sich nach mir um, sah mich fallen,

ließ ihre Spindel los, streckte den Arm nach mir aus,
zog mich an meiner nach irgendeinem Halt
hochschnellenden Hand leicht,
fast spielerisch wieder auf den Pfad zurück
und bewahrte mich vor dem drohenden Sturz,
indem sie der Wucht meines Fehltritts
bloß eine andere Richtung gab:

zu ihr hinauf, auf den Pfad zurück,
ließ mich *empor*fallen!
und bückte sich noch im Gelingen ihrer Hilfe
und dem gleichzeitigen Loslassen meiner Hand
wieder nach der verlorenen Spindel,
hob sie auf und wechselte wie eine Tänzerin
in den nächsten Schritt,

alles in einer einzigen Bewegung, alles so fließend,
daß mir kaum Zeit zum Erschrecken blieb,
sondern bloß für einen Gedanken
über die auf mich gerichteten Augen des Kindes:
Sie sind so dunkel wie die seiner Mutter.

Nyema sagte etwas, das wie eine Beruhigung klang
und wohl der erschreckten Kuh neben ihr galt,
betete, sang, murmelte dann aber nicht mehr weiter,
sondern zog nur ihr Tragtuch
mit einem leichten Ruck ihrer freien Hand wieder fest.

Ich zeigte auf die gelben, blauen und roten Dreiecke
in der Ferne und wußte plötzlich nicht mehr,
was ich fragen wollte – war wie aus einem eisigen Schatten
in die Sonnenwärme geholt von ihrer Hand,

und auch, ob das Kind mich wirklich bemerkt
oder bloß seine Augen im Schlaf geöffnet hatte,
war nicht mehr zu sagen.
Tashis Augen waren geschlossen. Er schlief.

Als ich meinen Arm sinken ließ,
berührte ich Nyema an der Schulter,
eine unverdächtige, flüchtige Geste der Dankbarkeit,
und glaubte selbst durch das grobe Gewebe des Tuchs
ihre Körperwärme zu spüren, glaubte,

daß sie ihren Schritt verlangsamte,
kaum merklich zwar, aber doch verlangsamte,
um meine Hand für einen Augenblick
an ihrer Schulter ruhen zu lassen,
mich für einen Augenblick an ihrer Schulter.

Vielleicht irre ich mich, aber ich glaube,
daß es die Stunde dieser ersten Berührung war,
in der Nyema von den *Nägeln* der Gebetsfahnen sprach
und mir die fernen Farbzeichen als Felder erklärte,
riesige Felder aus Hunderten, Tausenden

blauer und roter Gebetsfahnen, *prayer flags*,
die von den Bewohnern des Klosters
(einem blutroten, festungsähnlichen Bau, der allmählich
vor uns aus einer Senke im Talschluß aufwuchs)
an den Flanken des Vogelbergs
aufgepflanzt worden waren:

Auf diese Fahnen geschriebene
oder mit hölzernen Stempeln gedruckte Gebete,
Mantras, Anrufungen sollten im Wind schlagen
und vom Wind ohne Unterlaß bewegt, *gebetet*,
fortgetragen werden bis ans Ende der Zeit,
genauso wie die in den Gebetsmühlen
eingeschlossenen Schriftrollen gedreht
und gedreht werden sollten,
damit diese Worte selbst von Schriftunkundigen
ohne Unterlaß wiederholt wurden
und kein Hauch, keine Silbe der Wahrheit
jemals zurückfiele an die sprachlose,
lautlose, gottlose Stille.

Schon damals, ganz am Anfang ihrer Erzählung
und ohne daß ich begriff, daß es der Anfang
ihrer Geschichte von fliegenden Bergen war,
verstummte Nyema, als Liam sich näherte,
als sei, was immer sie sagte, ein Geheimnis
und für mich allein bestimmt.

Dabei wollte Liam in diesem Augenblick
gar nichts hören, sondern mir nur begeistert versichern,
daß, was jetzt so himmelhoch und von Schneefeldern
und Gletschereis schimmernd über dem Talschluß
aufragte, tatsächlich der *Cha-Ri*,
der Vogelberg seiner Karten war.

Tashi begann zu weinen, als er erwachte.
Liam sagte, was er sagen wollte, und ging weiter.
Nyema schwieg und setzte ihre Erzählung nicht fort,

und so erfuhr ich erst später, Tage, Wochen später,
daß die Schäfte dieser Gebetsfahnen tatsächlich
Nägel waren, Nägel, mit denen die Menschen
den Saum des Gebirges an die Welt heften mußten,
festnageln, damit das Gebirge bei ihnen blieb
und sich nicht in Stürmen, so gewaltig,
daß darin selbst Steine wie Schneeflocken verwehten,
in die Luft erhob und wieder verflog.

Ja!, es bedurfte dieser Nägel, aber vor allem:
der Hände der Menschen, die sie einschlugen,
damit das Gebirge ihnen als Bollwerk und Mauer blieb
und sie schützte,
denn selbst die größten und höchsten Berge der Welt
hatten das Leben der Menschen nicht schon seit je überragt,
sondern waren ihnen zu Hilfe geflogen,

zugeflogen in einer Zeit,
in der sich die Menschen aus jenem Tierreich,
in dem sie bis dahin gefangen gewesen waren,
aufzurichten begannen und endlich
den Kopf in den Nacken legen
und zum Himmel aufsehen konnten,
zu den ziehenden Wolken.

Damals und kein Jahr früher, senkten sich die Berge
auf Ebenen, Wüsten, Weiden, Savannen herab,
damit dieses schwächliche, dem Schnee
und allen Stürmen ausgesetzte Geschlecht

einen Windschatten habe, in dem Gras für sein Vieh
und Heilkräuter gediehen und sich Plätze für Feuer
und Zelte boten, Schutz, Lebensraum,

denn eines Fußpaares beraubt,
aus dem nun Arme geworden waren,
bloß zweibeinig und zögerlich aufgerichtet,
wie der Mensch nun war, warfen ihn die Böen
und Schläge von Schnee- und Hagelstürmen
leichter zu Boden als in den bewußtlosen,
kriechenden Zeiten davor.

Aber vor allem sank Berg für Berg
auf die Welt herab, damit Götter und Schutzgeister
im unvergänglichen Schnee der Gipfel
Wohnungen fanden, luftige Pavillons,
aus denen sie die Fortschritte ihres Geschöpfs
verfolgen und sehen konnten, wohin dieses aufrechte,
oft noch taumelnde Wesen nun schritt:
kaum aus dem Tierreich erhoben,
wieder auf das Bestialische, auf seinen Untergang zu?

Die Treppe, auf der manche dieser Zweibeiner
emporschritten und andere
wieder hinabfielen in eine grundlose Tiefe,
war nur aus der Höhe der Gipfel zu erkennen –
als eine an den Himmel reichende Flucht von Talböden,
die am Meeresspiegel begann
und höher, immer höher führte,
schließlich weit über Wolken und Sterne hinaus ...

Daß Nyema, wenn sie erzählte,
stets zu mir allein sprach und meinen Bruder Liam
von allem Anfang an ausschloß,
hatte zunächst wenig mit einer Vorliebe für mich
oder gar Liebe zu tun,
sondern war bloß Ausdruck der Überzeugung ihres Clans,
daß die Geschichte fliegender Berge
nur von *einem* Mund in *ein* Ohr erzählt werden konnte,
erzählt nur von einem,
der eine Antwort wußte, für den, der fragte.
Und ich hatte gefragt.

Aber ein fliegender Berg
konnte keine Erzählung am Feuer sein,
niemals eine Geschichte im Kreis von Freunden,
Familien oder vor irgendeiner anderen Zuhörerschaft,
immer nur eine Frage zwischen zwei Menschen,
von denen einer zuhörte und der andere sprach.
Denn anders als die allgemeingültige Regel,
daß etwa die Hunde zur Nacht von Ketten und Leinen
gelöst werden mußten, um ihrer Wut auf Wölfe
und dämonische nächtliche Angreifer freien Lauf zu lassen,
oder die Regel, nach der die Herdstelle eines Zeltes
nur an einer von Schutzgeistern empfohlenen Stelle
zu errichten war,

sollten sich Geschichten wie die von einem Berg, der flog,
in jedem Kopf in etwas Neues, Unerhörtes verwandeln.
Jeder sollte daraus seine eigene Erzählung,
seine eigene Geschichte und sie dadurch
zu etwas Unverwechselbarem, Einzigartigem machen,
zu etwas, an das er glauben konnte wie an sich selbst.

Der Lauf einer solchen Geschichte, sagte Nyema,
führe Erzähler wie Zuhörer weit fort
von allem Vertrauten, manchmal tief in die Nacht,
am Ende aber doch immer wieder dorthin zurück,
wo alles anfing,
zurück und immer weiter
wie die Bahn eines Schweifsterns, der erscheint,
verschwindet und nach Äonen
aus der entgegengesetzten Richtung wiederkehrt,
oder wie das Licht, das im Westen erlischt
und im Osten wieder emporsteigt.

In Nyemas Augen war daher nur natürlich
und selbstverständlich, daß ihre Geschichte
auch mich weiter und weiter vom Meer
und meinen Erinnerungen und meinem Bruder Liam
weg- und gleichzeitig heimzuführen begann
in eine Welt, in der ich ganz allein mit mir war.

Selbst die Zeitrechnung von Nyema und ihrem Clan
wurde mir auf diesem Weg so vertraut,
daß ich aufhörte, meine Jahre
dem gewohnten Zählwerk zu unterwerfen,
und sie nicht länger mit den alten Nummern versah,
sondern ich sagte wie Nyema und die Ihren
zur Gegenwart, zum Jahr unserer Reise von Horse Island
nach Kham *Jahr des Pferdes*, ein Jahr,
das auf das der Schlange folgte, an seinem Ende
von einem Jahr der Ziege abgelöst wurde
und insgesamt in eine Zukunft fortlief,

die nach zyklischen Charakterwechseln
von Affe über Hahn, Hund und Schwein

und Ratte und Büffel und Tiger und Hase
und Drache so lange und immer wieder
den Namen des Pferdes annahm,
bis alle Zeit sich endlich besänftigte
und wie das Wasser eines Sees
zum reinen Spiegel des Himmels wurde –
stillstand.

Nur meinen Monaten beließ ich auch
in dieser neuen Zeit die alten Namen,
und noch jetzt sage ich:
Es war der 20. März im Jahr des Pferdes,
als unsere Yakkarawane das Kloster im Talschluß,
den Fuß des Vogelberges und dort
Gebetsfahnenfelder erreichte, deren Seitenlänge zwei-,
ja drcihundert Meter betrug, wogende,
im Wind rauschende Felder, Nagelfelder,
die einen sechstausend Meter hohen Berg
daran hindern sollten, sich in die Luft zu erheben
und zu verfliegen.

Was sich aber in der Stunde unserer Ankunft
brausend von einem der roten Türme in der Geröllwüste
vor den Klostermauern erhob, war kein Berg
(auch wenn sein Schatten ungeheuer war),
sondern ein Schwarm riesiger Bartgeier, aufgeschreckt
vom Knall einer explodierenden Feuerwerksrakete,
die ein lachender Mönch, ein kahlköpfiger Knabe,
ein Kind, zur Ehre unserer Ankunft
in den Himmel steigen ließ.

Ich hatte von diesen Türmen
und diesen Geierschwärmen gehört, gelesen,

ja sogar durch das Netz übertragene Fotos
von solchen Schwärmen auf Liams Bildschirmen gesehen,
aber nun erschrak ich doch vor der Wirklichkeit,
und selbst die Yaks, die gleichmütig steilste Hänge queren
und an Abgründen entlangtrotten konnten,
wurden unruhig, ängstlich, als dieser Schwarm
den wolkenlosen Abend verfinsterte
und seinen Schatten über unsere Karawane warf.

Die Geier, nach denen der *Cha-Ri*, eine Wandflucht,
die nun beinah den gesamten Himmel vor uns einnahm,
benannt worden war, hatten sich von Fleischfetzen
und zerschlagenen Knochen erhoben,
die man ihnen auf der Plattform eines Turmes
zum Fraß vorgelegt hatte, hatten sich von Leichen erhoben,
leeren, verbrauchten Hüllen der Seelenwanderung,
die von Schnäbeln und Krallen zerrissen
und in alle Windrichtungen davongetragen werden sollten
– *Himmelsbestattung in Tibet*, auch *Vogelbestattung*:

Die Bildlegenden auf Liams Flüssigkristallschirmen
waren mir noch in Erinnerung, aber erst von Nyema
sollte ich am Abend unserer Ankunft
auch von jenen *Tröstern* erfahren,
die am Ende solcher Zeremonien die Trauernden
vor den umflatterten, umbrausten Türmen erwarteten,
Asketen, deren einzige Aufgabe darin bestand,
den Weinenden, Entsetzten, oft Schreienden
so lange beizustehen, ihnen schweigend zuzuhören,
ihnen von den labyrinthischen Wanderungen der Seele
zu erzählen oder sie einfach in die Arme zu nehmen
und bei ihnen zu bleiben – bis sie lächelten.

Denn was außer Entsetzen konnte ein Verlassener
empfinden, was außer Verstörung, Verzweiflung
und wozu sollte er sonst imstande sein,
als zu weinen, zu schreien, wenn er
auf der Plattform eines Turmes oder einem anderen,
allein der Himmelsbestattung geweihten Platz
mitansehen mußte, wie ein liebster Mensch –
die tote Frau, der Vater, ein Kind, ein Freund, der Bruder –
von Türmern fraßgerecht für die Geier zerteilt wurde,

mitansehen mußte, wie der Kopf der Geliebten
mit einem Hammer zertrümmert, die Arme, die Schultern,
die ganze, nun erkaltete, so oft liebkoste Gestalt
mit Messern und Äxten zerhackt wurde
und dann unter den Schwingen
der um ihren Fraß kämpfenden Geier verschwand.

Und wozu mußte ein Mensch imstande sein,
der einen solchen Zeugen nicht bloß trösten,
sondern zum Lächeln bringen konnte?

Das Kind, das rotgekleidete Mönchlein,
das zur Feier unserer Ankunft mit dem Feuer gespielt
und die Geier von ihrem Aas aufgescheucht hatte,
würde vielleicht zu einem solchen Tröster heranwachsen
und Mantras und Gebete murmeln,
Gebetsmühlen drehen und seine Trommel schlagen,
bis man ihn selber zu einer der Plattformen emportrug,

aber an diesem Abend
freute er sich über Bitterschokolade,
die ich ihm aus unserem Vorrat zum Geschenk machte,
und mehr noch über einen Bleistift, um den er bettelte

und mit dem er dann eine Silbenfolge auf einen
vom Fluß polierten Kiesel schrieb.

Den Stein warf er ins Wasser zurück,
damit die Strömung die Schrift überspülte
und so das Mantra immer noch und weiter
und weiter betete, wenn er längst schon schlief
oder in einen anderen Körper weitergewandert war.

Unsere Karawane kroch ohne Aufenthalt
am Kloster und seinen Türmen vorüber,
ja zog noch mehr als eine Stunde
an Fahnenfeldern entlang und die Geröllhalden
des *Vogelberges* hinauf, bis Langhäuser und Türme
wie verstreutes Spielzeug in der Tiefe lagen
und die Geier zur Größe von Singvögeln geschrumpft waren.
Erst dort, hoch im Anstieg zum nächsten Tal,
lagen Weideflächen, die den Herden
frisches Futter boten für Tage.

Ich brauchte nun endlich nicht mehr
nach immer neuen Fragen und neuen Gründen zu suchen,
die das Gespräch mit Nyema, ihre Nähe erforderten,
sondern hatte jetzt einen Grund,
der Stoff für unzählige Fragen bot:
einen Berg, der flog.

Denn auch wenn der Name Phur-Ri schon einmal,
im Lager am Yangtse, gefallen war – erst
als die Gebetsfahnenfelder im Talschluß erschienen,
wurde mir durch Nyema seine Bedeutung bewußt,
wenn sie sagte, daß der Name *fliegender Berg*
nicht bloß den Anblick von Eis- und Schneefahnen

umloderter Grate bezeichnete,
nicht die weithin sichtbaren Kristallschleier
von Monsunwinden und Stürmen umtoster Gipfel
und auch nicht die über Schluchten und Halden
ziehenden, zerreißenden Nebel- und Wolkenbänke,
sondern daß dieser Name
ein Wort für die Wirklichkeit war,
für ein sichtbares, erlebbares Ereignis.

Denn als wir in diesen Tagen den Sommerweiden
und dem weißen Fleck auf Liams Karten
mit jedem Huftritt der Karawane näherkamen
und ich von Nyema wissen wollte,
ob sie denn mit eigenen Augen jemals gesehen hätte,
wie ein Berg sich in die Luft erhob,

wies sie auf die vor uns aufragenden Höhen,
hinauf zum nächsten Tal,
über das *Te-Ri*, der Wolkenberg, wachte,
und übersetzte mir zum erstenmal auch den Namen
jenes Kolosses, der dem dahinterliegenden,
letzten und höchsten Weidegrund
Wasser und Windschatten bot:

Phur-Ri, sagte Nyema, *a mountain that flies*,
dieser Berg, der strahlendste und größte von allen,
sollte jeden, der aufrecht gehen und sprechen konnte,
daran erinnern, daß nichts, nichts!,
und sei es noch so mächtig, so schwer,
eisgepanzert, unbetretbar, unbesiegbar,
für immer bleiben durfte,
sondern daß alles davonmußte,
verfliegen!, irgendwann auf und davon,

daß dann aber auch das Verschwundene
nicht für immer verschwunden blieb,
sondern nach dem Stillstand und Neubeginn
selbst der allerfernsten Zeit und,
wenn auch verwandelt,

zersprungen zu tausend neuen Formen und Gestalten,
wiederkehrte und ein Rad oder ein Stern
oder bloß eine Gebetsmühle, eine Wollspindel
sich von neuem zu drehen begann,

dafür, allein dafür, sollte der Phur-Ri
ein Beispiel und Denkmal sein,
wenn er sich wieder und wieder erhob,
manchmal nur für Stunden oder Tage
erhob und verschwand, ja, davonflog
und doch immer wiederkehrte,

manchmal bereits nach einigen Atemzügen
eines Zeugen seines Flugs,
manchmal erst nach Wochen
voll Regen, Sturm, Schnee,

dochdoch, natürlich, gewiß!
auch sie hatte diesen Berg schon
hoch über allen Wolken gesehen,
seine gleißende, verfliegende Leichtigkeit,

jeder im Clan, jeder, der einen Kopf habe,
um ihn zum Himmel zu erheben, Augen,
einen Mund habe, um Worte und Namen zu formen,

und Ohren, um diese Namen, Silben zu hören
und nicht nur den Steinschlag,
nicht nur das Brüllen des Viehs und den Wind,

jeder konnte diesen Berg fliegen sehen.

8 *Am Vogelberg. Der Vermummte. Eine Parade im Schnee.*

Es sollte Wochen dauern, bis die Weidegründe
in Sichtweite des roten Klosters erschöpft waren
und Nyemas Clan die Zelte erneut abbrach,
um höher ins Gebirge zu ziehen.
Liam wurde in dieser Zeit manchmal so ungeduldig,
ja zornig, daß es zu Streit zwischen uns kam.

Zweimal wollte er mich dazu überreden,
den Clan zu verlassen: Ohne Tragtiere,
das Gewicht von Ausrüstung und Proviant
allein auf den eigenen Schultern, sollten wir
dem weißen Fleck im letzten und höchsten der drei Täler
entgegenziehen und darauf bauen,
Schutz und Hilfe der Nomaden auf dem Rückweg
wieder in Anspruch nehmen zu können.
Auf dem Rückweg!

Als wäre es eine Spielerei, die Lasten
von Zelt, Seilen, Kletterzeug, Lebensmitteln
wochenlang bis dicht unter die Gletscherabbrüche
zu schleppen, dort ein Basislager zu errichten,
eine Route zu erkunden und zu sichern,
ein, zwei Berge von unbekannter Höhe zu besteigen
und sich anschließend an den Feuern
und in den Zelten des Clans wieder zu wärmen …
nein, ich wollte nicht fort, ich wollte bleiben
und nur gemeinsam mit dem Clan weiterziehen,
mit Nyema.

Liam wußte auch diesmal nichts von dem,
was ich wollte oder wonach ich mich sehnte,
verstand aber immerhin den Einwand,
daß mir seine Eile den Weg zur Qual machen würde:
wochenlange Lastenschlepperei
mit meinen wunden Füßen!
Das Erreichen irgendeines Ziels, gar eines Gipfels
unter solchen erschöpfenden Umständen konnte
zu einem Hasardspiel ohne Erfolgsaussichten werden.

Abgesehen davon, daß der Stolz
den Khampas ohnedies verbot, ihre Dienste
als Lasten- und Hochträger zu verkaufen,
litt der Clan an einem Mangel an Hirten,
an Beschützern, Vätern und war überzeugt,
daß der Tod von Nyemas Mann,
die Erschießung von Tashi Gyeltso am Nangpa La,
eine böse Folge davon war,
wenn einer seine Würde vergaß und seine Kräfte
als Handlanger und Hochträger verpraßte –
denn nach einem besseren Leben
suchte man nicht in Höhen,
die allein den Göttern und Geistern gehörten.

Tashis Unglück war als Schatten auf seine Familie gefallen
und hatte den Mangel an Kräften nur verschlimmert.
Nein, wenn wir auf die Hilfe der Nomaden bauen wollten,
dann nur, wenn wir das gemächliche Tempo
ihrer Karawane beibehielten
und nicht schneller als die Jahreszeit
irgendwann irgendwo sein *mußten*.

Yaks?
Ob wir …, ob mein Bruder denn Yaks kaufen
oder wenigstens leihweise
als Tragtiere mit sich führen könnte?

Nyema übersetzte mir nach solchen Angeboten Liams
nicht nur eine Vielfalt ablehnender Antworten,
sondern versuchte mir auch die Gründe dafür zu nennen,
und ich sagte, was ich hörte
oder zu verstehen glaubte,
so überzeugt an Liam weiter,
als spräche zu ihm ein Mitglied des Clans:

Yaks an einen Treiber verkaufen,
der sie bloß in die Wolken führte?,
in Höhen, in denen das Gras um diese Zeit
manchmal unter hüfttiefem Neuschnee lag?
An jedem einzelnen der wehenden Fellbüschel
eines Herdentiers hing doch das Kostbarste
in einem Schneeland – das Leben,
und dieses Leben verkaufte und verlieh man nicht;
man folgte ihm, zog ihm aber niemals voraus.

Was wußten wir denn schon von den Wegen der Yaks?
Der vergangene Winter war hier erbarmungslos
wie seit Jahren nicht mehr gewesen
und hatte die meisten Herden
auf einen Bruchteil ihrer Größe schrumpfen,
manche sogar ohne Ausnahmen zu Aas werden lassen
und damit jede überlebende Kuh, jeden Bullen
noch wertvoller gemacht.

Hatten wir die aus den Kadavern errichteten
Knochen- und Schädeltürme denn nicht gesehen?
diese Opferbauwerke für die Geister
und Mahnmale für jeden Viehhalter –
oder wollten wir an diesen Türmen weiterbauen,
wenn wir mit Tragtieren loszogen,
von denen wir ebensoviel verstanden
wie ein Hirte vom Diodenlicht unserer Stirnlampen?

Liam wurde wütend, wenn ich, wie er sagte,
im Namen des Clans zu ihm sprach, und befürchtete,
daß wir jenes Wolkenfenster,
das sich zwischen dem Winterende
und den darauf folgenden Vor- und Irrläufern
des Monsuns zyklisch öffnete,
durch unsere Langsamkeit verpassen
und die Höhen unseres Ziels in der verbleibenden Zeit
wieder gänzlich von Tiefdruckfronten verriegelt
und unpassierbar finden würden.

Aber was war *verbleibende Zeit*?
Wenn wir ein Ziel hatten, das uns vom Meer bis hierher,
bis an den Fuß des Vogelbergs und noch höher
zu führen vermochte, warum widmeten wir diesem Ziel
dann nicht *alles*, was wir an Zeit zu haben glaubten?

Auch diese Frage Nyemas gab ich an Liam weiter,
als hätte ich sie selber gestellt, und begann zu begreifen,
daß mein Bruder vielleicht auch deswegen immer weiter,
so schnell wie möglich weiter
und höher hinauf wollte, weil sein Ziel
auch ein Umkehrpunkt war, an dem er sich
(was immer er dort oben finden mochte)

endlich abwenden und dorthin zurückdurfte,
wo er herkam, ans Meer, nach Horse Island,
aus dem Rauch und dem Schnee zurück
vor seine Bildschirme, auf denen die Berge
sich allein nach seinem Befehl erhoben
und wieder verschwanden.
Und ich begann auch zu begreifen,
daß zu allem, was uns voneinander unterschied,
nun auch noch kam: Ich wollte nicht zurück.
Ich wollte bleiben.

Nyemas Vater Tsering Dorje hatte mir angeboten,
in seinem und dem Zelt seiner Tochter zu schlafen,
als er mich nach einem lauten Wortwechsel mit Liam
eines Morgens aus unserem grünen Kuppelzelt
ins bereifte Gras kriechen und dann fröstelnd
zwischen wiederkäuenden Yaks hocken sah.

Daß ich sein Angebot annahm
und schließlich nicht nur meinen Schlafsack,
sondern auch einen Teil meiner Ausrüstung
in Tsering Dorjes Zelt trug und meine Nächte
nun mit sieben Menschen aus drei Generationen
an einer Feuerstelle verbrachte,
deren Rauch durch eine Zeltöffnung abzog,
in der bei klarem Himmel Funken und Sterne
gleich hell flackerten, ließ seltsamerweise
aber nicht nur meinen Schlaf ruhiger werden,
es besänftigte auch meinen Streit mit Liam.

Denn auch wenn mein neuer Schlafplatz
oft laut war vom Geschnarche Tsering Dorjes
und dem Husten seiner Frau Dekyi Tsomo,

wenn Tashi weinend nach seiner Mutter verlangte
und so auch die Tochter von Nyemas Schwester
Yishi Lhamo weckte, die dann in seine Klage einfiel,
erlebte ich nach jedem Hochschrecken und Erwachen
manchmal eine Geborgenheit und wohlige Müdigkeit,
die mich zurücksinken und leichter
als jemals im Kuppelzelt wieder einschlafen ließ.

Die Kluft zwischen Liam und mir
schien die Achtung des einen
vor dem jeweils anderen sogar zu fördern:
Liam wußte so gut wie ich,
daß wir einander nicht mehr bekehren konnten,
jeder tat, wozu es ihn drängte.
Aber wir schlossen Vergleiche.

So willigte ich in den Tagen dieses Zwischenlagers ein,
mit ihm eine Besteigung des Vogelbergs zu versuchen.
Unsere Zelte lagen nach den Daten des Höhenmessers
4820 Meter über dem Meer,
und bis zum Gipfel des Cha-Ri
konnten es nach Liams Schätzung
kaum mehr als weitere 900 Höhenmeter sein.

Tsering Dorje versprach uns klares, ruhiges Wetter,
und so machten wir uns kurz vor Anbruch
eines wolkenlosen Tages mit leichtem Gepäck auf den Weg,
ließen alles Grün und die letzten Yaks bald hinter uns,
stiegen durch Geröllfelder mühsam höher
und gerieten früher als erwartet
in kompakten, vereisten Fels.

Wir hatten unsere Aufstiegsroute
in den Tagen davor lange im Fernglas studiert,
und sie war uns von einem Mönch aus dem Kloster
(er hatte eine heilige Grotte dicht unter dem Gipfel
schon zweimal als Wallfahrer erreicht)
als Weg beschrieben worden,
der innerhalb eines Tages vom Kloster empor
und wieder zurück zu schaffen war
– und doch wurde uns schnell zum Rätsel,
wie ein Pilger in Mönchskutte und plumpen Fellschuhen
dieses Gelände überwinden konnte.
Selbst mit unseren Steigeisen
hatten wir bei der Querung von Rinnen Mühe,
und das Abschlagen des Eises vom Fels
mit unseren Pickeln war kraftraubende Arbeit.

Tief unter uns konnte ich lange die Zelte des Clans
und noch tiefer auch die Gebäude und roten Türme
des Klosters erkennen, glaubte einmal sogar,
eine Gestalt von einem der Zelte zu uns emporblicken
zu sehen, Nyema!, bis im aufrauchenden Nebel
und nach unserer Entscheidung,
jenseits eines überwächteten Grates
nach trockenem Fels zu suchen, Kloster, Zelte,
Menschen und Yaks außer Sichtweite gerieten
und wir zum erstenmal seit unserer Ankunft
ganz allein waren in einer von Gletschern
überkrönten Hochgebirgslandschaft,
die kein menschliches Leben mehr zu dulden schien.

Auf der Leeseite des Grates trug der Fels
zwar keinen Eispanzer, wurde in manchen Passagen
aber so schwierig, daß wir einander besser

ans Seil genommen und uns gesichert hätten;
dazu lagen Schneereste in manchen Rinnen so tief,
daß wir gelegentlich bis an die Hüften einbrachen.
Dennoch blieben wir auf *unserer* Route,
schnallten zwar unsere Steigeisen in Kletterpassagen ab,
verwendeten dann aber kein Seil
und wechselten erst, als der Grat
in einer Reihe abgeflachter Vorgipfel auslief,
wieder auf den von Mönchen erkundeten,
unsichtbaren Pilgerweg.

Auch dort wies allerdings kein Zeichen,
keine Gebetsfahne, keine Spur auf Vorgänger hin,
obwohl uns der Nebel hier wieder freigab
und eine gleißende Insellandschaft enthüllte,
einen sonnenbeschienenen Archipel aus Felstürmen,
Kaps, Gletscherzungen und ragenden Festungen
inmitten eines trägen,
wie in Zeitlupe wogenden Wolkenmeers.

Nur im Nordosten, dort,
wo sich nach den Erzählungen der Khampas
Te-Ri und Phur-Ri als nächsthöhere Stufen
einer ihre Weidegründe säumenden Gebirgskette
zeigen sollten, stand auch jetzt
eine undurchdringliche Wolkenwand.

Ich erinnere mich an ein kindliches Triumphgefühl,
als wir in dieser blendenden Landschaft,
die allmählich nachgab
und mit jedem weiteren Schritt
an Schwierigkeiten verlor, jeder für sich
und in wechselndem Abstand voneinander,
höher und höher stiegen.

Nicht nur über unseren Köpfen,
auch zu unseren Füßen
zogen nun Wolken dahin
und verliehen den Firnfeldern, Felsrücken
und Eisbrüchen eine Aura verfliegender,
schwebender Leichtigkeit.

Gewiß, mein Atem ging rasselnd,
und wenn der Wind aussetzte,
erschrak ich in der Stille
(der unvergleichlichen Stille großer Höhen),
manchmal sogar vor diesem Atemgeräusch,
das nicht aus meinen Lungen, nicht aus meinem Rachen,
dem offenen Mund zu kommen schien,
sondern von irgendwo oben, aus dem Eis
oder dem tiefen Blau des Himmels,
und manchmal zurückschlug,
zurückfauchte aus Steilstufen und Wächten.

Manchmal wurde der Abstand zu Liam
(der wie immer vorausging) so groß,
daß ich ihn zwischen den Felsen
oder in der Sonne aus den Augen verlor.

Wollte er mich prüfen?, wollte er wissen,
wie weit ich ihm folgen würde,
bis ich nach ihm rief und ihn bat,
doch auf mich zu warten?
Anders als in den Wänden Horse Islands,
wo Liam mir auf neuen Routen
stets die Seilsicherung anbot, empfand ich hier
den größer und größer werdenden Abstand
wie eine Vorführung, eine Warnung,

die mir zeigen sollte, daß ich auf jedem Weg,
ob in die Höhe oder in die Tiefe,
auf seine Erfahrung und seine Kraft angewiesen blieb.

Wenn das tatsächlich seine Absicht war
(er leugnete sie später), dann bewirkte sie bei mir
bloß das Gegenteil – jenes seltsame Triumphgefühl,
dem nur jemand verfallen kann,
der sich aus eigener Kraft in den Wolken bewegt,
der kein Seil dazu braucht, keine Sicherung,
keine Hilfe, keine Ermunterung
und keinen anderen Trost als die eigene Kraft.

Mein Atem rasselte, aber er reichte,
meine Schritte waren langsam, aber unbeirrbar
und konnten mich noch höher (wie ich dachte),
viel höher führen.

Aber ich besaß von allem,
was diese Route mir abverlangte, wohl auch deshalb genug
und brauchte keinen Gefährten, weil dort unten,
vor einem Zelt irgendwo unter den Wolken,
vielleicht jetzt, in diesem einen, glücklichen Augenblick,
Nyema ihren Blick hob, dorthin, wo ich war;

dieser Blick verband die Sicherheit des Clans,
ihre Nähe mit dem Gipfel des Vogelbergs
wie eine Fluchtlinie, ein unzerreißbarer Faden,
an dem entlang ich sowohl weiter emporsteigen
als auch in jeder Sekunde wieder in die Tiefe
zurückfinden konnte, zu ihr.

Liam?
Ich brauchte Liams Hilfe nicht mehr.

Wir erreichten den Gipfel des Cha-Ri am frühen Nachmittag,
einen vom Wind geschliffenen, steinharten Schneehöcker
von der Größe zweier Pferderücken,
der einen Strauß Fahnenschäfte trug.

An diese Schäfte waren aber keine bedruckten Wimpel,
sondern bereifte Holzlatten gebunden,
in die Mantras eingeschnitten oder gebrannt waren:
hölzerne Wegweiser,
die nach allen Himmelsrichtungen zeigten,
Routenmarkierungen für den Weg aus der Zeit.

Als der Reif unter Liams Berührung abfiel,
bückte er sich in einer reflexartigen Bewegung,
als wollte er die Borte aus Eisnadeln aufheben
und wieder an das silbrig gebleichte Holz heften,
und ich wiederholte eine Drohung unseres Vaters,
der uns an einer *wishing well* in den Cahas
mit Schlägen gedroht hatte, sollten wir noch einmal wagen,
die von Pilgern in die Rhododendren
geknüpften Wunschbänder abzulösen
und wie Trophäen an unsere Zeltstange zu binden:
Wer sie anfaßt, zerreißt einen Faden
zwischen Himmel und Erde
und wird mit Unglück bestraft,
und Liam antwortete mir, ohne zu lächeln:
Daddy, halt's Maul.

Liam über den Wolken,
Liam im Blau des Himmels, Liam auf dem Gipfel
des Cha-Ri, 6170 Meter über dem Meer,
der größten Höhe unseres bisherigen Lebens:
Gegen den eisigen Wind mit seiner Sturmmaske

vermummt, einer schwarzen Balaklava,
deren mit einer Gletscherbrille bewehrter Sehschlitz
mein Spiegelbild und das Spiegelbild
der Himmelsleere zeigte,
glich er wieder unserem Vater,
unserem marschierenden Vater in seiner Wollmaske
an jenem unvergeßlichen St. Patrick's Day,
an dem es in den Straßen von Bearhaven
geschneit hatte.

Es war in jenem März gewesen,
in dem unsere Mutter mit Duffy
in den Norden verschwunden,
in den Norden *geflüchtet* war und aus Belfast
eine Reihe vergeblicher Versuche begann,
Liam und mich in ihre Nähe zurückzuholen.
Aber die Gerichte des Südens
wie die des Nordens verweigerten ihr schließlich
aus verschiedenen Gründen übereinstimmend
das Sorgerecht für ihre Söhne, und diese Söhne
wollten zwar nicht um jeden Preis bei ihrem Vater bleiben,
wollten aber auch nicht irgendwohin,
wo alles ganz anders, ganz fremd und,
wie es am Küchentisch hieß, protestantisch,
anglikanisch, verflucht, *feindlich* war.

Was Liam und ich am Küchentisch
von unserem Vater zu hören bekamen,
waren weniger Klagen über seinen Verlust,
sondern viel öfter Verfluchungen,
Wutausbrüche über diesen *Verrat* an ihm und an Irland.
Es war eine Wut, die ihn für Augenblicke
rasend machen konnte und dann

ohne besonderen Grund auf seine Hunde,
auf seine Schafe, manchmal
auch auf seine Söhne einschlagen ließ.

Den Ausbrüchen folgten
mit berechenbarer Gesetzmäßigkeit gemurmelte,
gestammelte Bitten um Verzeihung
(einmal sogar unter Tränen) und vor allem –
Versöhnungsgesten, Wiedergutmachungsgeschenke,
mit denen Liam und ich
schließlich sogar zu rechnen begannen,
wenn wir die Folgen von Verbotsübertretungen,
Gesetzesbrüchen oder kleinen Fluchten in die Reviere
unserer eigenen Phantasie abzuschätzen versuchten.

In diesen Kalkulationen erschienen Schokoladetafeln,
ja sogar Bildbände über Segelschiffe oder Meeresfische,
ein Taschenmesser, ein Kompaß oder Angelzeug
aus Finbarr O'Sullivans Hardware Shop in Bantry,
aber auch Freiheiten wie etwa die Erlaubnis,
als schiffbrüchiges Opfer an einer Rettungsübung
der *Marine Rescue* teilnehmen zu dürfen
oder bloß die halbe Nacht
im Geflacker des Fernsehers zu verbringen –
unseres vom Frauenräuber, vom Verräter,
vom Todfeind Duffy installierten Fernsehers.

Der Parade am St. Patrick's Day
war ein Wutanfall unseres Vaters
über ein verlorenes Schaf vorausgegangen,
das in den Schacht einer bronzezeitlichen Kupfermine
gefallen war, in eines der brunnentiefen Löcher, die
zwischen Stechginsterbüschen unserer Weide aufklafften.

Liam und ich hatten die Sperrzäune
nicht wie befohlen ausgebessert, sondern
den größten Teil der dafür vorgesehenen Arbeitszeit
am Strand mit der Jagd
auf einen verletzten Seehund verbracht.

Vater hatte so wütend an unseren Haaren gerissen,
daß Büschel davon
in seinen Fäusten zurückgeblieben waren.

Am Ende stand er ratlos vor seinen stummen,
vollkommen stummen Söhnen,
und seine noch immer geschlossenen Fäuste sahen aus,
als würden Affenhaare zwischen den Fingern sprießen,
blutleeren Fingern, die unter dem Druck seiner Wut
nahezu weiß geworden waren.

Ich erinnere mich an unsere Befangenheit,
an mein Erschrecken,
als er diese Affenfäuste plötzlich vor seine Augen hob
und zu schluchzen begann.

Die Versöhnung an diesem Abend fiel großzügig aus:
Liam und ich hockten, jeder vor einer Blechbüchse
voll Pralinen und Toffee,
bis tief in die Nacht vor dem Fernseher
und sahen Revolverduelle, Schlachten,
sogar einen Kuß, und fuhren am nächsten Tag
ohne lange Verhandlungen,
und nicht bloß mit Münzen,
sondern mit Papiergeld! ausgestattet,
mit Vater im Ford Galaxy zur St. Patrick's Parade,
die zu Ehren des Schutzheiligen Irlands

durch die Straßen von Bearhaven ziehen sollte:
Blechmusik und Fiddler hinter einer Kompanie Soldaten
der Armee der freien Republik Irland.

Vater nahm uns auf einem Parkplatz am Strand
bloß das Versprechen ab, uns zur Abfahrt rechtzeitig
vor der Nachmittagsandacht wieder einzufinden,
und ließ uns dann mit den Möglichkeiten unseres Reichtums
und einer *gang* abenteuerhungriger Freunde allein.

An den unter Fahnen marschierenden Soldaten
interessierten uns zunächst vor allem die Gewehre;
wir hatten noch nie so viele Gewehre gesehen.
Die Läufe und aufgepflanzten Bajonette zeigten
wie die Borsten einer riesigen,
durch die Straßen Bearhavens kriechenden Raupe
in einen weißwolkigen Märzhimmel,
aus dem laut Wetterbericht an diesem Tag viel Sonne
und nur vereinzelte Schauer zu erwarten waren.

Wir, Liam, ich
und drei *Blutsbrüder* von benachbarten Höfen,
standen in vorderster Zuschauerreihe,
um dem matten Glanz der Waffen, den Uniformen
und dem hypnotisierenden Gleichschritt
so nahe wie möglich zu sein.
Und tief in die Betrachtung der Unbesiegbarkeit versunken,
nahmen wir die plötzliche Stille zunächst kaum wahr,
die sich aus dem Inneren der Parade wie eine Welle
ausbreitete und Marschierende wie Zuschauer,
ja den ganzen Straßenzug erfaßte.

Aber selbst als wir diese seltsame Stille
und dann auch den Grund für das Ersterben
der Blechmusik und allen Festlärms endlich bemerkten,
uns gegenseitig anstießen und darauf hinwiesen,
schien uns der Anblick jener schwarz maskierten Männer,
die wie auf ein Zeichen aus verschiedenen Gassen
und durch die Menge in die Parade drängten,
sich hinter den Soldaten formierten
und im Gleichschritt mit der Armee!
zu marschieren begannen, so selbstverständlich,
als wäre diese Erscheinung
bloß eine zwischen allen Beteiligten abgesprochene
Vollendung des Aufmarsches:

Mit ihren bis zum Hals heruntergezogenen Wollmasken,
mit ihren grünen Kampfanzügen und Tarnjacken
waren uns die Ankömmlinge von den Titelblättern
des *Southern Star* oder des *West Cork Examiner*
und erst recht vom Bildschirm
unseres neuen Fernsehers vertraut:
Kämpfer der Irisch-Republikanischen Armee!
Scharfschützen, Bombenleger
in der Schlacht um die irische Einheit,
Helden aus dem Untergrund
gegen die englische Übermacht.

Manche von ihnen hatten die Sehschlitze
ihrer Balaklavas in der Mitte zusammengenäht
und nur zwei schwarze Löcher freigelassen.
(Im Schaufenster von Finbarr O'Sullivans Laden
schwebten solche Wollmützen an Stecknadeln
über Flanellhemden, Arbeitsoveralls,
Schlachtmessern und Fischereizubehör.)

Auf dem Meer und in den Stürmen des Winterhalbjahrs
gab es keinen besseren Schutz gegen die Kälte.

Als erste hatten die Zuschauer am Straßenrand
die Maskierten bemerkt, nach ihnen die Soldaten im Zug
und als letzter der Offizier an der Spitze, ein Captain,
und ebenso hatten sich auch Verwunderung,
Erschrecken, Ratlosigkeit vom Ende des Zugs
bis zu seinem Commander ausgebreitet
und hatten so zwar nicht die Richtung des Aufmarsches,
wohl aber die Aufmerksamkeit umgedreht:

Alles blickte, alles starrte
plötzlich ans Ende der Parade, dorthin,
wo die IRA vermummt, schweigend,
ohne Fahnen und ohne Feldzeichen marschierte.

In der ratlosen Stille
waren die Marschtritte wie Trommelschläge zu hören.
Und mitten hinein in diese Schläge fielen fragende,
protestierende, dann aber auch zustimmende Rufe,
erhoben sich Fäuste, streckten sich Arme,
Finger zum Victory-Zeichen empor.

Und wie geschoben, gedrängt
von der unlösbaren Frage, ob diese Parade
im Zeichen des heiligsten Mannes von Irland
nun abzubrechen und die Maskierten in die Gassen
zurückzudrängen, zu verjagen waren – von wem?
Und mit welcher Gewalt? und ob der Aufmarsch
sich denn in einen Straßenkampf, in eine Schlacht
am St. Patrick's Day! verwandeln sollte,
kroch die Parade mit rückwärtsgewandten Blicken
weiter und weiter.

Und dann begann mein Herz wie in einer verzögerten,
aber umso heftigeren Reaktion
auf die Erscheinung der Schwarzmaskierten
doch noch zu hämmern, so heftig,
als schlüge ihm das Getrommel des Gleichschritts
der ungleichen Marschierer den Takt:
Inmitten der IRA-Männer
und trotz seiner Vermummung
erkannte ich unseren Vater.

Auch er hatte die Balaklava bis zum Hals heruntergezogen,
trug aber keinen Kampfanzug, sondern nur eine
von jenen ausgemusterten amerikanischen Armeejacken,
wie sie in der Second-Hand-Abteilung von O'Sullivans Laden
jedesmal zu Dutzenden an Drahtbügeln hingen,
wenn der Tanker *U. S. S. Missouri* wieder einmal
in der Bantry Bay vor Anker gegangen war
und sein irischer Zeugmeister
mit O'Sullivan Nebengeschäfte gemacht hatte.

Vater trug diese Jacke auch an unseren Manövertagen,
aber ich hätte ihn wohl in jeder Vermummung erkannt,
seine massige Gestalt, diesen schweren, wiegenden Gang,
der im Marschtritt noch auffälliger wurde.
Nur die Mütze, die schwarze Wollmütze schien neu zu sein.
Vater trug sowohl in den Bergen als auch
beim Auslegen der Hummerkörbe ähnliche Rollkappen,
aber alle waren sie blau, marineblau.

Auch Liam hatte diesen unverwechselbaren Kämpfer
(allerdings erst nach mir) erkannt,
stieß mir aber nun seine Faust in die Seite
und legte den Zeigefinger auf den Mund.
Als ob ich je ein Geheimnis verraten hätte!

Aber dann nahm Liam meine Hand,
nahm die Hand seines um drei Jahre jüngeren Bruders
wie die eines ebenbürtigen Gefährten
und hielt sie in der seinen, als betrachte er etwas,
das zu groß war für einen allein.

Ich erinnere mich an ein Gefühl des Triumphes,
auch wenn ich nicht recht wußte, ob dieses Hochgefühl
dem Anblick unseres vermummten Vaters galt
oder dem Geheimnis, das ich nun mit Liam teilte
und das alle bisher gehüteten Heimlichkeiten
bei weitem übertraf,
ja sogar jene Beobachtung noch übertraf,
die Liam zugefallen war, als er verbotenerweise
am Volant des Ford Galaxy gespielt
und dabei den Elektriker Duffy und unsere Mutter
als Liebespaar gesehen hatte,
Duffy und Shona als Liebespaar!

Die beiden waren an jenem Oktobertag,
an dem uns das blaue Licht des Fernsehers
zum erstenmal bescheinen sollte,
auf der Suche nach einem Verlängerungskabel
für eine Weile verschwunden
und hatten sich dann in der Garage geküßt.

Und nun marschierte unser betrogener Vater mit der IRA.
Daddy!, dort marschierte unser Vater.
Daddy marschierte mit der IRA.
Daddy, dem Shona einst gegen den Willen ihrer Familie
aus Belfast in den Süden gefolgt,
dem zuliebe sie dem Protestantismus abgeschworen hatte
und Katholikin geworden war

und den sie schließlich doch als Sturschädel,
als Rohling und Kerzenschlucker beschimpfte
und mit einem *souper* wieder verließ
(*viel zu spät*, wie sie noch aus Belfast an ihre Söhne schrieb),
Daddy, der sein Boot selbst bei Windstille
und schönstem Wetter auf die Klippen setzen konnte,
weil er stets mehr in den Wolken als an dieser Küste
und auf seinem Hof lebte, den er nur mit Mühe halten,
den er aber auch nicht verlassen konnte, Daddy
ein Untergrundkämpfer, ein Rächer, ein Bombenleger,
den selbst das englische Königshaus fürchten mußte!

Liam und ich, wir kannten nun sein Geheimnis,
und es lag an uns, seinen Befehlen
weiterhin zu gehorchen, mit ihm zu kämpfen,
ihn auszuliefern oder zu beschützen.
Wir waren seine Rekruten gewesen.
Nun waren wir seine Verbündeten.

Aber dann war es ausgerechnet der Name unseres Vaters,
der die ratlose Stille an diesem St. Patrick's Day beendete,
sein Name, dem zuerst Gelächter,
dann die Auflösung des schwarzen Maskenzuges folgte:

Denn im Herzen dieser Stille
und auf dem Höhepunkt meines Triumphes
war plötzlich die hohe, helle Stimme
von Dermot O'Brien zu hören,
eines wegen seiner Fangmethoden mit Dynamit
und verbotenen engmaschigen Netzen
verrufenen Fischers aus einem Weiler bei Adrigole.
Und diese Stimme, die auch im Kirchenchor
an jedem Hochamt unüberhörbar war,

schrie plötzlich *Fergus!, hey!, Fergus!*
und wiederholte den Namen meines Vaters
immer lauter, *Fergus, an deiner Mütze*
flattert noch das Preisschild,
du hast das Preisschild nicht abgemacht,
Fergus, hey!, das Preisschild . . . !

Und in einem zaghaft einsetzenden,
dann aber anschwellenden Gelächter
sah ich, sah Liam, sah plötzlich jeder,
Zuschauer, Soldat, Marschierer, jeder Mensch
in- und außerhalb dieser St. Patrick's Parade
das weiße Schildchen im Nacken meines Vaters baumeln,
das Preisschild an einem weißen Faden.

Daddy mußte es wohl übersehen haben,
als er seine neue Mütze zum erstenmal entrollt hatte,
um sein Gesicht darunter zu verbergen.

Liam, der in seiner Sturmmaske auf dem Gipfel des Cha-Ri
so sehr unserem vermummten Vater glich,
daß ich mein Spiegelbild in Daddys Manöversonnenbrille
und nicht in der Gletscherbrille meines Bruders
zu sehen glaubte, meine verzerrte Gestalt
vor einem zum Halbkreis gebogenen Gratverlauf
und dahinter die Leere, die Tiefe, Liam
hat mir erst viele Jahre nach dieser St. Patrick's Parade
gesagt (es war in unserem Funkgespräch nach Vaters Tod),
daß es vor allem anderen die Erinnerung an Daddys Reaktion
auf Dermot O'Brien's Geschrei gewesen sei,
die ihn dazu bewog, das Wort *Gentleman*
auf seinen Grabstein in Glengarriff setzen zu lassen.

Denn unser Vater blieb damals zwar scheinbar ungerührt
und wandte sich nicht nach dem Schreier um,
zog dann aber, ohne stehenzubleiben,
die schwarze Balaklava vom Kopf –
und marschierte weiter,
schamrot oder rot vor Wut zwar,
aber einfach weiter,
während die anderen schwarz Vermummten,
es waren nur etwa fünfzehn Mann, vielleicht weniger,
von ihm abfielen, einer nach dem anderen abfielen
und wieder in den Gassen Bearhavens verschwanden.

Und während die Blechmusik wieder einsetzte
und jeder am Straßenrand seine Stimme wiederfand
und lachte oder Dermots Spott noch schreiend überbot
und Schritt für Schritt klarer wurde,
daß hier nicht die wahre IRA,
sondern nur einige ihrer großmäuligen Anhänger
wohl direkt von der Theke in den Krieg gezogen waren,

und während aus dem Himmel über Bearhaven
die angekündigten Schauer das Bild der Parade
zuerst als kleinkörniger Hagel, dann aber
als waagrecht treibender Schnee ähnlich schraffierten
wie das elektronische Gestöber die jagenden Bilder
in unserem von Duffy installierten Fenster zur Welt,

fiel unser Vater in den Marschtritt der Armee zurück
und folgte der Parade als ihr letzter, allerletzter Mann.

9 *Die Himmelsbraut. Glückliche Rückkehr. Warnungen.*

Wenn es unter dem Gipfel des Cha-Ri
jene Grotte tatsächlich gab, von der uns der Mönch
aus dem roten Kloster erzählt hatte, dann
lag ihr Portal wohl unter Schneewehen verborgen.

Liam und ich fanden auf dem höchsten Punkt
unseres bisherigen Lebens neben einem
Strauß von Gebetsfahnen im steinharten Schnee
keine weiteren Spuren von Pilgern
oder einem geheiligten Ort.
Der Gipfel des Vogelberges
trug einen makellos weißen Panzer.

Vielleicht waren es doch Müdigkeit, ja Erschöpfung
und nicht bloß der Anblick des Wolkenmeeres
zu unseren Füßen und so vieler umbrandeter Inseln darin,
die uns lange (beinahe zu lange) bleiben ließen.
Als wir uns endlich zum Abstieg wandten,
blieben bis zum Anbruch der Nacht
nur noch wenige Stunden.
Wir mußten uns beeilen.

Dann schien aber auch der Abstieg
die unerwartete Nachsicht des Vogelberges
und seine Gutmütigkeit nur zu bestätigen:
Selbst in der beginnenden Dämmerung
blieb die Luft so windstill und klar,
daß uns wohl auch das Mondlicht gereicht hätte,
um sicher ins Lager der Khampas zurückzukehren.

Wir hatten zum ersten Mal
einen Sechstausender erstiegen
und fühlten uns nun und in diesem Triumph
weit außerhalb jeder Gefahr, ja unbesiegbar,
schrieben das beinahe spielerische Gelingen
dieser Ersteigung nicht den von Tsering Dorje
vorausgesagten, äußerst günstigen Wetterbedingungen
dieses Tages zu, sondern allein
unserem eigenen Vermögen, der eigenen Kraft.
Wir glaubten uns diesem Gebirgszug,
an dessen Ende der Phur-Ri auf uns wartete,
gewachsen, und unser Keuchen zeigte uns nur,
daß wir noch Luft, daß wir genug Atem hatten,
um bald noch höher zu kommen.

Wir wechselten nun nicht mehr auf die Leeseite
des Grates, sondern blieben über den gesamten Abstieg
auf der Pilgerroute und fanden alle Felspassagen eisfrei
und tropfend vom Schmelzwasser,
obwohl selbst in diesen milden Frühlingstagen
nach Sonnenuntergang die meisten Rinnsale
von neuem erstarrten und mit ihnen
jedes Wassergeräusch erstarb.

Ohne darin etwas anderes
als die Bestätigung einer Regel zu sehen,
die wir noch in Trance beherrschten,
erfuhren wir in diesen Stunden,
was Liam mir schon in den Klippen Horse Islands
als eine der Unwägbarkeiten des Kletterns vorgeführt hatte:

Abstiege erfordern manchmal größere Fähigkeiten
und größere Konzentration als jeder Aufstieg,

weil auf dem Weg in die Tiefe Tritte,
die der Aufsteiger sichtbar oder in Augenhöhe
vor sich hat und prüfen kann, jetzt unsichtbar
unter seinen nach Halt tastenden Füßen liegen
und sich dazu auch nicht immer sagen läßt,
ob der Weg von jener Querung dort unten
oder von jener Felsnase
tatsächlich weiter in die Sicherheit,
weiter in die Tiefe – oder bloß an den Rand
eines unüberwindlichen Überhangs führt
und von dort nur wieder korrigierend zurück
nach oben! geklettert werden kann,
und erst danach weiter abwärts, ins Tal.

Als im tiefen Schatten unter uns
die Zelte der Khampas und die schwarzen,
weit über die Steilhänge verstreuten Male der Yaks
endlich wieder in unser Blickfeld kamen,
stieg die Mondsichel über Schneekuppen und Grate,
die einen letzten, blaßroten Widerschein der Sonne trugen.

Und wie an der Grenze zur Nacht
sahen wir über den Zelten
einen jener ungeheuren Schwärme von Apollofaltern,
die uns in den kommenden Tagen immer wieder
erscheinen sollten: ein filigranes, flatterndes Band,
das über einen schneefreien Sattel
in den Faltenwurf des nächsten Tales wechselte,
und weiter, tiefer nach Westen, als wäre
die einzige Bestimmung eines Schmetterlingsschwarms,
das verschwindende Licht einzuholen
und wieder zurückzuziehen über die Ränder der Nacht.

Die Hunde waren noch nicht
von den Pflöcken gelassen worden
und zerrten tobend an Ketten und Stricken,
als wir das Lager erreichten und
als erster Mensch nach unserem Triumph
Nyema auf uns zukam und sagte:
Wir haben gewartet auf euch.
Tsering Dorje hätte sich bald auf die Suche gemacht.

Die kleine, erst auf den zweiten Blick
sichtbare Einkerbung ihres Nasenbeins,
Erinnerung an die Stunden eines Verhörs
und an den Faustschlag eines chinesischen Grenzsoldaten,
ließ einen winzigen Schatten in ihrem Gesicht erscheinen,
ein schwarzes, wie aus der Nacht herabgetaumeltes
Flöckchen Finsternis, das schmolz und in einem Lächeln,
einem Ausdruck der Erleichterung über unsere,
über meine Rückkehr
verschwand.

Dieser kleine, flüchtige Schatten im Gesicht einer Frau,
die nach dem Tod und der Verscharrung ihres Mannes
nicht getröstet, sondern geschlagen worden war
und die sich um mich und meinen Bruder
Sorgen gemacht hatte, während wir
über den Wolken bloß triumphierten, bewegte mich,
rührte mich, zog mich so sehr zu Nyema hin,
daß ich sie beinah in die Arme genommen,
ihr Gesicht in meine Hände genommen
und sie unter den Augen meines Bruders,
unter den Augen ihres Clans geküßt hätte,

dann aber legte ich nur meine Hand
wie besänftigend auf ihren Arm,
sagte etwas von der Schönheit des Cha-Ri,
etwas von der gefahrlosen, spielerischen Leichtigkeit
seiner Ersteigung oder von unserer glücklichen Rückkehr
oder irgendetwas, woran ich mich nun nicht mehr erinnere,
weil es weder dem, was ich wirklich sagen,
noch dem, was ich wirklich tun wollte, entsprach.

Was ich in diesem Augenblick empfand
und Nyema verschwieg, war ja nicht das Glück,
irgendeinen Gipfel erreicht zu haben
oder irgendwo in den Wolken,
irgendwo *oben* gewesen zu sein –
ich verschwieg, ich verleugnete mein Glück,
von dort oben hierher, in dieses Zeltlager
zurückgekehrt zu sein, zu ihr.

Aber es waren nicht die Augen und Ohren des Clans,
die mich an einem solchen Geständnis hinderten,
es war allein die Gegenwart meines Bruders.

Ich wünschte damals, Liam stünde nicht dort, wo er stand,
wünschte, mein Bruder wäre nicht, wo er doch war.
Ich wünschte ihn fort,
um mit dieser Frau allein zu sein.

Nyema war eine *Himmelsbraut*,
eine von jenen Frauen, die von ihrem Clan
unter diesem Titel beschützt, geehrt wurden.
Denn wenn eine Gemeinschaft durch irgendeine Not,
durch den Tod selbst Mangel an Männern litt
und eine Frau durch das ungünstige Geschlechterverhältnis

keinen Gefährten fand und dennoch
nicht Nacht für Nacht allein
oder kinderlos bleiben wollte,
dann war es auch in Nyemas Clan gültiges Recht,
sie in einem feierlichen Ritual dem Himmel zu weihen,
den Geistern, die das Leben hervorbrachten und behüteten.

Wenn eine Himmelsbraut es so wollte,
durfte sie mit jedem Mann ihres Willens ein Kind zeugen,
das dann Anspruch auf die gleiche Zuwendung
des Clans hatte wie jeder andere,
in ungeteilter Zweisamkeit gezeugte Nachkomme.

Das Kind einer Himmelsbraut war das Kind aller,
und Nyemas Sohn Tashi, dessen gleichnamiger Vater
am Nangpa La getötet und verscharrt worden war,
gehörte nun allein seiner Mutter und gehörte doch allen,
durfte auf den Schutz und die Hilfe
jedes Mannes rechnen, der sein Leben im Clan führte,
und auf die Sorge und Liebe jeder Frau.

Nyema bot an, mir den Rucksack abzunehmen,
und ich spürte erst jetzt, im Nachlassen der Aufmerksamkeit,
in meiner eigenen Erleichterung über unsere Rückkehr
und über die wiedergewonnene Freiheit,
nun ohne den Tunnelblick eines Kletterers
einen Fuß wieder vor den anderen setzen zu dürfen,
wie erschöpft ich war.

Die Route, die vom Gipfel
in die Geborgenheit des Lagers zurückgeführt hatte,
verzweigte sich nun: Liam wandte sich wortlos
und vielleicht ebenso müde wie ich

seinem grünen Kuppelzelt zu,
ich ging an Nyemas Seite (ohne ihr Angebot anzunehmen)
dem weiter oben am Hang dicht an einem Bergbach
gelegenen Zelt Tsering Dorjes entgegen,
Nyemas Zelt, unserem Zelt.

Selbst in der milden Luft dieses Abends,
die auch in der tiefen Dämmerung frühlingshaft warm,
ja frühsommerlich blieb, erschauerte ich unwillkürlich:
Ich war schweißnaß und empfand nun,
wo keine Anstrengung und ihre Verbrennungswärme
diese Nässe meiner Körpertemperatur anglich,
selbst einen milden Luftzug als Eishauch.

Captain Daddy hatte seine beiden Rekruten
am Ende langer Abstiege in den Cahas
stets dazu gezwungen, vor dem Wechseln
schweiß- oder regennasser Kleidung
entweder ein geradezu rituelles Bad zu nehmen oder
sich zumindest mit entblößtem Oberkörper zu waschen,
weil er der Meinung war, der Kälteschock im eisigen
Wasser eines Wildbachs oder moorigen Bergsees
würde die Blutzirkulation wohltuend anregen
und jene Abhärtung fördern,
die uns in den unvermeidlichen Kämpfen der Zukunft
nur nützen, wenn nicht das Leben retten konnte.

Ich ließ also den Rucksack vor dem Zelt
von meinen Schultern gleiten
und widerstand der Versuchung, auf mein Lager zu sinken
und mich dort auf dem Schlafsack auszustrecken,
zog ein Handtuch und trockenes Zeug aus meinem Gepäck
und machte mich auf den kurzen Weg zu einer Felsstufe,

über die ein schmaler Bach aus etwa zwei Metern Höhe
in ein natürliches Becken stürzte,
aus dem wir Kochwasser schöpfen
und in dem wir uns hinter dem Paravent
eines Gestrüpps und geschützt vor Blicken aus dem Lager
auch waschen konnten.

Dieser Katarakt mit seinem gleichmäßigen Rauschen
schien Nacht für Nacht alle Stimmen unseres Lagers
von neuem zu übertönen und war in jedem Zelt
so lange zu hören, bis die Geräusche des folgenden Tages
wieder übermächtig wurden und den Sturzbach
und sein Tosen in den Hintergrund drängten,
zurück in die Berge.

Daß ich an diesem Abend Captain Daddys Waschvorschriften
wie der gehorsamste Sohn, nein: wie unter Hypnose
befolgen wollte, hatte vielleicht damit zu tun,
daß ich in meinen Kälteschauern plötzlich
das heftige Bedürfnis nach jener wohligen Wärme empfand,
die unsere Wildbäder in den Cahas jedesmal entfacht hatten,

vielleicht aber auch und einmal mehr bloß damit,
daß ich den Geruch von Körperausdünstungen,
selbst das wässrige Aroma des puren Schweißes
stets als etwas Unreines empfunden habe, als Gestank,
der sich nur unter fließendem Wasser wieder verlor.

Ich entledigte mich meiner Kleider,
die, klamm und schweißdurchtränkt,
nur mühsam abzustreifen waren
und zu Fußangeln wurden,
die mich ins Gestrüpp stolpern ließen.

Nackt watete ich dann durch das knietiefe,
eisige Wasser auf die Kaskade zu
und konnte einen Schrei nicht unterdrücken,
als mich der Schwall traf
und wie eine Explosionswolke aus Eisnadeln,
weißglühenden Funken und Schneekristallen einhüllte:

Ich schrie und erschrak im selben Augenblick
über diese Stimme, die so tief aus meinem Inneren kam,
ohne daß ich auch nur einen Hauch meines Willens spürte.
Ich machte unter den Schlägen des Wassers ein Geräusch,
so willenlos wie ein Tropfen, der faucht oder zischt,
wenn er auf einen heißen Stein fällt
und augenblicklich verdampft.

Aber nach diesem unwillkürlichen Schrei,
der wohl weniger dem Schock der Kälte entsprach
als vielmehr einer Müdigkeit,
die jede Selbstbeherrschung schwächte,
mußte ich lachen: Ich fror. Ich brannte. Ich schrie.
Ich lachte.
Und hörte in diesem Lachen
und durch das Rauschen des Wassers
plötzlich noch eine Stimme,
ein zweites, helleres Lachen: Nyema.

Nur ein Schatten in der Dunkelheit,
die allein über den westlichen Bergkämmen
das verschwundene Licht noch erahnen ließ,
kniete sie im trockenen Moos am Rand des Beckens,
tauchte eine Schöpfkelle ins Wasser und lachte,
ohne ihren Blick von mir zu wenden
(auch diesen Blick ahnte ich in der Dunkelheit mehr,

als daß er mich traf).
Dann begann sie in einem seltsam vertrauten,
lachenden Singsang zu sprechen.

Und ich trat wie gerufen von ihr aus dem Wasserschwall,
nackt, ohne einen Gedanken an meine Blöße,
und griff in einer plötzlichen Erinnerung
an unsere Wildbäder in den Cahas in die Kaskade zurück,
um einen Tropfenstrauß nach der Zeugin
meiner schreckhaften Empfindlichkeit zu schleudern:

Sie wehrte das Wasser nicht ab,
sondern ließ nur ihre Schöpfkelle los
und erhob sich, erhob ihre Arme,
als ob sie den Strauß auffangen wollte,
und sang lachend weiter.

Wenn Shona mich in einem Zuber unserer Waschküche
gebadet hatte (während Liam, der große Bruder
anschließend und in meinem Waschwasser
ganz ohne Aufsicht Orkane, Sturmwellen
und Schiffskatastrophen entfesseln durfte),
hatte sie ihren Schwamm zu einem Nyemas Singsang
ähnlichen Kinderlied über meinen Körper geführt
und dabei alle Stationen der Waschung zärtlich benannt,

und ich glaubte aus Nyemas Mund die alten Strophen
über ein armes, schmutziges Männlein zu hören,
das gebadet werden wollte,
glaubte zu hören die kichernde Klage
über ein in der Kälte geschrumpftes Schwänzchen,
das gewärmt und mit weißen Seifenflocken beschneit,
über ein Ärschlein, das getätschelt, und ein Bäuchlein,

das geküßt werden wollte, um dann endlich gemeinsam
mit allen anderen duftenden, blitzsauberen Gliedern
in den Schneewächten des Bettes zu versinken,
und dort erst recht in Träumen
von Seerosenteichen, vom Mondmann,
schwarzen Schwänen und Bäumen, die sprachen.

Captain Daddy hatte seine Frau
an einem solchen Badetag belauscht
und ihr dann verboten,
solche Lieder jemals wieder zu singen.

Sie hatte ihn zuerst ausgelacht,
dann aber zornig gefragt,
ob Daddys Heiliger Vater in Rom
denn solche Verbote verhänge,
weil das einzige Wasser, das er und seine Saubermänner
in ihren Roben und Kardinalshüten nicht scheuen würden,
das Weihwasser sei, Fingerbäder im Weihwasser!

Aber gesungen, gesungen
hatte Shona nach diesem Badetag nicht mehr.

Nyema tat keinen Schritt auf mich zu,
sondern verblieb in ihrer reglosen Heiterkeit,
während ich ihr watend durch knietiefes Wasser
und das tiefe Dunkel entgegenkam.

Als ich triefend aus dem Becken stieg, zitterte ich
und stürzte dann geradezu in ihre Arme,
umfing ihren Körper, um dieses Zittern zu verbergen,
drückte sie an mich, ja *krallte* mich fest an ihr,
um dieses Zittern zu besänftigen,

und spürte augenblicklich, daß ich doch loslassen konnte,
loslassen, weil plötzlich sie es war,
die mich hielt.

Und dann fiel etwas ab von mir
und zerbrach etwas in mir und erlaubte,
daß auch ich zu sprechen, zu flüstern,
zu singen begann
und ihr schließlich Strophen ins Ohr keuchte,
die Captain Daddys Verbote übertraten wie noch kein Wort,
das ich jemals auszusprechen gewagt hatte:

Strophen, die davon handelten,
daß nun das Männlein nicht länger arm
und sein Schwanz nicht länger geschrumpft
und sein Bauch nicht länger ungeküßt
und nichts mehr an ihm kalt bleiben sollte,
und zog Nyema, die kein Wort und doch alles verstand,
hinab ins trockene Moos, wo sie
in der Verflechtung unserer Arme und Finger
so nackt wurde wie ich
und meine Haut so trocken und warm
wie die ihre.

Wie oft hatte ich Ekel empfunden
vor den Gerüchen der Nacktheit meines eigenen
und erst recht jedes fremden Körpers,
dem Geruch meiner eigenen
und dem Gestank aller Haut und roch jetzt,
und wie für immer befreit von diesem Ekel,
nur die Aromen von Erde, von Yakwolle,
von Schneewasser und Heu an Nyemas Schenkeln,
an ihrer Brust, auf der sie meine Hand,
meinen Mund, meine Zunge duldete,

und roch nur den Rauch und die Nachtluft
in ihrem Haar, das auf mich herabfloß,
als sie sich zu meiner Reiterin aufschwang
und zuließ, daß ich mich an ihren Brüsten festhielt,
so fest, daß ihre Milch, die doch Tashi ernähren sollte,
auf meinen Hals, auf mein Gesicht tropfte
und mich in einen Rausch versetzte,
von dem Captain Daddy
und sein Heiliger Vater in Rom
wohl nur um den Preis der Angst
vor der Verdammnis geträumt hatten.

Aber selbst wenn auch ich mich
an manchen Stationen meiner Raserei
zu fürchten begann, wenn nicht vor der Hölle,
so doch vor der Strafe des Ekels,
dann hatte ich nun ein Versteck: Nyema.

Ich versank in ihr, ich versteckte mich in ihr
und war in ihr geborgen vor allen Bedrohungen
und unerreichbar für jedes Gesetz und keuchte,
ja schrie meine Lust schließlich in ihre Hand,
die sie mir auf den Mund legte,
während sie ihren eigenen Schrei
an meiner Brust dämpfte und dort
mit ihren Zähnen ein Muster hinterließ.

In dieser Nacht
kehrten wir nur in Tsering Dorjes Zelt zurück,
um Decken, ein Fell, meinen Schlafsack
und einen grob geknüpften Teppich zu holen,
und blieben dann bis zum Morgengrauen
aneinandergeschmiegt in unserem Bett
im Moos an der Kaskade, schliefen wenig,

sprachen kaum, schrieben nur manchmal den Wolken,
die nach dem Untergang des Mondes wie Flöße
durch die schwarze, mit Funkenschwärmen bestreute
Leere trieben, Gestalten und Namen zu,
wußten dabei manche Worte für Käfer, Fische,
Vögel und Raubtiere, deren Schatten
wir dem verschwundenen Mond nachjagen sahen,
nur in unseren Muttersprachen

und tauften Wolke für Wolke, ohne zu wissen,
ob, was wir uns zuflüsterten, der Name
für ein und dasselbe Tier in zwei verschiedenen Sprachen
oder zwei Namen für zwei Tiere
zweier verschiedener Welten waren:

Ein Schneeleopard und ein Seehund?, ein Yak?,
eine Möwe?, ein Widder, ein herabstoßender Falke?,
Ein Wal?

Wir flüsterten, lachten
und prüften im Zweifel doch kein Wort nach,
jeder sah, was er sah,
und nannte dem anderen einen Namen,
der vor allem bedeutete: Ich bin hier; ich bin bei dir.
Ich bin bei dir.

Liam, am nächsten Morgen
immer noch wie berauscht
von der Leichtigkeit unseres Weges auf den Cha-Ri,
wollte gleich weitere, größere Pläne machen,
aber ich verschlief diesen windigen Tag
in Tsering Dorjes Zelt und fand, wenn ich
von einer Stimme oder einem Geräusch geweckt wurde,

Nyema manchmal neben mir sitzen, einmal
in eine Arbeit, dann wieder in ein Spiel mit Tashi vertieft.

Steh auf, sagte Liam und beugte sich über mich,
sie sagen: der Phur-Ri!
Diese Eiswand mußt du dir ansehen,
sie bricht durch die Wolken, das mußt du sehen!
Steh auf. Du wirst hier noch verfaulen, los!, auf!

Aber ich war müde, so müde
wie zuletzt vielleicht in Shonas Armen,
als ich am Scharlach fiebernd jenen Geschichten zuhörte,
die sie über meine Kissen hinweg erzählte
und dazu aus dem Fenster auf die Steilhänge der Cahas sah,
die gelb vom Stechginster waren.

Ich bekam die immer noch fernen Eiswände des Phur-Ri,
die das Bollwerk des vor ihm aufragenden Te-Ri
wie ein hinter Wehrmauern thronender Palast überglänzten,
erst am Morgen des folgenden Tages zu Gesicht,
denn als ich mich Stunden nach Liams Begeisterung
endlich dazu aufraffen konnte, das Zelt zu verlassen,
hatte sich die Wolkendecke wieder geschlossen
und zogen hinter den Gratverläufen des Te-Ri,
über denen mein Bruder gleißende Eisabbrüche gesehen hatte,
wieder bloß Nebelbänke: bleigrau, chromfarben,
zinkweiß, eisengrau, schneeweiß.

Ich wollte auf keinen Gipfel mehr, nicht jetzt,
ich wollte mit Liam nicht mehr höher hinauf.
Die Höhe, die ich für mich allein erreicht hatte,
die Höhe, auf der ich nun Nacht für Nacht einschlafen
und auf der ich jeden Morgen erwachen durfte,

war diesem grauen, war diesem weißen,
war diesem undurchdringlichen Himmel nahe genug.

Ich glaube, an diesem und in den folgenden Tagen
begann wohl, was ich erst viel später
als den langen Abschied von meinem Bruder begriff:
Liam wollte sich dem Phur-Ri auf einer Art Treppe nähern,
Stufe für Stufe empor, und dabei hieß der logische
nächste Tritt Te-Ri, der Wolkenberg,
dessen Schneelicht das Tal jedesmal von neuem erhellte,
wenn seine vergletscherte Ostwand
wie ein Schiff durch Nebelbänke und Wolken brach,
ein Schiff, das in einem Chaos aus Brechern und Gischt
erschien und wieder verschwand.

Liam hatte im Fernglas bereits mehrere Aufstiegsrouten
gesehen und war der Meinung, der Te-Ri
würde uns kaum vor größere Schwierigkeiten stellen
als der Vogelberg, der bereits bezwungene Nachbar.
Aber Nachrichten von Pilgern und Mönchen,
über Routen oder Höhlen auf seinem Gipfel
gab es vom Wolkenberg keine.

War es Verrat, daß ich meinen Bruder
nun nicht mehr weiter begleiten,
nicht mehr höher hinauf wollte
in diese Undurchdringlichkeit?

Verräter:
Liam verwendete tatsächlich ein Wort Captain Daddys
(auch wenn er dabei halbherzig so tat, als scherze er bloß),
als ich auf seine Routenvorschläge nicht einging
und ihm sagte, wenn er mir keine Ruhetage gönnen wolle,
müsse er sich eben allein auf den Weg machen.

Ruhetage?, fragte er, *du meinst Flitterwochen*,
und nannte Nyema seine *um ihren Bräutigam besorgte Schwägerin*, deren Ängste er ebensowenig teilen könne
wie ihren Aberglauben.

Tatsächlich aber war es nicht Nyema,
sondern vor allem Tsering Dorje gewesen,
der uns vor einem Aufstieg zum Gipfel des Te-Ri
in diesen Tagen kurz vor dem Vollmond gewarnt hatte.
Weniger des sprunghaften Wetters wegen, das
in diesen Mondphasen dramatisch umschlagen konnte,
sondern aus Achtung vor einem ebenso verehrten
wie gefürchteten Wesen, das von zwei Holzsammlerinnen
in der Abenddämmerung gesichtet worden war
und das der Clan *Dhjemo* nannte:

Ein auf zwei Beinen laufender, unbezwingbarer Dämon,
dessen Reich dort begann, wo die Weiden
und Jagdgebiete der Menschen endeten,
irgendwo an der Grenze zwischen den Moos- und Graswelten
der Yaks und dem unvergänglichen Schnee.
Ein Wesen von übermenschlicher Größe und Kraft,
das keine Verletzung seiner Reviergrenzen duldete.

Auch in Nyemas Clan gab es einen Überlebenden,
Rabten Kungar, dessen Oberkörper von breiten,
vom Schlüsselbein bis zum Nabel verlaufenden Narben
gezeichnet war: Spuren der Prankenhiebe Dhjemos,
die ihn vor Jahren beinah getötet hätten
und die noch jetzt bei jedem Wetterumschwung und
zur unvergeßlichen Warnung brannten und tobten
wie frisch geschlagene Wunden.

Wie viele Reisende durch den tibetischen Osten
waren auch Liam und ich schon lange vor unserem Aufbruch
auf Berichte über einen Bewohner der Eisregionen
des Himalaya und Transhimalaya gestoßen,
der in der Willkür europäischer Phantasien nach und nach
die Gestalt eines *Schneemenschen* angenommen hatte.

Als Träger Dutzender Namen – von *Dhjemo* bis *Yeti* –
erschien dieses Rätsel einmal als das verlorene Bindeglied
zwischen der menschlichen Ur- und Vorgeschichte,
dann wiederum bloß als Schreckgespenst
einer kindlichen Vorstellungswelt,
als ein Geschöpf der Träume, des Aberglaubens
oder der Einbildungskraft.

In einem mit tantrischen Wandmalereien geschmückten
Kloster bei Drayak hatte man uns
(damals noch Mitglieder einer Delegation
auf der Fahrt von Lhasa nach Sichuan,
die erschöpft, schlechtgelaunt und staubig
aus ihren Geländewagen gestiegen waren)
ein zerfressenes Fell und die abgetrennte
mumifizierte Pranke eines *Dhjemo* gezeigt:
in Schreinen verwahrte Reliquien,
die immer noch die magische Kraft
ihres einstigen Körpers besitzen sollten
und sowohl heilen als auch verletzen,
ja sogar töten konnten.

Natürlich hatten damals
auch die Mitglieder unserer Delegation
in diesen verrottenden Resten nicht viel mehr gesehen
als schon die naturwissenschaftlichen Prüfer

solcher und ähnlicher Funde vor ihnen:
Ein mottenzerfressenes Fell und die Pranke
einer lange für ausgestorben gehaltenen Bärenart,
die wie jede andere Variante der Gattung
ihres aufrechten Ganges wegen immer wieder
(und in vielen Hochgebirgen der Welt)
für eine Art Mensch gehalten worden war: Ein Bär!
Bloß ein Bär, Mensch!, ein Vieh!

Aber solche Einsichten waren schließlich
selbst von Jägern und Hirten aus Nyemas Clan
niemals bestritten worden: Aber ja doch, gewiß, ein Bär ...
Was bedeute eine Gestalt denn schon?
Es könne doch auch eine Nebelkrähe
bloß als kluger Vogel erscheinen
und zugleich ein Bote des Himmels sein –

ebenso wie das über einen Grat ins Tal einfallende
Morgenlicht zugleich den Sonnenstand *und*
den Lidschlag eines Gottes anzeigen könne,

und erst recht erscheine etwa ein Firnfeld,
das hoch oben unter den Gletschern den Mondschein spiegle,
einem schlaflosen Hirten als ein silbernes Tor in den Felsen
oder als ein Stück offenen Himmels!
und sei *in Wahrheit?* eben doch nur Schnee,
Schnee vom vergangenen Jahr.

Dhjemo jedenfalls, so hatte Tsering Dorje gewarnt,
habe unter der Gnadenlosigkeit des vergangenen Winters
gewiß nicht weniger gelitten als die Menschen
und ihre Yakherden und hüte nun
und wie in jedem Frühjahr seine Kinder in den Höhlen

des Wolkenberges und werde daher schon aus Liebe
zu seinen tolpatschigen Nachkommen
jeden Eindringling als Feind betrachten:
Dhjemo habe doch vor Jahren dem Heiler
Rabten Kungar die tiefen Wunden an seiner Brust
nicht nur aus Zorn über dessen Neugier beigebracht,
sondern ihn als blutenden Boten ins Tal zurückgejagt
mit einer einzigen Nachricht: *Bleibt mir fern.*

Er wird dich töten oder wird dich am Leben lassen,
sagte Nyema, aber du bist dort oben in seiner Macht.

Ein streunender Bär werde ihn gewiß nicht angreifen,
sagte Liam, ihn nicht und niemanden.

Obwohl ich zugeben muß, daß ich die schwarze
(in der trockenen Höhenluft geschrumpfte) Pranke
aus dem Kloster noch in deutlicher Erinnerung hatte,
die fingerlangen Krallen, die blutverkrusteten Fellreste,
und so die Warnung Tsering Dorjes
anders auf mich wirkte als auf meinen Bruder,
war es doch nicht die Angst vor *Dhjemo*,
die mich von einem Aufstieg zum Te-Ri abhielt,
sondern mein Glück:

Selbst meine tagelange Müdigkeit erschien mir
als Ausdruck einer Geborgenheit, die, wenn jemals,
dann nur in den Armen eines Menschen zu finden ist.
Die Tage waren sommerlich geworden
und schon die Morgensonne so kräftig,
daß ich mit entblößtem Oberkörper zur Kaskade ging
(auch wenn lachende Kinder hinter mir hersprangen).
Wenn ich solche Tage an Nyemas Seite verbringen konnte,

warum sollte ich dann hinauf, zurück in die Kälte,
in die treibenden Wolken, ins Eis?

Verräter. Es war unmöglich,
Nyema den Grund für Liams Schmähung zu erklären,
selbst wenn ich ihr sagte, mein Bruder
habe das Wort nicht im Ernst ausgesprochen.

Nicht im Ernst?, fragte sie, glaubte ich denn,
daß man mit solchen Verfluchungen,
und Verfluchungen! das waren sie doch, spielen konnte?
Wenn als Verräter jemand galt, der das Vertrauen,
die Liebe oder Zuneigung eines Menschen mißbrauchte
oder ihm dadurch gar Schaden zufügen wollte,
war es dann nicht Liam,
mein Bruder, der mich verriet?

Denn wenn jemand in die Wolken emporstieg,
nicht etwa, um in der Höhe zu opfern oder zu beten,
nach einem verlorenen Menschen oder Vieh zu suchen,
sondern allein, um oben, einfach *oben* zu sein,
und wenn dieser Weg mit Lebensgefahren verbunden war,
oder schlimmer: die Wut eines Dämons herausforderte,

durfte man dann einen Freund, einen Verwandten,
einen Bruder zur Begleitung anstiften?
Der Weg auf den Te-Ri war ein Irrweg!
Er forderte vieles, vielleicht alles
und führte doch nur an einen verbotenen Ort.

Mich brauchte Nyema nicht zu überzeugen,
aber für meinen Bruder hatten Worte,
die meine Geliebte sagte, kein Gewicht,

oder sie waren (nach einer Notiz in seinem Routenbuch, das ich erst nach seinem Tod, erst auf Horse Island las): So *federleicht wie jener Berg, der flog.*

10 *Am See. Die Erfindung der Schrift. Lehrstunden.*

Die milde Luft, Abwärme
des im tiefen Süden tobenden Monsuns,
hatte Regen gebracht.

Sein besänftigendes Rauschen
und die zumeist verhangenen Höhen
ersparten Liam und mir (vorerst)
einen weiteren Streit über den Aufbruch.
Mein Bruder machte keinen zweiten Versuch,
mich zu einem weiteren Probegang
auf den Te-Ri zu überreden.
Diese letzte Barriere, die uns von den Eiswänden
des fliegenden Berges noch trennte,
war in dichten Nebel gehüllt und wie zum Sinnbild
ihres Namens geworden: Wolkenberg.

Wenn der Regen für Stunden aussetzte,
sahen wir nun fast täglich
die Bänder der Schmetterlingsschwärme.
Breit, scheinbar endlos flatterten,
tanzten sie in die Wolken empor,
sanken daraus wieder in die Sichtbarkeit zurück
oder flossen ruhig die Gebirgszüge entlang,
geisterhafte Ströme auf dem Weg
in ein Mündungsgebiet des Lebens.

Verglich Liam die Grataufschwünge, die Wände,
Gebirgszüge, alles, was nun gerahmt
vom offenen Eingang seines Kuppelzeltes
und in den treibenden Wolken erschien

und wieder verschwand, mit den digitalen Fragmenten
und Bildern auf seinen Flüssigkristallschirmen?
(die erst am Tag unserer Abreise erloschen waren).
Fand er Übereinstimmungen? Widersprüche?

Erkannte Liam, mein Bruder, der Kartenzeichner,
der Landvermesser, in den vergletscherten Pfeilern
und Abstürzen, die er durch die Wolkenbrandung
pflügen sah wie eine Flotte aus Stein,
Bruchstücke jener Bilder wieder, die er über Breitband
und Hochgeschwindigkeitstransmission aus dem Netz
als Indizien dafür empfangen hatte,
daß irgendwo im Osten Tibets, im Transhimalaya,
in Kham, ein unversehrter, namenloser weißer Fleck
vielleicht nur darauf wartete, von uns, von *ihm*
erstmals betreten, vielleicht getauft zu werden?

Oder waren wir über die Pässe von Sichuan
längst in eine Welt hinübergewechselt,
die keinen Raum für Hirngespinste bot oder sie
unter Sedimenten der tatsächlichen Wahrnehmung begrub,
weil nichts, keine Erinnerung, keine Phantasie,
keine Erwartung dem ungeheuerlichen, Wolken,
Felsabstürze, Weiden, Wände, Hochkare
und Sternhaufen durcheinanderwirbelnden Anblick
der Wirklichkeit standhalten konnte?

Wir sprachen wenig, sahen uns kaum.
An manchen Tagen bekam ich meinen Bruder
bloß im Fernglas zu Gesicht: als beweglichen, winzigen Punkt
zwischen den nahezu unbewegten, größeren Punkten der Yaks,
hoch in den Steilhängen oder als verschwindenden Punkt
jenseits dieser Anstiege, auf Schneezungen,

in Geröllhalden, Kaminen und Querungen
im Schatten dunkler Überhänge.

Selbst der Regen hielt Liam nicht davon ab,
die Felswände mit ebenso kurzen
wie schwierigen Routen zu bekritzeln:
Jede von ihnen ein seilfreier Alleingang
und jede wohl auch eine *Erstbegehung*,
denn Hirten wie Vieh mieden die Felslabyrinthe,
die ihre Weiden ummauerten
und in denen auch ohne Fernglas
die Portale von Höhlen zu sehen waren.

Liam war jedesmal längst zurück, wenn die Hunde zur Nacht
(manchmal mit einem Hinweis auf die Gegenwart Dhjemos)
von ihren Ketten und Stricken gelöst wurden,
blieb dann aber wortkarg und ungewohnt mürrisch,
wenn er die Eigenarten seiner Kletterführen beschrieb,
ihre Brüchigkeit, ihre Vereisungsgefahr
und ihren insgesamt unberechenbaren Charakter,
der zwischen spröder Griffigkeit
und plötzlicher, glasiger Unbegehbarkeit schwankte.

Wenn Nyema und ich in diesen Tagen für uns sein wollten,
ließ sie Tashi einige Stunden in der Obhut des Clans zurück
(was sie sonst nur tat, wenn sie mit anderen Frauen
in den Steilhängen Bruchholz, Kräuter oder Dung sammelte)
oder band sich ihren Sohn mit einem Tragtuch auf den Rücken.

Dann stiegen wir zu einem Felskessel empor,
in dem ein tiefgrüner, von Gesteinsblöcken
und sandigen Uferstreifen gesäumter See lag,
der das Licht eines Hängegletschers in den Himmel zurückwarf,
selbst wenn Regen seinen Wasserspiegel trübte.

Nahm Nyema Tashi mit auf diesen Weg,
lehnte sie mein Angebot stets ab, ihr die Last
wenigstens an den steilsten Passagen abzunehmen,
und ließ später am Seeufer nicht zu,
daß ich sie in die Arme nahm
oder sie unter den Augen ihres Sohnes auch nur berührte.
Das durfte nur geschehen, wenn wir ganz allein
oder in unserer Nähe alle Augen
im Tiefschlaf geschlossen waren.
(Dann allerdings war es oft sie,
die mich in ihre Umarmung zog.)

Der See wurde zu *unserem* Ort
und sollte unsere Zuflucht bleiben, bis der Clan
zu den höchstgelegenen Weiden des Jahres weiterzog.

Aber die Stille am Wasser,
in der nur das von gelegentlichen Vogelrufen
begleitete Aufschlagen kleiner, glasklarer Wellen
auf sandigen Uferstreifen und Felsen zu hören war,
gehörte uns ebensowenig ganz allein
wie die Stille der Nacht,
sondern wir teilten sie mit einem Unsichtbaren:

einem ehemaligen Bewohner des roten Klosters,
von dem Nyema sagte, er habe hier oben, am See,
die völlige Abgeschiedenheit gesucht
und eine Höhle bezogen, in der er sein Leben verbrachte
und zum Greis geworden war.

Ohne den Einsiedler jemals zu Gesicht zu bekommen,
hinterlegten ihm Pilger und Mönche,
manchmal auch Mitglieder des Clans,

Vorräte als Opfergaben an einer Felsstufe,
über die ein den Felskessel entwässernder Sturzbach
in verwehenden Kaskaden in die Tiefe sprang.

Der Höhlenmensch zog sich vor uns und allen
(ohnedies seltenen) Besuchern des Felskessels
stets in die Unerreichbarkeit zurück,
sprach nie, war für niemanden zu sprechen
und war, wenn jemals, dann nur aus der Ferne
bei seiner Arbeit in den Felswänden und an den vom Eis
glattgeschliffenen riesigen Gesteinsblöcken zu hören:

Dünn, fast wie Musik von der Walze einer Spieluhr,
hallte der Klang seiner Hämmer, Faustkeile und Meißel
weithin über den Seespiegel, wenn er in manchmal
meterhohen, manchmal bloß handbreiten Bändern
und wie in einer Nachahmung
des Wortwirbels in den Gebetsmühlen
die Ornamente des tibetischen Alphabets
in die Felsen schlug.

Er hatte sein Leben damit verbracht, den Felskessel,
das ganze Seeufer zu beschriften: mit Gebetsformeln
und den vielen Namen Buddhas, vor allem aber
(wie ich erst Monate später, im Trinity College in Dublin
bei der Entzifferung einer Fotografie erfuhr,
die ich am See gemacht hatte) mit den Silben des Mantras
Om mani padme hum,

in denen nach dem Glauben der Betenden
der zu Wort und Schrift geronnene Urklang des Universums
sprechbar wurde und jede Wiederholung seines Wortlauts
ein Schritt, ein winziger, zierlicher Schritt

in die Befreiung war von allen Fehlern, Übeln
und Irrtümern der erfahrbaren Welt.

Wie umsponnen von diesen Schriftbändern,
die das Ufer in auf- und absteigenden Spiralen umliefen
und die wir beide nur betrachten, aber weder lesen
noch nachschreiben konnten,
schlossen sich für Nyema und mich
die Stunden am Wasser zu einer Zeit der Geschichten:

Wir erzählten und hörten einander zu,
sprachen dabei aber immer seltener von Menschen
und Dingen, die, obwohl zur Kindheit
und Heimat des Erzählenden gehörend,
dem Zuhörenden doch fremd, oft rätselhaft bleiben mußten,
sondern brachten mehr und mehr,
dann ausschließlich zur Sprache,
was wir zwar ebenso gewiß wie das uns Vertrauteste
erlebt oder gesehen hatten,
das dem anderen aber dennoch nicht unbekannt war:
unseren Weg von Lhasa nach Kham.

Es war, als würde dieser jüngste, schmale Streifen
unserer Lebensgeschichten alle Jahre aufwiegen,
die wir davor in einer unendlich weit entfernten,
dem jeweils Zuhörenden vielleicht unvorstellbaren Welt
verbracht hatten, weil sich wenigstens die Schauplätze
dieser Erinnerungen glichen (auch wenn wir uns oft
erst weitschweifig vergewissern mußten, ob ein von uns
grundverschieden ausgesprochener Name
tatsächlich zu ein und demselben Ort, Flußufer,
Paß oder See gehörte).

Obwohl Nyema ihren Weg von Lhasa nach Kham
zu Fuß, als gnadenhalber Entlassene
nach dem Tod ihres Mannes,
und allein unternommen hatte,
um zu ihrem Clan zurückzukehren, und am Rand jener Straße
ihren Sohn Tashi zur Welt gebracht hatte, die ich später
in einem Konvoi von Geländewagen *befuhr* –
als Mitglied einer mit Dokumenten aus Peking
versehenen Delegation, als Gast der Feinde Khams!,
konnten wir nun doch mit der Annahme spielen,
der andere wisse, von welchem Fluß, welchem Paß,
welcher Brücke die Rede war:

Von der bloß mit Gebetsfahnen bewehrten
Kettenbrücke von Qamdo etwa,
von den kahlen, gerodeten Hügelketten bei Kangding,
einer umgepflügten, bis an den Horizont rollenden,
mit Baumstümpfen benagelten Wüste,
von einem grellen, leeren Land,
das einmal von Himalayazedern
und riesigen Kiefern beschattet worden war,

oder von den Erdhöhlen der Goldsucher von Kandze,
die in einem wasserlosen Flußbett
nach ihrem Glück gruben und am Ende –
Sekunden bevor sich der vermeintliche Schacht
in ein besseres Leben
in plötzlichen Regenfluten donnernd
und manchmal für immer über ihnen schloß,
oft nur die Erkenntnis zutage förderten,
daß sie wochenlang, monatelang, jahrelang
an ihrem eigenen Grab geschaufelt hatten.

Erinnerung an Erinnerung, Geschichte an Geschichte
reihten wir entlang unserer Route von Lhasa nach Kham,
als könnten wir nur durch die Beschwörung der Namen
von eben erst verlassenen,
unserem Leben gemeinsamen Schauplätzen
allmählich weiter und tiefer vordringen,
bis in die Fernen jener rätselhaften, märchenhaften Räume,
aus denen der jeweils andere kam,
der andere, der einmal Erzähler,
dann wieder bloß aufmerksamer, sprachloser Zuhörer war.

Aber in allen diesen Geschichten, die nicht länger
von undeutlich vor oder hinter uns liegenden Zeiten handelten,
sondern nur noch berichteten vom Allernächsten,
dem jüngst Vergangenen, und die vielleicht gerade dadurch
über die Meere, Gebirge und Abgründe *hinweg*erzählten,
die zwischen unseren Lebensläufen lagen,

tauchten immer wieder und deutlicher als alles andere
Schriftzeichen auf: in Holz oder Stein geschnittene oder
geschlagene, auf Papier gemalte,
in Gebetsmühlen wirbelnde Zeichen.

So ließen wir am Seeufer die endlosen,
den Faltenwurf ganzer Hänge nachschreibenden Mauern
wiedererstehen, die wir auf unserem Weg nach Kham
hierher, an unser Ufer, gesehen hatten,
Mauern, errichtet allein aus beschrifteten Steinen,
die ihre Worte dem Regen und Wind darboten,
damit sie ans Meer geschwemmt
und bis an den Himmel geweht würden.

Und wir erinnerten uns an eine Furt am Yangtsekiang,
an der Nyema ebenso wie ich (wie Liam, wie unser Konvoi)
Rast gemacht hatten, Rast an einem Ufer,
so unberührt und verlassen,
als wären wir die ersten Menschen an ihm gewesen –
und doch waren dann, beim Durchwaten
des glatten, schnell ziehenden Wassers,
über die ganze Breite des Stroms beschriebene,
mit Schriftzeichen behauene Steine
am Grund erkennbar geworden:

Tausende, Hunderttausende Steine, kieselgroße,
faustgroße, manchmal kopfgroße Steine,
im Verlauf von Jahrhunderten von Pilgern,
die zum Dsokhang-Tempel nach Lhasa zogen
oder von dort zurückkehrten,
im seichten Wasser versenkt,

damit der Strom die dem Stein anvertrauten Gebete
ans Meer trage und so jedes Wort bewegt, gebetet
und unter der Sonne wieder zu Wasserdampf werde,
und die Schwaden des Dampfes wieder zur Wolke,
aus der dann Zeichen für Zeichen zurückregne,
zurückschneie oder selbst als Hagel zurückschlage
auf das allein den Göttern gehörende Land.

Und an einem verschilften Ufer am Oberlauf
des Mekong (der wie der Yangtse
allein aus Quellen in Kham entsprang)
hatten wir beide, Nyema in einem glutheißen,
von Staubstürmen durchfegten Sommer,
ich während der Reparatur eines Motorschadens
im Konvoi, jene *Drucker* gesehen,

die auf das Wasser mit Holz und Tontafeln einschlugen
mit hölzernen, tönernen Stempeln,
in die Negativabdrücke von Buchstaben geschnitten waren,
mit denen der Strom selbst gezeichnet,
bedruckt werden sollte, damit er alles,
was zu sagen, und alles, was zu lesen
und zu schreiben war, forttrage –
ein fließendes Zeugnis,
daß, was ist, nicht bleiben kann.

Ich erinnere mich
an einen gewittrigen Nachmittag,
an dem wir ohne Tashi zum See emporstiegen
und dann umarmt im Ufersand lagen,
an den Wellen, zierlich wie die einer Spielzeugbrandung,
ein flaches Stück Schwemmholz warfen.

Als Nyema sich aus der Umarmung löste,
um aus der hohlen Hand Seewasser zu trinken,
hob ich das Holzstück auf und begann,
mit meinem Messer den in lateinische Buchstaben
übertragenen Klang ihres Namens ins Holz zu schneiden,
schlug später, als sie ihre Kleider
über einen noch unbeschriebenen Uferfelsen warf
und schreiend, lachend im eisigen Wasser badete,

mit diesem Schwemmholzmodel
ebenso auf das Wasser wie die Drucker am Mekong
und rief der Badenden zu,
der See trage nun ihren Namen.

Denn Nyema hatte zuvor in meinen Armen
über Buchstaben, über die Schrift

wie von einer Medizin gesprochen,
einer Arznei gegen die Sterblichkeit,
die zwar nicht heilen,
aber doch lindern konnte.

Nach ihren Worten könne ein Mensch,
der zu lesen und zu schreiben imstande sei,
seine Zeit und seinen Ort verlassen wie eine Gottheit,
wenn er Gedanken, Namen, jedes seiner Worte
in Schrift verwandelte
und ein Stück Holz, einen Stein
oder Papier in der Gewißheit beschrieb,
damit eine Botschaft zu hinterlassen, die lesbar blieb,
wenn er selbst längst schon verschwunden
oder gefangen war in einer anderen Gestalt des Lebens.

Sprach ein Mensch, fragte sie, durch die Schrift
denn nicht über alle Abgründe, über die Jahrzehnte hinweg
zu seinen Liebsten, als wäre er unter ihnen?
Tashis Vater, sagte sie, könne sich so
immer noch an seine Frau
und an seinen Sohn wenden,
selbst wenn sein Körper am Nangpa La
längst unter Steinen und Schnee begraben lag.

Die Kunst zu schreiben, die Kunst zu lesen,
sagte Nyema, sei wohl das größte Geschenk,
das Menschen einander bereiten könnten,
weil nur diese Fähigkeit ihnen endlich erlaube,
sich nicht nur über Meere und Gipfel,
sondern über die Zeit selbst zu erheben
und aufzufliegen wie der Phur-Ri.

Obwohl an jenem Nachmittag am Seeufer
ein Gewitter von einer solchen Heftigkeit hereinbrach,
daß ich in der Eile, in der wir Schutz
unter einem Felsvorsprung suchten,
das Stück Schwemmholz verlor,
in das ich für Nyema die Buchstaben
ihres Namens geschnitten hatte
(als ersten Akt ihrer Einübung
in das lateinische Alphabet),
blieb es doch dieses Täfelchen
das der Wolkenbruch wohl
zurück ins Wasser schwemmte
und das seither gewiß wieder
in einer der zahllosen Felsbuchten
über der grünen Tiefe des Sees schaukelt,
das den Anfang einer Lehrzeit für uns beide kennzeichnete,

den Beginn eines gegenseitigen Unterrichtens,
in dessen Verlauf Nyema schließlich Briefe zu schreiben
und Briefe zu lesen lernte,
ich dagegen Wort für Wort in ihrer Sprache
nachzuplappern begann und –

als unsere Aussprachen
einander erkennbar ähnlich wurden –
die Laute übertrug in Buchstaben *unseres* Alphabets,
das mir Nyema zur Übung mit ihrem Zeigefinger
immer wieder auf meinen Arm,
meinen Handrücken kritzelte.
(So beschrieb sie nach und nach
und oft lautlos in unseren Zeltnächten
meinen ganzen Körper mit sanften,
von Mal zu Mal lesbareren Großbuchstaben.)

Und als sie ihren Fortschritt
zum erstenmal sichtbar machte
und meinen Namen
mit einem Stück Holzkohle
ebenso groß an einen Felsen zeichnete
wie der unsichtbare Einsiedler seine Gebete

und wir den in ein rußiges Ornament gebannten Klang
wieder in Laute zurückverwandelten
und gemeinsam in einem buchstabierenden Singsang
vorlasen, dann Silbe für Silbe
zur Probe einige Male wiederholten,

fielen wir uns am Ende der Übung
lachend in die Arme, triumphierend,
als wären wir die wahren Erfinder der Schrift.

11 *Sternbilder. Der Untergang eines Riesen.*

Sprechenlernen, Lesen, Schreiben als Liebesspiel
beschäftigten Nyema und mich in den Tagen
nach unserer ersten Lehrstunde am See so sehr,
daß ich nicht bemerkte, wie Liam sich währenddessen
allein auf die Besteigung des Wolkenberges vorbereitete,
und mir erst Tsering Dorje eines Morgens sagen mußte,
daß mein Bruder verschwunden war.

Es war jener Morgen, an dem der Clan
das Lager abzubrechen begann, um sich auf den Weg
zu den höchstgelegenen Weiden des Jahres zu machen,
ein Tag, an dem sowohl Cha-Ri, der Vogelberg,
als in der Ferne auch der Wolkenberg, Te-Ri,
strahlend über den Talstufen standen

und in der Ferne selbst eine eisschimmernde
Flanke des Phur-Ri in solcher Klarheit
sichtbar wurde, als gehörten diese Gipfel
nicht bloß zum Kamm eines mächtigen Gebirgsstocks,
sondern wären zum Greifen nah und
innerhalb von Tagesmärschen zu erreichen.

Auch wenn sich die Meereshöhen der drei Kolosse
wohl kaum mehr als fünfhundert Meter voneinander
unterschieden, schienen sie doch in ihrer Reihung
entlang des sanft ansteigenden Talgrunds
wie gewaltige Treppenstufen aus Felsen, Gletschern
und Graten geradezu in das Blau des Himmels zu führen,
höher und höher, ins Leere.

Liam, sagte Tsering Dorje,
habe sich vor Sonnenaufgang auf den Weg gemacht
(in jener blaukalten Stille, in der noch kein bedrohliches
Schmelzwassergeräusch die Gefahr von Lawinen
und Eisstürzen ankündigte, in einem Frieden,
in dem wir auch gemeinsam schon oft aufgebrochen waren,
manchmal im Schein unserer Stirnlampen;
ich kannte diese Stille gut).

Mein Bruder sei taub für alle Warnungen geblieben,
Dhjemos Reich nicht zu betreten, sagte Tsering Dorje,
und habe ihm bedeutet, er werde den Gipfel des Te-Ri
noch bei Tageslicht erreichen und dann, weiter oben im Tal,
vielleicht morgen, vielleicht auch erst im letzten
und höchsten Lager, wieder zum Clan stoßen.
Nichts sprach dagegen. Das Wetter war gut.

Sie habe Liams Vorbereitungen wohl bemerkt,
sagte Nyema, Liam habe sie schließlich gebeten,
Tsering Dorje das Geschäft vorzuschlagen,
den Rest seiner Ausrüstung für ihn zu bewahren
und von einem Yak zum nächsten Lager
hochtragen zu lassen, um als Gegenleistung
ein mit verschiedenen Werkzeugen kombiniertes
Klappmesser zu erhalten, eine Kostbarkeit.
Sie habe mir davon nichts erzählt,
weil mein Bruder das Seine
und wir das Unsere tun sollten.

Liam! Wenn er nicht warten konnte,
müßte er sich eben allein auf den Weg machen:
hatte ich ihn im Streit um den Aufbruch
nicht selber mit diesem zornigen Bescheid abgewiesen?

Aber nun war er tatsächlich verschwunden,
und zum erstenmal störte ein Vorwurf unsere Lehrstunden,
ein Unfrieden, der den ganzen Tag andauerte
und mich in der folgenden Nacht
an Nyemas Seite lange nicht schlafen, ja neben ihr
wachliegen ließ, ohne daß wir einander berührten:

Warum, verflucht, hatte sie mir nichts gesagt
von Liams Vorbereitungen eines Alleingangs?
Warum hast du nichts bemerkt?, fragte sie.

Der Tag war unter dem Schellengeläute,
das an den Halsbändern der Leittiere jeden ihrer Tritte
auf unserem langsamen Karawanenzug in die Höhe
weithin zum Klingen brachte, zu Ende gegangen
und tauchte strahlend, wie er begonnen hatte,
die Eisfelder einer nach Westen starrenden Felswand
(die das Plateau eines weiteren Zwischenlagers begrenzte)
in ein tiefes Rot.

Die Tagesreise hatte uns trotz ihrer Gemächlichkeit
in eine bizarre, von ungeheuren Felsblöcken
eines Bergsturzes beherrschte Umgebung versetzt.
Von Liam war auf dem ganzen Weg
selbst im Fernglas kein Zeichen zu sehen gewesen.

Und mein Bruder kehrte auch nicht zurück, als die Berge
nacheinander und in der Reihenfolge ihrer Höhe erloschen
und die Grate allmählich verschmolzen
mit den Rändern eines schwarzen, mondlosen Himmels.

Als ich nach Mitternacht meine Schlaflosigkeit,
Nyemas Traurigkeit, ihre stumme Nähe,

die Atemgeräusche und das Gehuste der Alten
in der Zeltfinsternis nicht mehr ertrug
und behutsam, um die Hunde nicht wütend zu machen,
in die Nachtkälte hinauskroch, begannen
breite Wolkenbänder einen Himmel zu verbarrikadieren,
in dessen rasch schmaler werdenden Öffnungen
ich erst nach Irrtümern, über die Liam
wohl gespottet hätte, Bruchstücke der Sternbilder
Jungfrau, Bärenhüter und Skorpion zu erkennen glaubte.

Von der klirrenden Kälte getäuscht,
hatte ich die in den Wolkenfenstern
immer wieder erscheinenden Sterne unwillkürlich
zu den Wintersternbildern Orion, Stier und Großer Hund
zusammenzufügen versucht und den rot flackernden Antares
im Skorpion mit Beteigeuze verwechselt,
dem Alphastern im Orion – miteinander verwechselt
zwei jener gigantischen roten Sonnen,
denen Liams astronomische Leidenschaft galt.

Wenn er in seinen Teleskopnächten
nicht mit Beobachtungen und Messungen
beschäftigt gewesen war, für deren Verständnis
mir mathematische und astrophysikalische Kenntnisse fehlten,
hatte Liam mir manchmal die Grenzen der Himmelsareale
und davon umschlossene Lichterscheinungen vorgeführt –
planetarische Nebel, Sternhaufen, Kugel- und Spiralgalaxien –

und hatte den Erfolg seiner Lehren
gelegentlich sogar überprüft,
indem er mit dem Laserzielgerät eines Spiegelteleskops
auf den Nadelkopf einer Hunderte Lichtjahre entfernten
Sonne zeigte und mich nach der Methode

des *multiple choice* zwischen drei Sternnamen
den meiner Vermutung nach richtigen wählen ließ.

Das Besondere an der zur Auswahl stehenden Liste
war dabei die Tatsache,
daß die Träger der drei Namen unmöglich alle
in ein und derselben Nacht aufgehen konnten, weil sie
den Himmeln verschiedener Jahreszeiten angehörten.

Die Fehler, die mir bei diesen Prüfungen unterliefen
(so spottete Liam manchmal, bevor er sich wieder allein
seinen Okularen oder auf Bildschirmen glimmenden
Himmelskarten zuwandte), seien, gemessen an den
wahren Verhältnissen im Raum, noch blödsinniger
als eine Verwechslung von Sonne und Mond.

Einen Stern des Orion am Sommerhimmel! zu vermuten
war seiner Meinung nach ein ähnliches Zeichen von Bildung
wie der Glaube an eine tellerflache Erde
oder an einen Weltrand, über den hinab
gottlose Landvermesser oder Steuermänner
direkt in die Pranken des Teufels segeln – und fallen würden.

Für Liam war es eine unverständliche,
unverzeihliche! Borniertheit, wenn ein Mensch
das Unübersehbare, das in wolkenlosen Nächten
den Blick bezauberte, ja überwältigte, so stumpf übersah.

Obwohl mich die Verachtung manchmal anwiderte,
mit der mein Bruder nicht nur über Hohlköpfe sprach,
denen das Firmament bestenfalls als eine Art
herzerwärmender Schwarm von Leuchtkäfern erschien,
sondern über die meisten Menschen,

die seine Leidenschaften und Meinungen nicht teilten
(oder ihnen gar widersprachen), versuchte ich doch,
ihn mit neu erworbenen astronomischen Kenntnissen
zu beeindrucken, und begann mich gleich ihm
(und ähnlich wie für Kletterrouten durch Felswände)
auch für den Himmelsglobus
und seine Lichtsensationen zu interessieren,

schimpfte gleich ihm auf die Scheinwerfer von Schiffen,
die den Anblick des Firmamentes störten,
ja wünschte manchmal, daß selbst die Lichtfinger
der Leuchttürme erlöschten, und schwärmte
(sogar mit ähnlichen Worten wie er) von der
im Verlauf der Zivilisationsgeschichte verlorengegangenen,
samtschwarzen nächtlichen Finsternis.

Vielleicht war es zunächst auch nicht viel mehr gewesen
als eine Geste der Dankbarkeit für seine Gastfreundschaft
und für die Geborgenheit eines Lebens auf Horse Island,
daß ich mich so bereitwillig nicht nur zum festen Land,
zur Viehwirtschaft, Seßhaftigkeit und Felskletterei,
sondern schließlich auch zur Betrachtung des Nachthimmels
und dabei vor allem zu einem besonderen Interesse
für jene roten Riesensterne bekehren ließ,
denen Liam so viele seiner Teleskopnächte widmete.

Mein Bruder konnte eine ganze Nacht
allein damit verbringen, etwa am Winterhimmel
den roten Riesen Beteigeuze im Bild des Orion
bis zu seinem Verschwinden am westlichen Horizont
zu verfolgen – insgeheim wohl in der Hoffnung,
eines Nachts dabei vielleicht zum Zeugen
eines Weltuntergangs zu werden.

Denn Beteigeuze oder *Alpha Orionis*, sein Liebling
(mehr als vierhundert Lichtjahre von der Erde entfernt,
etwa siebenhundertmal größer
und vierzehntausendmal heller strahlend als
unsere Sonne), ein Gigant mit einem Durchmesser so groß,
daß darin das gesamte innere Sonnensystem Platz fände,
galt in der Astronomie dieser Tage als einer der nächsten
und wahrscheinlichsten Fälle der Verwandlung
eines Fixsterns in eine *Supernova*:

Umweht von einem orkanartigen Sternenwind (der von
seinem abstrahlenden, dramatischen Masseverlust rührte),
glühte Beteigeuze nach Liams nächtlichen Vorträgen
bereits im letzten Stadium seiner Existenz,
ja konnte schon heute oder morgen
als Supernova aufflammen,
in einer kosmischen Katastrophe,
in deren Verlauf sich der sterbende Stern
bis zu einem Vielfachen seiner ursprünglichen Größe
aufblähen und selbst am Tageshimmel der Erde
mit bloßem Auge sichtbar werden würde:
hundertmal heller als der Schein des Vollmonds.

Am Ende ihrer Geschichte würden allerdings
selbst solche Riesen wieder schrumpfen,
rasend schrumpfen, zu einem Neutronenstern
von höchster Dichte und schließlich (vielleicht)
zu einem jener undurchdringlichen schwarzen Löcher,
die Äonen nach dem Erlöschen allen Lichts
zur Quelle eines Neubeginns werden konnten.

Aber – auch damit gewann Liam manchmal
nicht nur meine, sondern selbst die Aufmerksamkeit

beharrlicher Trinker am Tresen von Eamons Bar für sich –
aber vielleicht war Beteigeuze
bereits vor vierhundert Jahren explodiert
und würden wir, Eamons Gäste und zugleich
Gäste auf einem blauen, erkaltenden Trabanten
einer lichtschwachen Sonne von mittlerer Größe,

schon morgen nacht oder auch erst in ein, zwei Jahren
die Glücklichen sein, deren Leben
mit jenen Augenblicken zusammenfiel,
in denen die Nachrichten von Beteigeuzes Untergang
nach vierhundertjähriger Lichtreise die Erde erreichten
und wie der Abglanz eines Feuerwerks vorführten,
was irgendwann auch unserem Sonnensystem bevorstand.

Gewärmt von meiner Daunenjacke
und im böigen Wind dennoch manchmal fröstelnd,
kauerte ich vor Tsering Dorjes Zelt,
hörte durch die Bahnen aus Yakhaar
den Atem der Schläfer und darin eingeschlossen
wohl auch Nyemas Atem
und suchte die Nacht um den Te-Ri
nach einem Funken ab, einem winzigen Licht,
das ein Zeichen von Liam sein konnte, ein Signal,
etwas, das vielleicht der Schein eines Feuers,
einer Flamme aus einer Gaskartusche
oder das tanzende Licht seiner Stirnlampe war.
Aber die Finsternis um den Wolkenberg
blieb undurchdringlich.

Erschöpft vom Starren ins ungebrochene Schwarz,
begannen meine Augen zu tränen,
und ich erinnerte mich an gemeinsam mit Liam

hinter dem Teleskop durchwachte Nächte,
an deren Ende meine Augen so rot waren wie das Licht
von Liams sterbendem Liebling im Areal des Orion.

Irgendwann in einer dieser Nächte hatten wir begonnen
(ein Spiel, das wir später auf nächtlichen Fischzügen
manchmal fortsetzten), Sternbilder umzutaufen
und ihnen wie den Wolkenformationen
unserer kindlichen Luftschlachten
Namen zu geben, die sich uns geradezu aufdrängten
und die uns nach einigen Gläsern Whiskey
oder Rotwein stets einleuchtender schienen
als die von Himmelsatlanten bewahrten
Einfälle antiker griechischer, babylonischer
oder arabischer Sterntäufer vor uns.

Wir verbanden dreihundert, fünfhundert,
tausend Lichtjahre und tiefer im Raum rotierende Sonnen
zu neuen Gestalten und verfuhren dabei
ebenso willkürlich wie unsere Vorgänger:
Das Sternbild des Skorpion mit seinem roten Superriesen
Antares etwa erschien uns nicht länger
als das wehrhafte Insekt der Astrokartographie,
sondern als eine nach der Finsternis schlagende Pranke –
ausgehend vom roten Licht des Antares
krallte sie sich in *unsere* Nacht.

Und das Bild des Orion mit seinen brillanten Gürtelsternen
verwandelte sich unter unseren Augen
von einem seinen Bogen spannenden mythischen Jäger
in einen gaukelnden, segelnden Falter,
in einen Schmetterling, dessen Umrisse
von den vier Ecksternen des von uns entwaffneten Jägers –

Rigel, Saiph, Bellatrix und Beteigeuze – markiert wurden
und an dessen Torso (den wir aus den drei ehemaligen
Gürtelsternen Mintaka, Alnilam und Alnitak bildeten)
die irisierende Wolke des alten *Orionnebels* erschien
wie ein von Schmetterlingsflügeln abgestreifter Halo
aus farbigen Flügelschuppen.

Ich habe Liam niemals gefragt,
ob seine Leidenschaft für den Alphastern unseres Falters
vielleicht etwas mit dem Namen
jenes französischen Tankers zu tun hatte,
der in Vaters Erzählungen
ebensooft vorkam wie die Namen
gefallener Kämpfer der IRA:

Denn *Beteigeuze* war in roten,
mannshohen Lettern auch am Bug
jenes riesigen Schiffes zu lesen gewesen,
das vor dem Ölterminal auf Whiddy Island
in der Bantry Bay Feuer fing, explodierte
und zweiundfünfzig Tote
durch das brennende Wasser der Bucht schaukeln
oder am Dock und in den Fallen der Unterdecks
in einem brüllenden thermischen Sog
zur Unkenntlichkeit verkohlen ließ.

Die Katastrophe hatte zu jenem Einsatz
der *Marine Rescue* geführt, als deren freiwilliges Mitglied
Captain Daddy damals sieben Leichen
eigenhändig aus der Bay gefischt und die Entsetzens-
und vergeblichen Hilfeschreie derer gehört hatte,
denen in diesem brennenden Ozean
nicht mehr zu helfen war.

Sein erschöpfender, Stunde um Stunde
andauernder und am Ende erfolgloser Rettungsversuch
hatte unserem Vater jahrelang Alpträume beschert,
aus denen ihn Shona – und nach ihrem Verrat
und ihrer von Duffy, dem Souper, vorbereiteten Flucht
in den Norden, niemand mehr weckte.

In seinen Erzählungen und Träumen
sah Captain Daddy den Nachthimmel über der Bantry Bay
noch einmal und immer wieder brennen,
die schmalen Wolkenbänder,
die Scherenschnitte der Caha Mountains,
den Atlantik, alles in Flammen,
an manchen Stellen das Wasser blasig und kochend
und inmitten dieses Infernos eine und noch eine!
und immer mehr schaukelnde Leichen, Bekannte,
sogar Freunde, mit denen er eben noch am Tresen in Bantry
auf seinen einundfünfzigsten Geburtstag getrunken hatte.

Der Himmel über der Bay flackernd rot
wie die Hölle, ein kosmischer Abgrund,
in den sich turmhohe Flammen stürzten,
als wollten sie die in der Tiefe des Grundes
glimmenden Sterne verschlingen, verbrennen,
ersticken in Rußwolken, Öldämpfen
und einem donnernden Vakuum.

Wenn Captain Daddy während unserer Manöver
an einem Lagerfeuer den Kampf gegen England beschwor
und Liam und ich (die wir englische Fußballvereine
und englische Rockmusik liebten) seinen Erzählungen
eine andere Richtung geben,
lieber mit unseren Comics allein sein

oder einfach nur schlafen wollten,
ohne daß er von unserer Langeweile etwas bemerkte,
mußten wir nur den roten Himmel über Whiddy Island
erwähnen und ihn zum Beispiel fragen,
ob es sieben oder acht Tote gewesen waren,
die er damals aus dem brennenden Wasser zog,

ihn fragen, ob die Flammen tatsächlich
so hoch schlugen, daß ihr Sog das Meer
an manchen Stellen aufwühlte wie ein Orkan,
oder ihn fragen, ob dieser rot flackernde Himmel denn auch
über unserem Garten und unseren Schafweiden drohte,
wenn England in seinem Krieg gegen irische Helden

Bomberpiloten ausschicken sollte oder mit den Kanonen
einer in Ulster eingegrabenen Artilleriestellung
einfach über die Grenze zwischen der freien Republik
und dem unterdrückten Norden Irlands hinweg feuerte –
auf die Zufluchten, Maschinengewehrnester,
Gräben und Schlachtreihen der Freiheitskämpfer.

Captain Daddy griff stets
nach dem Flachmann in seiner Jacke,
wenn die Feuersäulen von Whiddy Island
aus seiner Erinnerung tauchten, und trank
die mit grauem Filz isolierte Metallflasche in kleinen,
rasch aufeinanderfolgenden Schlucken leer,
sprach (wenn er überhaupt weitersprach)
nur noch von dem, was wirklich gewesen war,
und schwieg endlich von einer fernen, heroischen Zukunft,

murmelte vielleicht, daß das Feuer von Whiddy Island
ein Anblick gewesen sei, als stünde ganz Irland in Flammen,
und fiel tiefer und tiefer in seine Erinnerung,
in eine Falle, merkte kein einziges Mal,
daß die Fallensteller seine eigenen Söhne waren,
die Wetten darüber abschlossen, ob er
in der neuesten Version seines Alptraums wohl sieben
oder acht Leichen aus dem brennenden Meer bergen
und sich dabei so besudeln mußte, daß er die rote Jacke
mit der Aufschrift *Marine Rescue* (die er in jener Nacht trug)
gleich nach seiner Heimkehr im Morgengrauen
an der Feuerstelle in unserem Garten verbrannte.

Beteigeuze. Ich hatte den Namen des roten Riesen
in unserem Sternbild des Schmetterlings
seit den Erzählungen Captain Daddys nicht wieder gehört
und in so vielen Jahren meines Vergessens geglaubt,
der Sternname gehöre allein
einem brennenden französischen Tanker,

ich tappte nicht anders in die Erinnerungsfalle
wie unser Vater, als Liam mir auf Horse Island
die rot flackernde Sonne zum erstenmal zeigte
und von ihrem (vielleicht unmittelbar bevorstehenden)
strahlenden Untergang sprach.

Als mich vor Tsering Dorjes Zelt der Grunzlaut eines Yaks
aus jenem Sekundenschlaf hochschrecken ließ,
der mich in meiner Kauerstellung irgendwann überwältigte,
glaubte ich, in den von der Finsternis
kaum zu unterscheidenden Wänden des Te-Ri
endlich!
jenes winzige, verschwindende Licht zu sehen,

nach dem ich so lange vergeblich Ausschau gehalten hatte,
ein Zeichen von Liam!

Ich wollte aufspringen, um das Fernglas
an die Augen zu heben, sank aber stöhnend zurück,
weil meine Beine im Blutstau taub geworden
und wie gelähmt waren.

Kauernd, den Kopf in den Nacken gelegt,
weil das Lichtzeichen für meine schmerzhafte Lage
in einem zu steilen Winkel stand, erkannte ich,
daß ich, was ich für den Schein von Liams Stirnlampe
oder für das Licht eines Biwaks gehalten,
mit einem Stern verwechselt hatte, einem Stern,
der so lichtschwach war, daß er gewiß
keinen der großen Namen am Himmel trug,

und brauchte lange und irrte mich zweimal,
bis ich endlich auch das Areal zu erkennen glaubte,
dem er angehörte: Ich hatte dieses Sternbild
bislang nur auf Liams Computerschirmen,
auf astronomischen Karten und wohl auch
(allerdings ohne mich daran zu erinnern)
in meinen Jahren zur See am Nachthimmel
der südlichen Hemisphäre gesehen, in den Häfen von Santos,
Montevideo oder Buenos Aires, aber noch nie

in der Finsternis über Irland, weil das Bild
so tief südlich von den Schauplätzen unserer Kindheit
am Himmel erschien ... Dochdoch!,
was ich da über den Gebirgen von Kham
am Himmel meiner Gegenwart und in der Stunde
der Verwechslung eines Lebenszeichens

von Liam mit einem lichtschwachen Stern
in der Tiefe des Raumes blinken sah,
das mußte das Sternbild ... das war ohne Zweifel
Lupus, das Sternbild des Wolfs.

Der Schmerzenslaut meines Versuchs, mich aufzurichten,
hatte Nyema wohl aus ihrem Schlaf geschreckt.
Ich hörte das Geräusch einer zurückschlagenden Zeltbahn,
spürte einen warmen Luftzug aus der Geborgenheit
und im nächsten Augenblick Nyemas Arme,
die mich von hinten umfingen, spürte ihren Atem,
fühlte ihre Stimme, ihr Flüstern so dicht an meinem Ohr,
daß ich erschauerte und dann ihrem sanften Druck

einfach nachgab und mich zurücksinken ließ,
immer tiefer zurück, bis ihr Haar
meine Stirn streifte, mein Gesicht bedeckte
und der Himmel und seine Sterne erloschen.

In einem versöhnlichen, beruhigenden Tonfall,
den ich sonst nur zu hören bekam,
wenn sie Tashis Angst, seine Wut
oder sein Erschrecken besänftigen wollte,
flüsterte sie mir etwas zu, etwas,
das ich in meiner Kältestarre
oder meiner Schläfrigkeit nicht verstand,

führte mich sanft und weiter zurück,
hinein in das Zeltdunkel, in den Schutz,
in die Wärme der Finsternis,
in den Atem der Schlafenden und wiegte mich,
wie sie auch ihren Sohn stets in den Schlaf wiegte,
im Rhythmus der Atemzüge eines bereits Träumenden,

und ich murmelte in ihr Haar, murmelte in ihre Hand,
die sie mir auf den Mund legte, weil ich Tashi
und keinen der Schläfer im Zelt wecken sollte,
daß ich im ersten Tageslicht aufbrechen würde,
um meinen verlorenen Bruder zu suchen.

Ich bat weder Tsering Dorje
noch irgendein Mitglied des Clans
um Hilfe oder seine Begleitung:
Eine Antwort auf die Frage,
welcher Hirt denn bereit wäre,
sich selbst und seine Herde zu gefährden
und die Wut Dhjemos herauszufordern,
indem er die Grenzen seines Reichs verletzte,
stand ohnedies fest.

Auch war meine Ausrüstung nicht weiter teilbar,
ich verfügte über einen Eispickel und ein Paar Steigeisen;
das zweite Paar erzeugte hoffentlich an Liams Füßen
irgendwo dort oben, im Labyrinth der Gletscher,
jenes kreischende Geräusch, das er mir
als den Klang von gangbarem Eis vorgeführt hatte.

Nyema bedrängte mich, mit meiner Suche
zumindest noch einen weiteren Tag zu warten.
Aber ich konnte nicht warten
und konnte auch ihr Angebot nicht annehmen,
mich wenigstens bis zu den Gletscherabbrüchen zu begleiten.
(Obwohl ich mir eingestehen mußte,
daß meine Angst vor den eisgepanzerten Wänden,
die zwischen unserem Lager und dem Himmel aufragten,
an ihrer Seite gewiß leichter zu ertragen gewesen wäre.)

Langgezogene Schneefahnen über den Bergkämmen
und Schleierwolken im Südwesten verhießen nichts Gutes,
aber Tsering Dorje sagte,

das Tempo des Wetterumschlags sei noch weit
von der Geschwindigkeit eines Sturmes entfernt.

Mit dem Versprechen (jenem ähnlich,
das auch Liam bei seinem Aufbruch gegeben hatte),
entweder irgendwo weiter oben im Tal
wieder auf den Zug der Herde oder das Lager zu stoßen,
vielleicht aber auch schon in einigen Stunden,
bis zum Abend vielleicht,
und dann gemeinsam mit meinem Bruder
wieder beim Clan zu sein, machte ich mich ohne Zelt,
aber mit Verpflegung für drei Tage auf den Weg.

Für eine, schlimmstenfalls eine zweite Nacht
(die mir meine Suche, wie ich hoffte,
nicht abverlangen würde) mußten eine Schneehöhle,
mußten mein Schlafsack und
ein darübergezogener Biwaksack reichen

Schon das Gewicht dieser
(auf das Überlebensnotwendige beschränkten) Ausrüstung
erschien mir schwerer als alles Gepäck,
das ich bisher ins Hochgebirge getragen hatte,
hing doch selbst an dem kurzen Seil
(und nur einer einzigen Eisschraube aus Titan,
die ich für den Notfall mitnahm)
die quälende Last des Alleinseins.

Ich brach gemeinsam mit dem Clan auf
und löste mich erst vom Troß, als wir
ein aus den Wolken herabfließendes Geröllfeld passierten,
über das auch Liam auf seinen Erkundungsgängen
zu den Wänden des Te-Ri emporgestiegen war.

Der Rest meiner Ausrüstung schaukelte
neben den von ihm zurückgelassenen Traglasten
auf dem Rücken eines Yaks davon,
als ich mich vor einem haushohen Felsblock,
den ein Bergsturz aus den Wänden gesprengt hatte,
aus Nyemas Umarmung löste.
Sie blieb stumm, als ich sie verließ.

Obwohl es (wie ich hoffte und wie ich ihr zweimal
ohne große Überzeugungskraft ins Ohr flüsterte)
vielleicht nur ein Abschied für Stunden war,
war mir, als weinte Tashi für uns beide,
als er in Tränen ausbrach, weil Nyema ihn
nicht mitbauen ließ an einem kniehohen Steinmal,
das sie an der Stelle unserer Wegscheide errichtete.

In der Windstille hörte ich sein Schluchzen noch lange,
und als es, schon zu einem fernen, zarten Geräusch geworden,
so plötzlich erstarb, als hätte Nyema ihrem Sohn
die Hand besänftigend auf den Mund gelegt,
war die Herde, war der Clan,
war jedes Zeichen einer menschlichen Gegenwart
wie für immer verschwunden.

Der Geröllstrom, Treibgut
eines tiefer in die Berge zurückgewichenen Gletschers,
floß über die Schwelle eines Seitentales
und machte den weiterziehenden Clan unsichtbar,
jede seiner Stimmen, jedes seiner Geräusche unhörbar
und führte mich in eine so unerwartete Verlassenheit,
als wäre die Welt der Menschen
hinter mir weggebrochen und zurückgefallen
in die Stille einer leeren, grundlosen Tiefe.

Wie ein aus der Geborgenheit seiner Zuflucht
gewaltsam in die Wildnis, in die Vogelfreiheit
zurückgestoßener Flüchtling war ich plötzlich allein.

Und dann schien dieser Strom aus Steinen
und glattgeschliffenen Felsblöcken seine Fließrichtung
wie an einer Wasserscheide oder
in einem rätselhaften Gezeitenwechsel umzukehren
und begann mich tiefer ins Gebirge zu ziehen:

Wie von einem Sog erfaßt, trieb ich davon,
verlor an Gewicht, selbst mein Rucksack, mein Atem,
alles wurde mit jedem Schritt leichter (dabei war bloß
die Neigung des Geröllfeldes flacher geworden),
aber immer noch lag Stein an Stein bis an die Wolken,
endlos das Geröll.

Aus dem Lager, zwischen den Zelten
und selbst im Fernglas hatte es den Anschein gehabt,
als würde das Geröll gleich jenseits der Talschwelle enden
und dort als ein Abbild der Brandung
an die Felswände schlagen, ein steinernes Meer
an die Klippen des Wolkenbergs.

Aber nun, nach mehr als eineinhalb Wegstunden,
floß der Strom träge und flach ins Endlose weiter,
so, als ob der Te-Ri davondriften und auf seiner Flucht
einen da und dort kristallin aufglänzenden Geröllschweif
hinter sich herziehen würde
wie ein Komet seine glühenden Gasschleier:
Mein Ziel wich vor mir zurück.

Was für eine Erleichterung, als die Wolkendecke
im böigen Wind manchmal für Augenblicke zerriß,
als in unruhigen, blauen Fenstern
die Grate des Te-Ri erschienen,
einmal sogar der Gipfel,
und mir zeigten, daß ich auf dem richtigen Weg war:

Ich mußte bloß dem Geröllstrom folgen, bis er
unter dem Abbruch einer Gletscherzunge verschwand,
und würde dort oben, am westlichen Rand des Gletschers
auf einen offensichtlich gangbaren Grat stoßen,
dessen nahezu ungebrochene Linie bis hinauf
in die Gipfelregion verlief, meine Route!

Diesen Weg mußte auch Liam gegangen sein,
das Gelände ließ kaum eine andere Entscheidung zu.
Aber so langsam
ich meine durch das Fernglas geschärften Blicke
auch schweifen ließ, Spuren, die bewiesen,
daß ich hier nicht der erste war, entdeckte ich keine.

Wenn ich das Fernglas absetzte, rief ich nach Liam,
wieder und wieder, aber aus den Klüften
schlug nur der Widerhall meiner eigenen Stimme zurück,
schlug meine Stimme, mit der ich gegen das Meer
und seine Sturzwellen angebrüllt hatte,
gegen den dröhnenden Lärm in den Maschinendecks
und gegen den Wind in den Klippen Horse Islands,
dünn und klagend zurück, kaum hörbar in den Böen
und vor der ungeheuren Größe der Wandfluchten;
nicht mehr als das Stimmchen einer wehrlosen Beute:
gerade laut genug, um – wenn nicht die Aufmerksamkeit
meines Bruders, so doch die

eines in den Klüften verborgenen Jägers zu wecken,
die Gier, den Zorn und den Hunger eines Dämons,
der keine Besucher in seinem Reich duldete.

Wie ein vom Kehrwasser erfaßter Schwimmer
fühlte ich, daß mich jener Sog,
der mich bis hierher getragen hatte,
nun wieder zurückziehen, fortschwemmen wollte,
dorthin, wo ich herkam, zu den Menschen,
in die Tiefe, und brauchte lange,
um mich gegen eine Kraft zu behaupten,
die mich für einige Atemzüge sogar dazu zwang,
meiner Route den Rücken zu kehren
und einige Schritte abwärts zu tun.
Aber dann ließ der Zwang nach
und ich stieg weiter empor, rief nun aber
nicht mehr nach meinem Bruder.

Über mir gähnten die Portale jener Höhlen,
zu denen die Kinder des Clans emporgezeigt hatten:
Dhjemo!, Dhjemo! kichernd und jedesmal
in prustendes Gelächter ausbrechend,
wenn ich mein Fernglas erwartungsgemäß
an die Augen hob und auf einen
der weit verstreuten Höhleneingänge richtete,
die aus der Tiefe des Lagers nicht größer erschienen
als Einschußlöcher in einer abblätternden Wand.

Aber nun kam ich einem dieser Mäuler so nahe
(es hatte die Größe eines Kirchenportals),
daß ich den eisigen Hauch aus der Tiefe
auf meiner Stirn spürte und Schneereste tief im Schlund
schimmern sah, als hätte das Maul eine Wächte

oder Lawine verschluckt und würgte daran;
ich fühlte, wie sich irgendwelche Haare,
irgendwelche Fellreste in meinem Nacken sträubten.

Wer nach oben will, trete vor,
wer die Hose voll hat, trete zurück!
Mir klang einer von jenen blödsinnigen Sprüchen
im Ohr, mit denen Captain Daddy
mich (den schwächeren seiner beiden Rekruten)
manchmal aufzumuntern versucht hatte,
wenn ich müde, mißmutig oder beklommen
vor der Schmalheit eines grasbewachsenen Bandes
oder der Höhe einer Felsstufe
während eines Aufstiegs im Manöver innehielt,
um Atem zu schöpfen oder nach einem leichteren Weg,
einer Umgehung der Barriere, Ausschau zu halten.

Liam, der solche Ängste nicht kannte oder sie verleugnete,
hatte diesen Schwachsinn manchmal sogar nachgeäfft
(wenn auch nur selten gegen mich,
viel öfter gegen den Captain gerichtet,
wenn der seiner Massigkeit wegen
meinem gelegentlich voraussteigenden Bruder
nicht mehr zu folgen vermochte).
Und Captain Daddy hatte Liams Spott nicht nur geduldet,
sondern war offensichtlich sogar stolz gewesen
auf die Überlegenheit seines Erstgeborenen.

Wer die Hose voll hat, trete zurück: War das eben
meine Stimme gewesen? Sprach ich mit mir selber?
Erhob ich die eigene Stimme wie einer,
der aus Angst vor der Dunkelheit zu summen,
zu reden, zu singen beginnt?

Schißtralala hatte unser Vater
den Trost der eigenen Stimme genannt.

Als der Schlund hinter mir zurückblieb,
tat ich, als müßte ich einem geheimen Beobachter
oder verborgenen Zeugen meiner Schwäche vorführen,
daß ich nicht aus Angst, sondern aus spielerischem Übermut
mit mir selber sprach, und setzte mein Gemurmel fort,
zählte halblaut meine Schritte, lobte die kühne Form
eines Felsblocks, sprach einer verdorrenden Flechte Mut zu
und verfiel schließlich doch wieder in Schweigen.
Der Weg wurde steiler, schwieriger,
und mein Atem ließ keinen Spielraum mehr für Worte.

Mit jedem Schritt, den ich höher stieg,
fühlte ich mich sicherer.
Auf einem steilen, brüchigen Grat wie diesem hier
turnten gewiß keine Bären oder Dhjemos
ihrer Beute hinterher.
Was immer dort unten lauerte,
ein Raubtier oder ein Dämon,
ich begann ihm in die Höhe,
in die Wolken zu entkommen.

In einer höher und höher führenden
und dabei alles Leben abstreifenden Felswand
der einzige zu sein, allein zu sein
in einer gekippten, vertikal gestellten Steinwelt,
die selbst am Himmel nicht endete,
sondern die Wolkendecke durchstieß
und sich erst irgendwo hoch oben in der Unabsehbarkeit,
vielleicht Unerreichbarkeit erschöpfte,
vermochte schon in den Bergen Irlands manchmal

etwas auszulösen in mir, wofür ich auch damals
kein anderes Wort wußte als Grauen.

Dabei war es nicht die Stille der Höhe,
die mir wie ein Dröhnen aus meinem Inneren
geradezu in den Ohren *klang*, nicht die Verlassenheit,
die alles Vertraute an das Tal, an die Tiefe verlor,
sondern vor allem dieser verwehende,
aufsteigende und wieder absinkende Himmelsrand,
der eine Felswand gleichzeitig mit der Wolkendecke
vernähte und sie von ihr trennte,
diese fliegende Grenze
zwischen einem überschaubaren Diesseits
und einem in Regen- oder Sturmwolken
verborgenen Jenseits.

Dieses Grauen, eine Angst,
die wohl damals wie heute im Grunde dem Tod galt,
schreckte mich stets zugleich ab
und zog mich an – wußte ich doch,
daß ich nur weitersteigen, höhersteigen, meiner Route
ins Unabsehbare folgen und diese Grenze keuchend,
schreiend, singend! überwinden mußte,
wenn ich im Inneren der Wolken,
im treibenden Nebel, Regen oder Schnee
jene Besänftigung finden wollte,
die sich sogar in Begeisterung verwandeln konnte,
wenn mich mein Entschluß, weiter!, weiter,
weiterzugehen, durch eine dichte Nebelbank hindurch,
wieder unter eine sonnige oder doch wenigstens klare,
weite, weiße Unendlichkeit zurückführte,
in die nackte Höhe.

Aber manchmal erfaßte mich dieses Grauen
sogar auf dem Weg nach unten, zurück ins Tal,
in die Tiefe, wenn dabei der Himmelsrand
abermals zu überwinden war, die Grenze,
die alles Dahinter-, Darüber- oder Darunterliegende
zum Ungewissen, Verborgenen machte,
so als ob mich auch unter den Wolken
und am Ende meines Weges zurück zu den Menschen
nun nicht mehr das Vertraute, eine Weide,
ein Zeltplatz im Tal, sondern nur noch Leere,
undurchdringliche Verlassenheit erwarten würde,
ein lebloser Grund, in dem eine Schaufel brauchte,
wer noch weiter wollte,
in der graben mußte, einen Schacht, einen Stollen,
eine Grube, wer nicht innehalten,
nicht einfach *angekommen* sein wollte.

Die nördliche Flanke des Te-Ri
glich einer riesigen Pranke,
zwischen deren gespreizten Felskrallen Gletschereis lag,
und es war bereits später Nachmittag,
als ich auf meinem Weg
jene von zwei Kaminen durchzogene Felsstufe erreichte,
die mir im Fernglas gangbar erschienen,
deren vereister Überhang nun aber
weder zu umgehen noch zu durchklettern war,

ein unüberwindliches Hindernis; zumindest für mich.
(Selbst Liam hätte Passagen dieser Schwierigkeit
wohl nicht ohne einen Seilgefährten riskiert.
Ein schneebedeckter Quergang,
über den allein die Kamine zu erreichen waren,
trug jedenfalls keinerlei Spuren.)

Liam, verflucht! Liam, mein überlegener Bruder,
hätte sich im Notfall vielleicht
selbst an dieser Barriere versucht,
hatte aber offensichtlich von allem Anfang an
eine bessere Route gewählt – über die Kralle, den Grat
am gegenüberliegenden Rand der Gletscherzunge:

Erst jetzt und aus meiner gegenwärtigen Höhe
sah ich, daß dort drüben
keine vergleichbaren Hindernisse drohten.
Liam, der Überlegene, hatte sich eben nicht!
von den ersten Einladungen des Geländes täuschen lassen,
hatte vermutlich schon aus der Tiefe
einen leichteren Weg erkannt und sein Urteil
mit zunehmender Höhe bestätigt gefunden.

Wenn ich weiter wollte, wenn ich ihn finden wollte,
mußte ich meine Route anderswo, irgendwo dort drüben,
irgendwo in seiner Spur suchen,
mußte zuvor aber alle meine mühselig gewonnenen
Höhenmeter wieder preisgeben und absteigen,
zurück in die Tiefe, zu den Mäulern der Höhlen,
und irgendwo dort unten, verflucht,
am Auslauf meiner Kralle
auf den anderen Grat wechseln oder …

oder ich wagte den direkten Abstieg zum Gletscher hinab
und querte über das von Spalten zerrissene Eis
zu jenem Grat, den ich schon jetzt *Liams Treppe* nannte,
so überzeugt war ich von meinem Irrtum
und seinem besseren Weg.
Aber so viel Zeit mir ein direkter Abstieg
hinunter aufs Eis auch ersparen konnte –

was, wenn ich dabei auf ein neues,
jetzt noch unsichtbares Hindernis stieß,
eine vereiste Rampe, einen Überhang,
der für ein Abseilmanöver zu hoch war?

Liam! brüllte ich, *Liam!*, als könnte schon
der in aufrauchende Nebelfetzen gebrüllte Name
zum Wurfanker werden, einem Klemmkeil, der,
in einen Riß dieser unüberwindlichen Stufe gekrallt,
ein Seil tragen und mich daran hochklettern lassen konnte.
Liam! Für mich führte von hier kein Weg weiter nach oben,
ich mußte zurück, mußte wieder hinab,
und entschied mich für den direkten Abstieg.

Blau und verführerisch nah lag der Gletscher
unter mir, lag schon im tiefen Schatten.
Biwaklotto hätte Liam jetzt wohl gesagt:
Wenn ich neuerlich auf eine Barriere stieß,
drohte mir eine Nacht in der Wand.

Bravo! Wunderbar! Großartige Leistung!
Ich wiederholte die sarkastischen Kommentare
Captain Daddys, die auch Liam noch manchmal verwendete,
wenn eine Route, ein Manöver zu mißlingen schien,
und begann, mein Selbstgespräch weiterzuführen,
sprach, schrie sogar mit mir selber,
diesmal nicht aus Angst, sondern empört,
wütend auf mich und auf meinen Bruder.

Wenn dieser Idiot wortlos auf und davon ging,
warum hinterließ er dann nicht wenigstens
irgendwo auf dem Weg einen Hinweis, ein Steinmal ...,
rannte davon, zwang mich zu dieser Suche,

lockte mich aus dem Lager in diese Falle,
und ich, verflucht, war selber blöde genug,
auf diesen Felsen herumzukriechen, auf diesem Scheißberg!
Depp! Arschloch! Blöde Sau! *Liam!*

Ich hätte ihn am liebsten an den Haaren
aus diesem Labyrinth gezogen,
hätte ihn schlagen mögen, ihn ohrfeigen,
ihm sein überlegenes Grinsen mit einer Handvoll
Eissplitter aus der Fresse schleifen!

Seltsam, wie sicher ich dann meinen Weg
hinab auf den Gletscher fand. Dabei war
ein Abstieg in steilem, unbekanntem Gelände
stets ein Fluchtweg gewesen, vor dem Liam
mich besonders gewarnt hatte, *nur im Notfall!*
Schließlich lagen kleine Tritte und Griffe,
die der Aufsteigende oft direkt vor Augen hatte,
dem Absteigenden unter seinen Füßen verborgen,
und nicht immer erlaubte der Fels, daß man einen Blick
zurück über die Schulter warf oder die Tiefe
zwischen gegrätschten Beinen nach einem Halt absuchte.

Und doch stand ich früher, viel früher,
als ich erwartete, auf dem Eis;
dreihundert Meter mochte die Zunge hier breit sein,
vielleicht auch dreihundertfünfzig,
ein kurzer Weg jedenfalls, wenn das Eis kompakt war,
ein endloser Weg,
wenn die Altschneedecke Spalten verbarg.

Auf der anderen Seite, soviel glaubte ich
ohne Zweifel zu sehen, führte eine steile Rampe

wieder hinauf zum nächsten Grat, zu meiner Brücke
in die Gipfelregion des Te-Ri,
dort oben würde ich …, dort oben mußte ich
zumindest ein Zeichen von Liam finden.

Aber war der Weg bis dorthin und wieder zurück
noch bei Tageslicht zu bewältigen?
Captain Daddy hatte uns beigebracht,
Meereshöhen und alle Weglängen
nicht nur in Fuß und Meilen, sondern vor allem
in Metern und Kilometern anzugeben.
Yes Sir! Überlebenswichtige Entfernungen,
Reichweiten, Höhen, selbst Abstände im Nahkampf
mußten nach dem Dezimalsystem gemessen werden,
denn Meile und Fuß waren die Einheiten Englands,
und ein Ire sollte für jeden Weg, jede Höhe,
selbst für den Abstand zum Tod
ein anderes Maß haben.
Dreihundertfünfzig Meter über den Gletscher …

Ich hatte Eis dieser und größerer Mächtigkeit
schon von der Reling in antarktischem Fahrwasser
gesehen, *betreten* aber nur in den europäischen Westalpen,
und dort ausschließlich am Seil meines Bruders.

Aber es war bereits Nachmittag, hinter mir lag ein Grat,
zu schwierig für mein Klettervermögen,
vor mir nur ein Eisfeld
und jenseits davon eine gangbare Rampe
und vielleicht das Ende meiner Verlassenheit,
denn vielleicht fand ich …
vielleicht sah ich Liam irgendwo dort drüben.
Ich mußte auf die andere Seite des Eisstroms.

Aber was wußte ich von den Fallen eines Gletschers,
der wie ein von der Pranke des Wolkenbergs
zerschlagener Panzer aus uraltem Eis
in eine Tiefe abfiel, aus der jetzt
Nebelfahnen aufzusteigen begannen.
Die Hochtäler unter mir, die Wege,
Weidegründe und Herden des Clans
lagen unter diesem rauchenden Himmel
zu meinen Füßen, wie für immer verschwunden.

Als ich am Steilufer des Gletscherstroms kauernd
die Steigeisen an meine Schuhe schnallte
und dabei die brodelnden Wolken zu meinen Füßen
vergeblich nach einer Öffnung absuchte,
durch die irgendein Zeichen aus der Menschenwelt
zu mir heraufscheinen konnte,
wärmte mir eine von Federwolken umwirbelte Sonne
wie zum Trost den Rücken.

Aber als ich das Eis betrat, warf sie von der Krone
eines westlichen Grats lange Schatten nach mir, Speere,
suchte nach diesem Angriff Deckung hinter den Zinnen
des Grates und ließ nur ihren roten Federschmuck
an den Bollwerken zurück, ein spöttisches Zeichen,
daß mein neuer und einziger Begleiter auf dem Weg
über den Strom bereits die Abendkälte war.

Ich hatte mehr als die Hälfte der Querung des Gletschers
bereits hinter mir, die zwölfzackigen Stahlklauen
an jedem meiner Schalenschuhe erlaubten mir
selbst auf türkisen Passagen blanken Eises,
das zwischen breiten, firnbedeckten Bändern glänzte,
einen sicheren, kreischenden Auftritt,

als ich den ersten – und dann drei, vier,
fünf! weitere Schmetterlinge
wie in Glassärgen liegend entdeckte,

Apollofalter: Sie lagen mit ausgebreiteten Flügeln
in schalenförmigen Vertiefungen
unter einer hauchzarten Schicht klaren Eises.

Sie mußten schon tot gewesen sein,
als sie aus einer allem Leben feindlichen Kälte
auf den Gletscher zurückgeschneit waren.
Allein ihre Flügelschuppen hatten Wärme und Licht
weiterhin aufgenommen und um die Gefallenen
jene Mulden schmelzen lassen,
in denen sie nun wie unter Glas lagen.

Die Stille über diesen spiegelnden Gräbern verriet,
wie die Kälte des fortschreitenden Nachmittags
nun alles vom Tagesverlauf in Fluß versetzte Wasser
wieder erstarren ließ.

Ich kniete lange, wohl zu lange,
inmitten dieses gläsernen Friedhofs und versuchte
mit einer Digitalkamera von der Größe eines Feuerzeugs
(einem Geschenk Liams), Erinnerungen festzuhalten
an meinen Weg über das Eis,
denn als ich mich aus der gekrümmten Haltung
eines Chronisten wieder erheben wollte,
zwang mich ein stechender Schmerz in meinem Rücken
auf die Knie zurück und ließ mich dann meinen Weg
nur mit der Behutsamkeit eines Verletzten fortsetzen
(der allerdings Schritt für Schritt
von seinen Schmerzen wieder genas).

Das rettende Ufer der anderen Seite
des Gletscherstroms war bereits so nahe,
daß ich die Farbflecken der Flechten
auf schneefreien Felsen erkennen konnte,

als ich aus dem blauen Schatten
etwas wie eine Kralle
auf mich zuspringen sah, einen nachtschwarzen,
das Eis lautlos durchzuckenden Blitz,
und der Firngrund, auf dem ich ging,
unter mir wegsank.

Die von Triebschnee und Firn
überbrückte Gletscherspalte, die plötzlich aufklaffte,
hatte sich am Rand meines Blickfeldes geöffnet
und war von dort, ihre weiße Tarnung verschlingend,
auf mich zugesprungen,
hatte nach meinen klauenbewehrten Füßen geschnappt
und meinen Weg in eine dunkle Leere aufgelöst,
in die ich nun fiel.

Ich erinnere mich,
daß mir die jähe Leichtigkeit meines Körpers
keinen Schrei, bloß ein Ächzen,
einen Seufzer entriß, den aber das Eis wieder erstickte,
als es mich auffing.

Ich stürzte nicht in die wahre Tiefe der Kluft,
sondern lag plötzlich still auf einem Grund,
der mir den Atem nahm:
Mein Mund, erinnere ich mich, stand so weit offen,
daß die Kiefergelenke schmerzten,
aber da war kein Atemzug,
kein Laut, kein Schrei.

War ich tatsächlich gefallen,
oder hatte bloß etwas Dunkles, Übermächtiges
aus dem nachtschwarzen Abgrund
nach mir geschlagen
und mich mit diesem einzigen furchtbaren Hieb
an irgend etwas Hartes, an einen Felsen,
eine Eiswand geschleudert?

Erst Minuten nach meinem Sturz begann ich zu begreifen,
daß ich auf einem schmalen, von herabrieselndem Firn
beschneiten Vorsprung aufgeschlagen war,
einem dämmrigen Eisbalkon, unter dem sich alles Licht
in einer grundlosen Tiefe verlor.

Der Gletscher, der meine Brücke
zum Gipfelgrat des Wolkenbergs werden sollte,
hatte mich lautlos verschluckt.

Der rettende Vorsprung, der mich vom Abgrund trennte,
maß an seiner breitesten Stelle kaum einen Meter
und verlief in sanft ansteigender Linie etwa sechs,
sieben Meter unterhalb des zerrissenen Spaltenrands,
über den ich nun eine Flotte
zierlicher Federwolken hinaussegeln sah,
und darüber das kalte, tiefe Blau des Hochgebirgshimmels.

Aber diese Wolkenschiffe, dieses Blau,
alles, was jenseits des Bruchrandes lag
und in meine Tiefe hinabschien,
war *oben*, war unerreichbar hoch oben.

Vorsichtig, vorsichtig!, um meinen letzten Halt,
mein Eisbett nicht zu erschüttern
und samt diesem Bett in die drohende Nacht

unter mir zu fallen,
richtete ich mich auf.

Mein Rücken schmerzte, mein rechtes Knie,
meine rechte Schulter schmerzten,
ein warmes Rinnsal kroch von meiner Stirn
die Nase entlang über Mund und Kinn
und tropfte mit einem tickenden,
die tiefe Stille in Zeitspannen teilenden Geräusch
auf meine Brust.
Aber ich konnte Beine, Arme bewegen:
Prellungen, Abschürfungen,
nichts gebrochen.

Auch mein Rucksack
war mir nicht vom Körper gerissen worden,
und der Eispickel hing immer noch
in seiner Bandschlinge an meinem Handgelenk,
seine Haue hatte mich im Fallen
wohl an der Stirn verletzt, aber die Wunde war nicht tief
und das Blut mit dem beharrlichen Druck
eines Eissplitters wieder zu stillen.

Selbst die messerscharfen Klauen meiner Steigeisen
hatten bloß wie im Spiel zugeschlagen,
dabei nur ein Hosenbein zerfetzt
und mir wie zur Mahnung, daß sie bei solchen Stürzen
ebensogut Sehnen, Muskeln und Adern
durchtrennen konnten, ein rotes Rufzeichen
in den Oberschenkel geschnitten
– einen nässenden Strich und darunter
einen klaffenden Punkt in meine Kniescheibe,
ein Loch, in dem ich selbst in dieser Dämmerung
die Beinhaut unversehrt schimmern sah.

Glück gehabt,
hörte ich plötzlich Liam sagen,
Liam wie damals, an jenem Augustnachmittag
in den Klippen Horse Islands, als ihm
der von einer auffliegenden Möwe losgekrallte
und mit einem seltsamen Brummen
herabschwirrende Stein Nagelbett und oberstes Glied
seines Ringfingers zerschlug.
Glück gehabt.
Liam?

Liam! brüllte ich zum unerreichbaren Rand meiner Kluft
und meinem schmalen Himmel empor,
in dem sich die Wolkenschiffe ineinander
zu verkeilen begannen und eine weiße Flotte
sich vor einer dunkleren staute,
als drängte der Troposphärenwind
sie in Schlachtformation,
Liam!, hier bin ich,
hier unten, Liam, hier!

Aber das *Glück* war nur ein Wort,
nur eine Stimme in meinem dröhnenden Schädel,
selbst der Atem meines Bruders, eingesogen
durch die vor Schmerz aufeinandergepreßten Zähne,
nur eine Erinnerung: Kein Liam. Kein Bruder.

Ganz allein und in einem Schweigen,
in dem selbst die tickende Blutuhr an meiner Stirn
zum Stillstand gekommen war, kauerte ich
wie für immer getrennt von meinem Bruder
und von allem, was *oben* war,
in meiner Tiefe und fror.

13 *In der Tiefe. Trost der eigenen Kraft.*

Der Himmel, erinnere ich mich,
die Wolkenschiffe und ihre Schlachtreihen,
erloschen zuerst, dann
die glühenden Ränder der Gletscherkluft
und zuletzt ihre schimmernden Wände,

als leuchtete der Widerschein meines Unglückstages
in den spiegelnden Mauern meines Verlieses nach,
bis sich nach Stunden endlich alles,
Höhe und Tiefe, der Abgrund ebenso
wie der schmale Keil des mir verbliebenen Firmaments
in einer gleichgültigen, hallenden Finsternis verlor.

Ich zögerte lange,
bis ich meine Stirnlampe
aus der Deckeltasche meines Rucksacks zog,
vorsichtig wie ein Gespinst aus hauchzartem Glas,
das, wenn es meinen klammen Fingern entglitt,
unwiderruflich in Scherben fallen, für immer
in der Tiefe verschwinden mußte,

zögerte auch, weil das aus Batterien gespeiste
Diodenlicht in dieser schwarzen Kälte
schneller erschöpft sein würde
als in der Wärme eines Zeltes,
jede Lichtsekunde war eine Kostbarkeit,

zögerte wohl aber vor allem,
weil das Licht dieser Lampe
auch das Eingeständnis bedeutete,
daß es nun doch Nacht geworden war.

Natürlich hatte ich versucht, panisch,
bis zur Erschöpfung, ein Tier in der Falle,
mich noch vor Anbruch der Nacht zu befreien,
war auf meinem Eisbalkon hin und her gekrochen,
langsam, unendlich langsam
und stets in der Angst, mit meinen Bewegungen
eine unter Eiskristallen verborgene Bruchlinie
weiter zu vertiefen und samt meinem letzten Halt
ins Grundlose zu fallen,

natürlich hatte ich mich mit der gleichen Behutsamkeit,
die nun jede meiner Bewegungen bestimmte,
aufgerichtet, hatte die Eiswand abgetastet
und auch versucht, die Frontzacken meiner Steigeisen
in dieses brüchige Glas zu schlagen,
vielleicht konnte ich ja Steigschritt
für Steigschritt und irgendwo entlang meiner Fallinie
wieder zurückklettern in die Oberwelt.

Aber die Wand war nicht nur spröde
und spie auf meine Klauen
und auf jeden Hieb meines Pickels
einen Regen aus Eissplittern, sie neigte sich auch,
stemmte sich überhängend gegen mich, drohte,
mich, der sich mit Klauen und Pickel
an ihr festkrallen wollte, von sich zu drücken,
nach hinten fallen zu lassen,
mich abzustreifen, eine lästige Klette.

Die Eisschraube aus Titan,
die ich in diese überhängende, spröde Wand
drehen wollte, um mein kurzes Seil daran zu befestigen
und so Armlänge für Armlänge dem Rand der Kluft,

der Rettung näher zu kommen,
brach schon beim ersten Belastungsversuch
aus dem Eis, entfiel dann meinen klammen Fingern
und sprang klingelnd hinab in die Nacht unter mir;

ich weiß nicht mehr, wie lange
ich die leiser und leiser werdenden
Aufschläge meiner letzten Hoffnung noch hörte,
eine Ewigkeit, entsetzliche Sekundenschläge,
von denen jeder einzelne nicht mehr die Zeit,
sondern nur eine grundlose Tiefe anzeigte.

Auf meinen nackten Handflächen,
die ich nicht schützte,
um selbst den kleinsten Riß im Eis zu erfühlen,
und auf den Knien kriechend,
vermaß ich Länge und Breite meines Eisbalkons
und fand, daß er nach einer Seite
zwar in einem sanften Schwung nach oben verlief,
in diesem Verlauf aber schmaler,
immer schmaler wurde, zum bloßen Gesims,
das schließlich in die glatte, spiegelnde Eiswand
eintauchte und darin verschwand.

In den verzweifelten Pausen zwischen allen Erkundungen
und Vermessungen meines Verlieses
und im schwindenden Licht rief ich,
brüllte ich immer wieder Liams Namen
und suchte dabei stets nach einer Kopfhaltung,
die den größten Widerhall förderte und meine Kluft
in einen Trichter, ein Sprachrohr verwandelte,
in ein Eismaul, das nur eine einzige Botschaft
an die Höhe richtete: Hilfe!
Hier bin ich, hier unten, Liam!

Wieder und wieder ließ ich dieses Eismaul
die Gegenwart meines Bruders beschwören
und begann nach Zeiten der Atemlosigkeit,
der Erschöpfung und Stille von neuem,
bis die Schreie in der fortschreitenden Dämmerung
heiser wurden, dünner und endlich verstummten ...

Wieviel von diesem Geplärr
drang wohl tatsächlich nach oben
und über das Gletschereis
bis an die Grate des Wolkenbergs?
Hatte ich denn vor meinem Sturz nicht selber erfahren,
wie mir der aufkommende Wind mit Böen,
die aus allen Richtungen kamen wie Schläge,
jede Silbe eines Schreis in den Rachen zurückstopfte,
jeden Hilferuf, jeden Namen erstickte?

Aber hier unten, in dieser Stille,
war kein Hauch zu spüren,
hier unten hörte ich den Trost
meiner eigenen Stimme hallend und laut,
und ich brüllte, atmete, lauschte.

Seltsam, wieviel Zeit vergehen mußte,
bis ich erkannte, daß es der falsche Name war,
den ich rief: Liam. Liam war unerreichbar.
Liam war taub für mein Geschrei;
saß vielleicht gefangen in seiner eigenen Falle
oder befand sich längst, triumphierend
nach einem ungefährdeten, spielerischen Alleingang,
auf dem Abstieg vom Gipfel dieses verfluchten Berges,
der mich verschluckt hatte,

trottete auf einem sicheren Weg
zurück zu den Sommerweiden des Clans;
nein, von meinem Bruder kam gewiß keine Hilfe.
Liam hatte selbst niemals Hilfe gebraucht,
sondern allerhöchstens ein bißchen Bewunderung
für Großtaten, zu denen er ohne mich imstande war.

Ach, wie lange hatte ich mich heiser gebrüllt,
wie benommen von einem falschen Namen!
Dabei bedurfte es doch gar keiner Schreie,
ja nicht einmal einer erhobenen Stimme,
wenn ich mir den einzigen Namen ins Gedächtnis rief,
der hier unten noch von Bedeutung war: Nyema.

Nyema würde sich nicht geschlagen geben,
sie würde warten auf mich und mich vermissen,
vielleicht träumen von mir und mich im Schlaf
am Grund eines Eisbrunnens kauern sehen
und sich auf den Weg machen.

Tsering Dorje würde sie begleiten
oder auch jener Hirte, dessen Namen
ich nur mit Mühe auszusprechen vermocht hatte
(einen langen Namen, den Nyema mir lachend vorgesagt
und den ich dann doch vergessen hatte),
ganz gewiß, dieser Hirte würde sie begleiten,
einer der stärksten im Clan, stark genug,
um einen wie mich aus der Tiefe zu ziehen,
ja, einen wie mich zu tragen.

Nyema, mein Mädchen,
würde aus der Höhe der Sommerweiden absteigen
bis dorthin, wo sie das Steinmal unserer Wegscheide

errichtet hatte, würde, von diesem Mal ausgehend,
meine Spuren suchen und finden,
im Geröll, meine Tritte im Schnee
und im Sand des Geschiebes
aus dem Mahlwerk des Gletschers.

Kein Abdruck im weichen Grund
und kein Kratzer, keine Kerbe am Fels
würde ihr verborgen bleiben,
jedes ohne Absicht gesetzte Zeichen von mir
würde sie lesen wie auf einer Zeile
und den Beweisen folgen,
daß ich tatsächlich hier gegangen,
hier geklettert, hier gefallen war,
folgen bis an den Rand meines Abgrunds,

und über diesen Rand in die Dämmerung,
in die Finsternis spähend
würde sie keiner Hilferufe bedürfen,
um mich zu entdecken,
sondern selbst meine Atemzüge hören in der Tiefe,
wenn ich vor Erschöpfung einschlafen sollte,
im Warten und im Vertrauen
auf meine Rettung, auf meine Liebste.

Spuren?
Nyema würde meinen Spuren folgen?
Über den Grat? Über das zerrissene Eis?
Bis an den Rand meiner Kluft? Mit ihren Fellstiefeln?
Würde mir ohne die Klauen und Zähne
von Steigeisen und Pickel
über Felsen und Gletschereis
bis an die Bruchstelle einer Schneebrücke folgen?

Als ich irgendwann in der Nacht den Kopf hob,
empor zum schwarzen, unsichtbaren Rand
meines Brunnens, glitzerte im Schein meiner Lampe
ein Stern und noch einer!,
ein Sternhaufen, die Milchstraße,
die meinen Abgrund überbrückte,
aus der Himmelshöhe
auf mich herabzurieseln begann,
mir nachrieselte in die Tiefe:

Schnee.
Es war nur Schnee.

In der Oberwelt, in einer wolkenverhangenen,
lichtlosen Nacht, hatte es zu schneien begonnen,
es waren nur Flocken, die von dort oben
herabtanzten und taumelten in das offene,
verstummte Maul meiner Kluft,
Gestöber, das dichter und dichter wurde
und sich in der Windstille meiner Tiefe
zu einem ebenmäßigen Schleier besänftigte,
der mit einem zarten, melodischen Klingen
über die blanke Eiswand strich

und mir Proben zukommen ließ
von der Makellosigkeit jener kristallinen Tarnung,
unter der dort oben nun alle meine Spuren
verschwanden
und die selbst meine scharf umrissenen,
wie mit Messern aus dem feinen Sand des Geschiebes
geschnittenen Tritte auch bei Tageslicht verbergen würde,
als wäre dort, wo ich doch war,
wo ich doch immer noch war und auf Hilfe hoffte,
noch kein Mensch jemals gegangen.

Als Finsternis und Schneefall
mich so lange gequält hatten, bis ich zu begreifen begann,
daß ich hier unten verloren war
und daß dieser Ort mein letzter bleiben würde,
wenn ich ihn nicht aus eigener Kraft wieder verließ,
daß mir hier herab keine Brücken gebaut,
keine Treppen ins Eis geschlagen
und keine Hände gereicht würden, niemals!,
überfielen mich Panik, Verzweiflung, und ich weinte,

wie an jenem Nachmittag in den Wänden Horse Islands,
als ich gegen die Wut eines Sommergewitters
den Rand unserer Weiden, den Himmelsrand
zu gewinnen suchte,
als die Böen drohten, mich aus den Abstürzen zu fegen,
und Hagelschloßen und Steine auf mich herabprasselten,
jeden Weg zurück ans tobende Meer zerschlugen
und mir als letzter Fluchtweg
nur der in die Höhe geblieben war.

Als das Schluchzen mir wieder Atem ließ,
hüllte ich mich in meinen Schlafsack
und begann, in der Finsternis kauernd,
die Arme um meine Knie geschlungen,
mit Nyema zu sprechen, flüsterte,
meine Stirn an die Knie gepreßt, Kosenamen,
als umarmte ich nicht bloß mein blutverkrustetes Bein,
sondern mein Mädchen,

war Nyema so nahe, daß ich die Atemwärme,
die mit jedem Wort vom gestrafften Kunststoff
der Biwakhülle zurückschlug, als die Wärme
ihres Atems empfand, sprach weiter,

immer weiter mit ihr, bis es allein ihr Atem war,
der mein Gesicht wärmte und ich *Geduld* sagen konnte,
ich weiß, sagen konnte, *du wartest, mein Mädchen,*
hab keine Angst, hab Geduld, warte auf mich,
warte auf mich ...

und als ich nach einer langen Zeit
des Zusammenseins mit meiner Liebsten
den Kopf hob, weil das erste, graue Licht der Frühe
aus der Oberwelt zu mir herab
und in meine Umarmung drang,
erkannte ich einen Weg, den einzigen,
der mir so lange, im Schrecken nach meinem Sturz,
in meiner Verzweiflung, in der Dämmerung und dann
in der Finsternis der Nacht, verborgen geblieben war:

Mein Nachtlager, meine Eisempore
wurde in ihrem sanft nach oben führenden Schwung
zwar tatsächlich schmaler und schmaler
und verlor sich in der spiegelnden Wand,

kam daraus aber in einer Entfernung, die der Schein
meiner Stirnlampe in der nächtlichen Schwärze
nicht zu überbrücken vermochte, wieder zurück!,
erwuchs dort als Eiswelle aus der Spiegelglätte,
die sich zu einem Gesims – und schließlich
doch wieder zu einer Empore verbreiterte,
die den Bogen vollendete
und dann auf den Himmelsrand traf,
auf die Abbruchkante meiner Kluft!

In der Leere, dort,
wo das Mittelstück dieses Bogens fehlte,

schimmerte ein Wandstreifen, der frei schien von Rissen,
frei von wässrigen Schatten und aller Sprödigkeit
und bleifarben glänzte, silbrig glänzte im frühen Licht,
festes Eis!, ein Glasband, verläßlicher Grund
für die Frontzacken der Steigeisen:

Wenn ich meine Fußklauen wie Schnäbel
in dieses Band schlug, konnte ich mich seitwärts
durch die Senkrechte bewegen
und so den gebrochenen Bogen dieser Empore
Schritt für Schritt überwinden.
Der Eispickel, eine Armlänge über meinem Kopf
in den gläsernen Grund geschlagen,
würde mir dabei zum Anker werden,
der mein Gewicht stabilisierte
und mich selbst über einem ausbrechenden Tritt
halten konnte.

Wenn die überhängende, brüchige Wand meiner Kluft
vertikal nicht zu überwinden war,
dann bot sich über diesen spiegelnden Streifen
ein Ausweg – über ein rettendes, festes Eisband
auf den jenseitigen Teil einer Brücke aus der Tiefe
nach oben ...

Ich mußte nur die Lehren befolgen,
die Liam mir in den Klippen Horse Islands
wie auf Gletschern der Westalpen erteilt
und die er *Gehen in der Senkrechten,*
Gehen im Eis genannt hatte.

Ich erinnerte mich gut an seine Zurechtweisung,
als ich die Angst, die mich nach anfänglichem Interesse

an der Fortbewegung in der Vertikalen befiel,
mit spöttischen Fragen zu überdecken versuchte:

Warum, fragte ich meinen Bruder in diesen Tagen,
warum sich an einer Eidechse, einem Gecko,
einer Ameise, Fliege oder
auch nur einem beliebigen flugunfähigen Käfer
ein (doch nie zu erreichendes) Beispiel nehmen?

Selbst eine Küchenschabe hatte doch keinerlei Mühe,
senkrechte oder überhängende Vorratskammerwände
zu meistern und – mit achtloser Selbstverständlichkeit,
den Flügelpanzer gleichgültig gegen die Tiefe gewendet –
sogar quer über die Decke der Kammer zu laufen,
ohne auch nur ein einziges Mal innezuhalten,
um nach einem nächsten Griff oder Rastplatz zu suchen.

Warum nachäffen,
was doch jeder Mistkäfer virtuos besser konnte
als selbst ein Weltmeister der Kletterkunst?

Schißtralala, hatte Liam geantwortet,
wir sind Zweibeiner, wenn wir klettern,
setzen wir bloß einen Weg fort,
der uns ohne die Zuhilfenahme unserer Hände
verschlossen bliebe, aber dennoch ein *Fußweg* bleibt,
eine Abart des Gehens:

Du stemmst dein Gewicht hoch,
gehst in die Vertikale, gehst einfach weiter
hinein in eine senkrechte Landschaft,
die dich von einer höher gelegenen Ebene trennt,
von einer Terrasse, einem Sattel, einem flacheren Grat.

Aber selbst wenn eine Wand
oder ein Überhang dich unterwegs zwingt,
dein Gewicht an die Fingerspitzen zu hängen,
um den nächsten Halt pendelnd zu erreichen,
sind es am Ende doch immer wieder
deine Fersen, Zehen, deine Füße,
die dich um den entscheidenden Schritt höher bringen
auf einer Führe, die bloß Abschnitt einer längeren Route ist,
eines Weges, dessen Ende nicht notwendigerweise
auf einem Gipfel liegt.

Das wahre Ziel liegt immer jenseits
aller vertikalen Barrieren, entweder in deinem Kopf
oder irgendwo weit draußen in einer Ebene,
einer Sand- oder Asphaltwüste,
in der du dich endlich umwenden
und erkennen kannst, daß Klettern
immer nur zwischendurch zielführend,
manchmal allerdings unvermeidlich wird.
Kletternd überwindet der Fußgänger
senkrechte Hindernisse, wie er über andere wiederum
schwimmend oder springend hinwegsetzt
und doch immer gehender Zweibeiner bleibt.

Wenn Liam auf mich einsprach,
mir seine Lehren erteilte, damit die Angst nahm
und die Neugier, ja den Ehrgeiz eines Entdeckers wiedererweckte,
hatte ich oft den Eindruck,
daß er in Wahrheit von Zeiten sprach,
in denen Klettern für ihn immer auch
eine Möglichkeit war, einen unüberwindlichen Abstand
zwischen sich und die Welt unseres Vaters zu bringen,

denn auf manchen Manövern in den Cahas
hatte Liam sich kletternd in Höhen geflüchtet,
in die ihm weder Captain Daddy
noch ich zu folgen vermochte,
und sich damit in eine Unerreichbarkeit entzogen,
in der ihn weder nachgeplärrte Bitten
noch Befehle einholten, die so allesamt
ungehört verflogen im Wind.

Aber als ich an diesem Morgen
meines Entkommens den Rucksack
so eng wie möglich an den Leib schnallte,
dann vom letzten Ausläufer meiner Eisempore
den ersten Schnabelschritt in die Senkrechte tat
und dazu den ersten Pickelhieb setzte,
war jede Lehre vergessen, war Liams Stimme
wie für immer verhallt, und ich hörte allein Nyema:
Ich warte auf dich. Ich warte auf dich.

Selbst als ich während einer Atempause
an meinen Klauen vorbei und hinab ins Grundlose sah,
hörte ich die Zuversicht ihrer Stimme,
die mich vor der Leere und Finsternis
unter meinen Fersen bewahrte und Schritt für Schritt
durch eine gekippte Welt begleitete.

Einmal glaubte ich sogar *ihre* Augen,
ihren Mund zu erkennen in jenem flüchtigen Schatten,
der mir bei jedem Schritt meiner Durchquerung
der Senkrechten so nahe blieb wie ihr Gesicht,
ihr Gesicht, wenn wir uns umarmten,
wenn wir uns küßten, so nahe,
als klammerte ich mich nicht an die Eiswand,

sondern an sie – und erschrak vor der brennenden Kälte,
als ich unwillkürlich meine Stirn gegen ihre Stirn lehnte:

Ich lehnte mich an mein eigenes Spiegelbild,
ich küßte mein eigenes Spiegelbild,
das mir undeutlich im klaren Eis erschien,
sich auf trüberem Grund wieder verlor
und doch immer wiederkehrte,

bis ich den jenseitigen Teil der Empore erreichte
und dort auf allen vieren,
um keinen Fingerbreit meines Fluchtwegs
unmäßig zu belasten, zurückkroch ins Tageslicht
und mit klopfendem Herzen weiter
über den Gletscher, bis zum ersten Felsen des Gipfelgrats.

Dort, endlich gerettet!,
nach einem ersten Schritt auf unzerbrechlichem Grund,
befiel mich eine seltsame Wut.

Liam! Ich tat, was mein Bruder getan hätte,
tat diesen ersten Schritt auf dem Grat nicht *hinab*,
nicht zurück zu Nyema, nicht ins Tal,
sondern stieg wie in Trance,
eine Puppe an einem Marionettenfaden,
weiter *empor*!

Nicht genug, daß ich auf der Suche nach Liam
gestürzt war und mich allein Nyemas Stimme begleiten
und zurückrufen konnte in die Oberwelt …
kaum oben, kroch ich schon wieder *ihm* nach,
meinem Bruder, der doch mich verlassen hatte,
mich verführt hatte, ihm in eine Eiswelt zu folgen,
die niemals die meine gewesen war.

Liam! Wieder brüllte ich seinen Namen.
Diesmal aus Wut. Dann
kehrte ich dem Gipfel des Te-Ri den Rücken
und wandte mich zum Abstieg.

Während die Höhen meines Bruders
unbetreten zurückblieben (aber vielleicht war diesmal
ja ich es, *ich*, der höher als er gekommen war)
und ich auf einem Grat talwärts stieg,
der ebenso spurlos und ohne ein Zeichen von ihm,
aber weniger steil war als jener,
den ich auf der anderen Seite des Gletschers
immer noch drohen sah, verblaßte die Vorstellung,
daß Liam noch irgendwo dort oben, in Gipfelnähe
oder in einer Eisfalle ähnlich jener,
der ich ohne seine Hilfe entkommen war, gefangensaß
und auf Rettung und meine Beharrlichkeit hoffte.

Hatte Liam denn nicht von allem Anfang an
und schon als er sich unbemerkt
aus dem Zeltlager zu seinem Alleingang aufmachte,
verzichtet auf mich?
Auf mich und jeden Beistand?,

hatte er sich nicht schon im Augenblick seines Aufbruchs
vom Clan, von mir und aller Gesellschaft verabschiedet
und gezeigt, daß ich ihm, wohin er jederzeit gehen konnte,
nach wie vor nicht zu folgen vermochte?,
gezeigt, daß ich am Ende
bloß eine Behinderung war, eine Last?
Daß mein Bruder den Gipfel im Alleingang erreichen wollte,
bedeutete doch und vor allem andern:
Laß mich allein.

Als ob die Kälte der Tiefe mir nachwehte
wie die Winterluft einem Heimkehrer,
der aus dem Schneetreiben
oder einer klaren, frostigen Nacht in ein Haus tritt,
folgte mir auf meinem Weg hinab zu jener Talstufe,
auf der ich den Clan und Nyema
wiederzufinden hoffte, ein eisiger Hauch:

Der Wettersturz, den Tsering Dorje
zum Vollmond vorausgesagt hatte,
beherrschte nun das Gebiet der Sommerweiden.

Die Temperatur war gefallen.
Der Wind kam stoßweise aus allen Richtungen
und nahm stetig zu.

Selbst die allernächsten Abschnitte meines Rückwegs
verschwanden manchmal in peitschenden Schneeschauern,
und wenn Böen und Niederschlag für Minuten nachließen,
enthüllten sie nur jäh ins Tal kippende Hänge,
deren von Kräutern und stengellosen Blüten durchsetztes Grün
– in den Zelten des Clans so lange ersehnt und gepriesen –
im Schneeweiß wieder verschwand.
Wehe, wer jetzt allein und ohne Zuflucht
in jenen Höhen war, die hinter mir lagen.

Unwillkürlich, ohne die leiseste Absicht,
ja ohne davor auch nur Atem geholt zu haben,
begann ich nach Stunden des Abstiegs,
in denen ich allein Nyemas Stimme gefolgt war,
zu schreien,
begann vor Begeisterung zu schreien,
als mir durch einen Hagel aus Eisgraupen,

und noch tief unter mir,
die schwarzen Male weidender Yaks erschienen,
winzig, weithin verstreut,
verkohlte Sterne an einem grellweißen Himmel.

Mein Geschrei klang wie eine krächzende Nachäffung
jener alpinen Jauchzer und Jodelrufe,
die einen Überschwang von Gefühl
über Talschluchten hinweg oder aus den Wänden
in sanfteres, bewohntes Gebiet zurückschlagen lassen,
die im Grund aber wohl immer bloß Spielformen waren
einer einzigen, triumphalen Behauptung:
Ich lebe noch, ich bin hier,
hier bin ich, hier!

Die schwarzen Male der Herde waren so fern
(und noch ferner und noch tiefer im Irgendwo
das Zeltlager), daß ich nur im Fernglas
hätte erkennen können, ob das Weidevieh
auf den verschneiten Hängen sich von meinem Geschrei
aus der Andacht des Fressens und Wiederkäuens reißen ließ
und für einen Augenblick die Schädel hob gegen meine Höhe –
oder ob mein Jubel, mein Stimmchen,
ebenso ungehört in den Böen verhallte,
wie in meiner Eiskluft alle Rufe um Hilfe verhallt waren,
alle Rufe nach Liam.

Erst jetzt, in Sichtweite der Rettung,
fühlte ich die Erschöpfung,
war plötzlich wie betäubt von meiner Müdigkeit,
war viel zu müde, um innezuhalten,
den Rucksack zu öffnen und das Fernglas
an die Augen zu heben, viel zu müde,

und stolperte mechanisch weiter, hinab, weiter!,
nur hinab, dorthin, wo ich endlich niedersinken,
ruhen durfte, schlafen,
vor allem aber trinken, trinken,
denn der Durst, der in mir brannte,
war mit Händen voll Schnee
schon seit Stunden nicht mehr zu stillen.

Und dann war es wieder
und doch ganz anders als am Tag
der gemeinsamen Rückkehr mit Liam vom Vogelberg,
Nyema, die mir entgegenkam, Nyema:

eine von Bändern und den Schößen eines Fellmantels
umflatterte Gestalt, die sich aus einem Schneeschauer löste
und inmitten aller stürmischen Unruhe ruhig,
unbeirrbar aufwärts stieg, im Näherkommen
die Arme aber nicht ausbreitete wie ich,
nicht winkte wie ich, nicht lachte,
sondern still blieb, ganz schmal blieb,
als ob alle Aufmerksamkeit allein jener Schale gelten müßte,
die sie vor sich her trug,
einer dampfenden Schale voll Yakbuttertee,
die sie mir endlich reichte, ohne sie loszulassen,
weil meine kältestarren Finger nichts Kleines
und gewiß kein Gefäß mehr zu halten vermocht hätten,
meine vom Krallen und Greifen und Klammern
zerschundenen Finger, die ich nun wärmen konnte
an ihren unversehrten,
die Rundung der Schale nachformenden Händen.

Und ich trank, trank
und fühlte, wie Nyemas Wärme auf mich überging,

mich durchdrang, trank, bis der Durst nachließ
und das Gefäß plötzlich verschwunden,
in den Schnee gefallen war oder geleert, davonkollerte
und wir kein Gefäß mehr,
sondern nur noch einander zu halten hatten

und mein Kopf endlich ruhte an ihrer Schulter
und ich, umarmt, gewiegt von meiner Liebsten,
schlafend beinahe, meine Augen nach einem blinden Kuß
wieder öffnete und einige von den Zelten des Clans
am Ufer eines Tümpels sah, schneebestäubte,
bewohnte, paradiesische Zufluchten,

manche von ihnen mit Gebetsfahnen geschmückt
wie zur Feier des Überlebens in einer eisigen Wildnis,
alle aber beflaggt mit noch schöneren,
verwehenden Fahnen:
Lebenszeichen,
Rauch!

Und mitten unter diesen Heimstätten
von Wärme und Leben, die mir seltsam erhaben schienen,
kauerte klein, lächerlich klein wie eine Hundehütte
zwischen prunkvollen Pavillons, eine Kuppel,
mit Spannschnüren an den Boden genäht
und wohl nur so vor dem Davonfliegen bewahrt.

An ihrer matt glänzenden Oberfläche
fand der Schnee keinen Halt,
und an den Spannschnüren flatterte etwas,
das aus der Entfernung nicht zu erkennen war:
Wimpel?, eine Sturmmaske?
zum Trocknen in den Wind geflochtene Strümpfe?

Dort unten, wie bewacht, behütet
von den Behausungen der Nomaden,
stand das Zelt meines Bruders.

Liam hatte die Pranken des Te-Ri anders gesehen
und die Eisfelder, Wände, Grate und Felsbänder
auch anders *gelesen* als ich, hatte seine Route
an einer Flanke weitab von meinen Irrwegen gesucht
und den Gipfel des Wolkenberges
dennoch nicht erreicht:

Auch ihn zwang die unberechenbare Länge des Wegs
zu einer Biwaknacht und der drohende Wetterumschwung
schließlich zur Umkehr: Noch am Abend
nach meinem Aufbruch zur Suche nach ihm
war er (wie von ihm vorausgesagt) weiter oben im Tal
wieder auf den Zug der Nomaden gestoßen
und hatte mit ihnen ein Lager am Ufer jenes Tümpels bezogen,
um das die Zelte nun einen weiten Bogen beschrieben.
Drogsang nannte Nyema dicsen Ort,
von dem ein kalter Regen den Neuschnee
wieder abzuwaschen begann, *schöne Weide.*

Als Nyema meinen Bruder aus den Wolken
herabsteigen sah, hatte sie die Erscheinung
seiner noch fernen Gestalt minutenlang vergeblich
in meine Rückkehr umzudeuten versucht.
(In den Augen des Clans galt schon ein solcher Versuch
als böses Zeichen, denn an einem, der schien,
was er nicht war, wurden die Ränder seines Lebens
wie Kettfäden in zerschlissenem Gewebe erkennbar.)

Er hat dich ..., er hat deinen Bruder verschont,
sagte Nyema, bevor sie sich aus meiner Umarmung löste

und ich an ihrer Hand
durch das Geröll des letzten Wegstücks
zum Lager am Tümpel hinabzustolpern begann.

Sie schritt so behende voran, daß sie mich
mehr ziehen und stützen als führen mußte.
Ich vermochte nur mit Mühe zu folgen,
aber unsere ineinander geflochtenen Hände
lösten wir nicht.

Verschont?, fragte ich.
Dhjemo, sagte sie, er hat euch beide verschont.

Daß ich in Dhjemos Reich nur auf verlassene Höhlen,
aber auf keine Prankenspuren gestoßen war,
daß auf dem Weg nach Drogsang
nur eine Ziege verschwunden und
(nach den von Kindern entdeckten Blutspuren zu schließen)
wohl in eine dieser Höhlen verschleppt worden war –
Liam und ich aber unversehrt zurückkehren konnten,

hatte vielleicht damit zu tun, daß keiner von uns
den Gipfel des Wolkenbergs betreten
und damit seine Reinheit versehrt hatte,
vielleicht auch damit, daß Dhjemos Wut
über unsere Zudringlichkeit
mit einer verlaufenen Ziege zu besänftigen war,
oder bloß damit, daß Tsering Dorje
mit einem Rauchopfer um Nachsicht
für seine Gäste vom Meer gebeten hatte:

So jedenfalls lauteten Erklärungen, die mir Nyema
an diesem Abend im Zelt ihres Vaters übersetzte,

in dem sich neben dem Heiler Rabten Kungar
auch mein Bruder zu einem Festmahl einfand.
Wir aßen Yakfleisch und Schmalzgebäck,
tranken gesalzenen Buttertee und Reisschnaps.

Vom Alkohol in einen längst vergangenen
Frühlingstag zurückversetzt, begann Rabten Kungar
seine Begegnung mit Dhjemo
in einer monotonen Ballade zu besingen, wiegte dazu
seinen Oberkörper im Flackern des Kochfeuers
wie ein Betender vor und zurück,
öffnete seine fellgefütterte Jacke
und bot den Frauen im Zelt, dann auch den Kindern
seine von Prankenhieben zerfurchte Brust,
damit sie das Relief der Narben befühlten.

Aber die Frauen lachten nur, stießen ihn lachend zurück,
und die Kinder – Tashi und Yishi Lhamos Tochter,
die in einer Pendelwiege wachlagen – fürchteten sich.

Liam war nach seiner Rückkehr
am vergangenen Abend so überzeugt gewesen,
daß dort, wo ich gemäß Nyemas Angaben
nach ihm suchte,
kein Weg auf den Gipfel zu finden war
und mir gar keine Wahl bleiben würde, als umzukehren
und mich gleich ihm wieder dem Clan anzuschließen,
daß ihn mein langes Ausbleiben zwar überraschte,
aber noch lange nicht beunruhigte:

Ich würde gewiß von alleine zurückkommen,
die vielen Erkundungsgänge vor seinem eigenen Aufbruch
hatten doch gezeigt, daß dort oben keine Lawinen drohten,

daß sich in den Höhlen jede Zuflucht
vor dem Wetter finden ließ
und der Fels, bevor er für meine Fähigkeiten
ohnedies unüberwindlich wurde,
leicht zu begehen war.

Ob auch mein Bruder nach mir gesucht hätte?
Gesucht? Bei diesem Wetter? Dochdoch,
irgendwann, gewiß, irgendwann
hätte er sich gewiß auf den Weg gemacht.
Daß ich ahnungslos oder blöde genug sein würde,
um über einen Gletscher zu wandern,
der offensichtlich von Spalten zerrissen war,
konnte doch keiner ahnen.
Hatte Liam mir denn nicht gesagt,
zwei- oder dreimal gesagt, das Eis dort oben
sei eine einzige wartende Falle?

Als mein Bruder die um das Feuer versammelte
Gesellschaft spätnachts verließ
und Rabten Kungar ihm hinterhertorkelte,
riß der Wind an den Zeltbahnen,
aber Regen und Schneefall hatten aufgehört.

Der Mond schien durch Wolkenfronten zu jagen,
die umbrandeten, rauchenden Bollwerken glichen,
Ruinen, in denen er sich verfinsterte
und wieder erstrahlte,
um in einer Folge rasender Auf- und Untergänge
die Trümmer des Himmels einmal mit einer Gloriole,
dann wieder mit zarten Silberrändern zu umgeben.

Nur Bruchstücke von festem Land,
Bruchstücke von Graten, Eisfeldern, Gipfeln

waren in diesem Lichtspiel zu sehen.
Was beschneiter Fels und was Wolke war,
wurde ununterscheidbar.

Stunden später schreckte ich aus dem Schlaf,
weil ich glaubte zu fallen, zu spüren glaubte,
wie eine Kanzel aus Eis, auf der ich gefangensaß,
unter mir nachgab
und sich dem Abgrund entgegenneigte – und erwachte
und begriff in meiner Benommenheit
erst allmählich, daß es Nyemas Hand war,
die mich vor dem Sturz bewahrte
und mich aus meinem Traum zurückzog

in das warme, rauchige Dunkel unseres Zeltes,
in dem ich dann wachlag
und dem Atem der Schläfer lauschte
und dem dumpfen Geräusch lauschte,
mit dem der Wind die Zeltbahnen
bauschte und wieder erschlaffen ließ;
Segel eines gestrandeten Schiffs.

Erschöpft von der vergeblichen Hoffnung auf Schlaf,
streifte ich irgendwann Nyemas Hand ab,
die leicht wie ein Vogel auf meiner Brust lag,
und kroch aus dem Zelt, ohne meine Liebste –
ohne einen einzigen der Schlafenden zu wecken.

Ich erinnere mich, daß der ungeheuerliche Nachthimmel,
der mich draußen empfing, nein, mich überfiel,
und über mir zusammenschlug,
zu einem Laut, einem Seufzer ungläubigen Staunens,
ja des Entsetzens zwang:

Wolkenfronten, Nebelmauern, Dunstschwaden,
alle Spielformen des Wasserdampfs schienen
von einer in Zeitlupe ablaufenden Explosion erfaßt,

segelten, wirbelten aneinander vorüber oder stürzten
lautlos ineinander und verbanden sich dabei
zu immer neuen berstenden, verfliegenden Formen,
die manchmal Ausblicke freigaben auf Grate, Wände,
driftende Gipfel, über denen
von Sternen durchsprengte Himmelskeile
als Funkensträuße zerstoben.

Obwohl der Wind sich in Bodennähe zu einer
unregelmäßigen Abfolge von Brisen besänftigt hatte,
trieben in der Höhe immer noch mondhelle Sturmwolken,
die Felsabstürze enthüllten und gleich wieder verbargen,
schneeige Wandfluchten, die am Ende
zu Dunstschleiern zerrannen oder wie Algen flatterten
in den Strömungswirbeln von Ebbe und Flut.

Über aller Bewegung aber kaum ein Geräusch;
über allem eine Stille, in deren tiefstem Hintergrund
manchmal ein verwehendes Singen, Pfeifen, Orgeln
hörbar wurde, ein symphonisches Heulen, das klang
wie der von atmosphärischen Schichten gedämpfte,
mechanische Lärm des Firmaments.

Und inmitten all dieser Splitter und Bruchstücke
einer beständigen steinernen und einer verfliegenden Welt
öffnete sich plötzlich eine Kluft, ein Fenster,
in dem nun ein seltsam ruhiges Bild stillstand:
Herausgelöst aus der explosiven Dynamik
und in einem Kälteschock zur Ruhe gebracht, gefroren,

ragte in der Ferne plötzlich groß, drohend,
unabweisbar eine Gratschneide auf –
sie führte von einem vergletscherten Sattel
hoch hinauf in die Nacht, bis nahe an den Zenit
und verlief so scharf umrissen wie ein Scherenschnitt
über Zinnen und Scharten, die ich – kannte ...
Zinnen, die ich wiedererkannte!

Denn als hätte sich diese Erscheinung
von einem der Flüssigkristallschirme Liams gelöst
und leuchte nun als monströse Projektion
an diesem zerrissenen Himmel,
sah ich plötzlich jenen Sattel, sah ich jenen Grat,
der sich aus einem Eisjoch
steiler und steiler werdend erhob –
und dessen Abbild ich schon einmal gesehen hatte:
in einer Sturmnacht auf Horse Island.

Durchnäßt und fluchend waren Liam und ich
damals von unserem vergeblichen Versuch,
eine im Sturm schlagende Blechbahn zu bergen,
über die gepeitschten Weiden ins Haus zurückgekehrt,
wo ich auf drei Bildschirmen seines Arbeitszimmers
eine digitalisierte Fotografie schimmern sah
(Liam hatte sie eben erst im Datenstrom entdeckt,
als der Blechdonner ihn aus seiner Versunkenheit riß).

Kein Zweifel, was in dieser Wolkenkluft,
die sich nun weiter und weiter öffnete,
so klar und gleichzeitig so entrückt
wie durch ein umgedrehtes Fernrohr betrachtet erschien,
das war die Wirklichkeit,
die zum Abbild auf Liams Schirmen gehörte,

das war jenes Detail inmitten eines mächtigen,
von Wetterfronten verhüllten Gebirgsstocks,
den ein chinesischer Bomberpilot
in einem triumphalen Funkspruch an seine Bodenstation
als die *höchste Säule der revolutionären Welt* bejubelt hatte,
bevor er in einem Schneesturm über Chamdo verschwand.

Von Zirrusbändern, Eisfahnen
(oder bloß meinem eigenen Hauch?) umflattert,
sah ich den Grat zwischen driftenden,
vom Mondlicht verchromten Wolken in die Nacht ragen,
jenes Rätsel, das uns vom Meeresspiegel
bis zu diesen verschneiten Sommerweiden emporgeführt hatte.
Erst jetzt, hier!, im höchsten Lager des Clans,
zeigte sich sein Verlauf so
(oder nahezu ununterscheidbar ähnlich),
wie er auch in jener Sturmnacht
auf Liams Bildschirmen erschienen war.

Phur-Ri,
hörte ich plötzlich Nyemas Stimme hinter mir.

Ich mußte sie doch geweckt haben, als ich ins Freie kroch.
Sie kauerte vor dem Eingang des Zeltes, und der Mond
in ihrem Rücken wurde in einem Wolkenfenster
(das sich Sekunden später wieder schloß) so blendend,
daß ich den Ausdruck auf ihrem Gesicht nicht erkannte,
als sie für mich oder bloß in einem Selbstgespräch
in meiner Sprache wiederholte: *Der fliegende Berg.*

Dann rief Tashi aus dem Zeltdunkel,
erwacht aus irgendeiner geträumten Angst
oder Verlassenheit, nach seiner Mutter,

und Nyema verschwand.
Und als wollte der Nachthimmel
den Anblick dieses Grates, sein Geheimnis,
nur einer Frau anvertrauen
und nicht irgendeinem schlaflosen Neugierigen,
der sich vom Meer in die Höhe verirrt hatte –
schlossen sich alle Klüfte und Wolkenfenster wieder
zu einer dahinjagenden, nur noch da und dort
aufgehellten Undurchdringlichkeit,
aus der Eisnadeln fielen.

Der nächste Morgen,
an dem nur noch Regen rauschte
und die Wolken bis an das Lager herabgesunken waren,
begann mit Fragen, die ich meinem Bruder
durch das von Wasseradern überströmte Grün
seiner geschlossenen Zeltkuppel zurief:
Ob Liam diesen Grat bereits gesehen habe,
auch so und genauso gesehen habe wie damals
auf seinen Bildschirmen – und wiedererkannt?

Den Gipfelgrat des Phur-Ri? Dochdoch, natürlich,
was war so Besonderes dran?, wir befanden uns
in diesem Lager unserem Ziel ja nahe wie nie,
und mein Bruder hatte erst gestern,
als es nach seiner Rückkehr kurz aufklarte,
von Wellen geriffelte Spiegelbilder des Phur-Ri
sogar auf der Oberfläche des Tümpels
zwischen den Zelten gesehen und mit Steinchen
nach dem im Wasser zitternden Gipfel geworfen,
ja, sogar der Gipfel war in diesem Tümpel
erkennbar gewesen und später, im Fernglas,
auch ein Weg dorthin, eine Route,

die gangbar sein mußte, ein Weg,
der gewiß nicht in der nächsten Gletscherspalte enden,
sondern ganz nach oben und von dort
auch wieder zurück führen würde.

Liam öffnete den Zelteingang,
ohne seinen Schlafsack zu verlassen,
und ich kroch triefend und zum erstenmal,
seit Tsering Dorje mir einen friedlicheren Platz
angeboten hatte, wieder ins Innere der Kuppel.

An der Stelle meines alten Schlafplatzes
lag eine über das Chaos der Ausrüstung gebreitete
chinesische Karte der Gebirge von Kham.
Der Zug von Nyemas Clan,
unser Weg an den Fuß des Phur-Ri,
war darauf mit jenem dünnen Bleistift eingetragen,
mit dem Liam auch seine kargen, oft nur aus Datums-
und Zeitangaben, Temperaturwerten und Höhendifferenzen
bestehenden Journaleintragungen machte.

Er wolle, sagte er, keine Zeit mehr verschwenden
mit einem zweiten Versuch am Wolkenberg,
sondern, sobald das Wetter besser,
vor allem beständiger werde,
die höchste und letzte Stufe dieses Gebirgsstocks ...

... bezwingen?, fragte ich, erobern?
oder mit unserem *Operationsgebiet* ähnlich verfahren,
wie auch Captain Daddy mit seinen Moorhügeln verfahren war
(die einmal erstürmt, dann wieder bloß besetzt
und gehalten werden mußten,
bis ein Manöver zu Ende ging).

Erstürmen? Liam nahm von meinem Angebot
einer versöhnlichen Erinnerung
an unsere Kriege im Moor keine Notiz:
Hallte mir das Gebell unseres Alten
denn immer noch in den Ohren?
Genügte es nicht, einfach weiter und weiter,
immer weiter bis ganz nach oben zu gehen?
Und das alles aus dem einzigen Grund,
weil es dieses Oben tatsächlich gab, diesen Gipfel,

weil dieser Berg da war, einfach da,
vielleicht nur für uns da, für uns beide,
die wir mittlerweile sogar seinen wahren Namen
in Erfahrung gebracht hatten und damit mehr wußten
als jeder Kartenzeichner und Landvermesser bisher.

Nach oben und wieder zurück,
nichts sonst, das war alles –
oder hatte ich etwa nach meiner Nacht
in der Eiskluft alle Lust an der Fortsetzung
unserer Reise vom Meer in die Höhe verloren
und wollte lieber bei Frau und Kind am Kochfeuer,
und Abend für Abend von Yaks in den Schlaf gegrunzt,
darauf warten, daß mein großer Bruder demnächst
mit einer Serie strahlender Fotos vom Gipfel
und dem Bericht von einem geglückten
Alleingang zurückkehrte?

Soviel stand fest: Wenn das Wetter sich besserte,
würde sich Liam mit oder ohne meine Begleitung
auf den Weg zu einem Gipfel machen, dessen Höhe
dicht unter der Siebentausenderisohypse lag
(und wer weiß, eine Nachmessung ergab

vielleicht Hinweise auf einen Wert knapp darüber).
Siebentausend Meter über dem Meer!,
das war für einen Matrosen doch gar nicht so übel,
für ein Meerschweinchen, das wie in einem Laufrad
jahrelang bloß zwischen Maschinenräumen und Decks
auf und ab geklettert war, die unter der Wasserlinie lagen ...

Und wenn, sagte Liam, wenn es schon
nicht der höchste aller Berge war,
der uns erwartete, dann immerhin einer,
der keine Spuren trug, ein unbestiegener Koloß,
und der mochte fliegen, wohin er wollte:
Wir würden ihn einholen
und ihm aufs Haupt steigen,
ach was, er gehörte bereits uns!

Denn die Route, die er gestern
im Fernglas verfolgt habe – eine Gratwanderung
mit einigen Zähnen ohne besonderen Biß –,
war, nebenbei gesagt, einfacher als unser Weg
auf den Cha-Ri, und dieser Weg, sagte Liam,
hat dich doch immerhin
zu deinem Liebchen geführt, war es nicht so?
In welchen Himmel aber würde mich erst
der Aufstieg auf einen Berg führen, der flog?

Sei still, Liam, sagte ich, sei still.

Seit ich den Gipfelgrat des Phur-Ri
(oder was ich dafür hielt)
in den Nachtwolken gesehen hatte,
eine erfüllte Prophezeiung,
die auf den Bildschirmen meines Bruders erschienen war,

hätte es keiner weiteren Überredungskünste bedurft,
um meine Neugier wieder zu wecken.
Der nächtliche Anblick hatte mich gebannt,
als wäre eine jener virtuellen Landschaften,
die sich in Liams digitalen Atlanten
zu tektonischen Wellen erhoben und abrollten,
in einem elektronischen Schöpfungsakt
wirklich geworden;

einer magischen Anziehungskraft folgend,
wäre ich nun sogar (und nicht anders als Liam)
bereit gewesen, notfalls allein aufzubrechen,
um zumindest einen Fuß auf diesen Grat zu setzen,
auf einen Berg, der sich aus der bloßen Vorstellung
zur Wirklichkeit aufwarf.

Aber wenn Liam einen missionarischen Wortschwall
überschwappen ließ in Bereiche,
in denen ich seine Stimme nicht hören
und auch nicht dulden wollte,
wenn er über Nyema sprach
oder über mein Leben mit ihr oder davon,
was ich tun und was lassen sollte,
wurde er zu einem feindseligen Eindringling,
der in mir vor allem eines wachrufen konnte: Abwehr.
Nichts von dem, was dieses sture Großmaul glaubte,
würde ich dann glauben, nichts von dem,
was er vernünftig fand, vernünftig finden,
und ich würde ihm auch nirgendwohin folgen.
Mein Bruder mußte nur schweigen, sollte ich ihn
begleiten; er brauchte nur still zu sein.

Ich habe mit Liam nie über Leidenschaften
gesprochen, nie über Liebesbeziehungen,
nicht über Frauen, nicht über seine Männer,
und auch, was er darüber von mir zu wissen glaubte,
war niemals mehr gewesen als das wenige,
das er davon bemerken und daraus ableiten konnte.
Nyema war vielleicht sogar die erste Frau,
mit der er mich so offen zusammen sah,
und sie hatte nicht nur den Verlauf unserer Reise,
sondern unsere ... Brüderlichkeit? (hieß das Brüderlichkeit?)
vielleicht tiefer beeinflußt als unsere Mutter.

Vermutlich hatte ich in Liams Augen
über meinem Glück, gemeinsam mit Nyema
hier zu sein, am Leben, in diesen Hochtälern zu sein,
völlig darauf vergessen, warum *wir*
von Horse Island hierher gekommen waren,
und vor allem vergessen:
wer mich in dieses Gebirge gebracht hatte
und wer mich von dieser schönen Weide in den Bergen,
von *Drogsang*, auch wieder zurückführen würde
nach Horse Island, ans Meer.

Wenn ich bloßer Statist in Liams Plänen gewesen war,
dann hatte ich mich auf dieser Reise
(seiner Meinung nach gewiß ohne triftigen Grund)
in eine ihm unzugängliche Welt entfernt,
in der ich allein war mit einer Frau, dieser Frau,
und unerreichbar für ihn.

Mein Bruder konnte virtuelle Berge versetzen,
konnte mich wütend machen, schlaflos, besorgt,
aber die Stärke, mich vom Meer zum Gebirge
oder auch nur von einem Ort

zu einem anderen zu *überreden*,
hatte er auf unserem Weg zum Phur-Ri verloren.

Aber was wußte ich schon
von den Absichten meines Bruders?

Fast alles, was ich nun weiß, habe ich in Wahrheit
erst nach seinem Verschwinden erfahren,
aus digitalen Archiven, bevor ich sie löschte,
aus seinen Korrespondenzen, bevor ich sie verbrannte –
hütete Liam doch seine Gefühle, Leidenschaften, Neigungen
wie ein Geheimnis, das er nicht nur vor anderen
(und sei es der eigenen Familie), sondern lange Zeit
auch vor sich selber verbergen wollte.

Empfand Liam für einen der Männer
aus Nyemas Clan jemals Begehren?
Es gibt kein Archiv und keine Erinnerungen,
die eine Antwort darauf zuließen.
Unter den Männern des Clans waren ja nicht nur Alte
wie Tsering Dorje oder der von Narben entstellte
Rabten Kungar, sondern auch Jünglinge,
hochgewachsene Kindmänner,
die mit ihrem kunstvoll geflochtenen, gürtellangen Haar,
ihrem Lachen und ihren dunklen, wachen Augen
viele Bedingungen der Schönheit gewiß ebenso erfüllten
wie Nyema (mit der Liam nur das Notwendigste sprach).

Es war Nyema, die mir bewußt werden ließ,
daß die einzige Quelle der Vertrautheit oder Heiterkeit
zwischen Liam und mir allein aus Erinnerungen bestand –
Erinnerungen an unsere Kindheit in den Cahas,
und daß es nichts gab, worüber wir länger sprechen
und schließlich sogar lachen konnten,

als unsere Manöver, unsere Kriege im Moor,
über unseren Captain und vieles,
was unwiderruflich vergangen
und in Irland begraben war.

Was die Gegenwart anbelangte,
Zeiten, in denen wir unsere Entscheidungen
erst noch treffen mußten, in denen wir
jetzt handelten, lebten – und schließlich starben,
blieben wir füreinander eher Zufallsgefährten als Brüder,
Hausgenossen, miteinander lebend, aber einander
in der Fremde doch fremd geworden.

Was wußte Liam denn von meinen Jahren zur See
und von meinem Heimweh, das nicht bloß Schauplätzen,
sondern Menschen galt, ihren Stimmen, ihren Umarmungen,
den Kosenamen, die Shona für uns erfunden hatte,
dem Singsang ihrer gälischen Schlaflieder
und einer kindlichen Unsterblichkeit,
in der *Tod* etwas war,
das immer nur die anderen traf?

Und ich?, was wußte ich von Liam?,
von seinen Jahren in Städten, von denen
ich bestenfalls Hafenansichten kannte,
was von seiner Entscheidung, aus klimatisierten Büros
wieder zurückzukehren in ein (dem Gehöft
unsrer Eltern seltsam ähnliches) Haus
auf einem umbrandeten Felsen,
auf dem gewiß viele seiner Wünsche,
sein Verlangen noch unerfüllter bleiben mußte
als an Orten, an die er doch einst
aus dem *Moor* (wie er sagte) geflüchtet war?

Wir führten den Grad unserer Verwandtschaft
nur noch dem Namen nach,
ebenso wie Horse Island selbst ein leeres Wort
im Namen trug: die Pferdeinsel,
auf der längst keine Pferde mehr weideten.

Erst bei der Seerettung von Dunlough,
hatte Liam behauptet, habe er seine Kletterleidenschaft
wiederentdeckt, bei einer Gruppe von Freiwilligen –
Bauern, Fischern, Muschelfarmern, die als *Marine Rescue*
den Besatzungen von gestrandeten Frachtern
oder an Klippen zerborstenen Yachten
in einem kentersicheren Schnellboot zu Hilfe kamen,
gelegentlich auch einen Fischkutter mit Maschinenschaden
aus dem Sturm in den Windschatten schleppten,
vor allem aber meinem aus dem Irgendwo
heimgekehrten Bruder
so etwas wie freien Eintritt
in die Küstendörfer eröffnen sollten.

Ein Mitglied der Seerettung wurde schließlich
mit den Bewohnern dieser Dörfer (und ihren Theken)
ebenso vertraut wie mit den Wänden der Steilküste,
den Schlägen der Brandung
und unter der Flut verborgenen Riffen,
mußte aber auch imstande sein, an Seil und Klettergurt
von der Abbruchkante dieser Küste
in einen brüllenden Schlund hinabzuschweben:
Nur so waren manchmal die Toten
eines Schiffbruchs oder Verletzte zu bergen,
die in Felsklüften gefangensaßen, in Brunnen,
in denen das Meer hochkochte wie ein Geysir
und brodelnd wieder zurücksank.

Ich erinnere mich an einen Brief,
in dem Liam von den Opfern eines Unglücks berichtete,
die von den Brechern entkleidet, verstümmelt
und dann von der Strömung in die Tiefe
und hinab in Unterseegrotten gezerrt wurden,
wo sie die Taucher der Marine Rescue
erst nach Wochen oder niemals mehr fanden …

Nur ein einziges Mal hatte Liam mir davon
und von seiner Angst geschrieben,
dem Moor hilflos ausgeliefert zu sein;
gesprochen über diese Angst
(und was ihr vielleicht zugrundelag) hatten wir nie.

Zwei Jahre lang war mein Bruder den Notrufen
zu Seerettungseinsätzen immer wieder gefolgt,
bis jenes Haus, das er auf den Grundmauern
von Ruinen errichtete, fertiggestellt war
und er aus dem Leuchtturm von Dunlough
(der seit der Automation aller Leuchtfeuer leer stand
und den er bis dahin zur Miete bewohnt hatte)
auf Horse Island übersiedelte.

Aber auf seiner, auf unserer Insel
blieb er nun in einem Orkan und in Notfällen
oft selber unerreichbar,
ein von seinen Gefährten und ihrem *Lifeboat*
bis zum Abflauen des Sturms abgeschnittener Retter,
der den glücklichen Ausgang eines Dramas
oder das Ende einer Tragödie
nur am Funkgerät verfolgen konnte
und der schließlich – bei gutem Wetter –
zumeist nur noch an den Proben des Ernstfalls teilnahm,
an einem Vorspiel der Wirklichkeit.

Klettergurte, Seile und Yümarklemmen, Felshaken,
Bohrschrauben, Titankarabiner, Abseilachter,
Klemmkeile, alles, was einen Sturz in den Klippen fangen
und halten oder einem Retter mit seiner bewußtlosen,
jammernden oder toten Last aus der Brandung
wieder nach oben helfen konnte, wurde so
nach und nach zu den Requisiten einer vom Meer
und der Seenot gelösten, wiederentdeckten Leidenschaft
und hing im Haus auf Horse Island neben Äxten,
Angelruten und Hummerkörben in einer
nach Salz und Tang riechenden Ausrüstungskammer
mit großem Blick auf den Atlantischen Ozean.

Eines von den nicht mehr zu lösenden Rätseln,
die mir nach Liams Tod am Phur-Ri geblieben sind,
ist die Frage, ob denn nicht selbst sein Eintritt
in die Seerettung von Dunlough nur eine Brücke
zur Geschichte unseres Vaters war – eine Weiterführung
der gescheiterten Versuche Captain Daddys,
nach der Explosion des Tankers Beteigeuze
aus den Ölbränden zu retten,
was nicht mehr zu retten war.

Denn so wie das zum Himmel lodernde Meer
und die in den Flammen schaukelnden Toten
zum unerschöpflichen, unseren Captain
bis in seine Träume verfolgenden Stoff wurde,
so hatten auch Liams Ausfahrten im Schnellboot
der Marine Rescue zu jenen Erfahrungen gehört,
die ihm bis an den Fuß des fliegenden Berges folgten:

Die einzige Geschichte, die mein Bruder
an Tsering Dorjes Feuer jemals erzählte und

von Nyema übersetzt haben wollte, damit sie im Clan
als *seine* Geschichte überliefert werden konnte,
war die Beschreibung eines Schiffsunterganges
und die daran geknüpfte Geschichte
vom brennenden Meer.

Erst als Liam den Khampas
von der Katastrophe vor Whiddy Island erzählte,
erinnerte ich mich,
daß das orangegelbe Ölzeug, das unser Vater
nach der Verbrennung seiner besudelten Jacke
in O'Sullivan's Shop neu gekauft
und dann eigenhändig mit der Aufschrift
Marine Rescue versehen hatte,

das einzige Kleidungsstück war,
das mein Bruder von Captain Daddy übernahm,
und ich erinnerte mich auch,
daß Liam diese Jacke selbst in jener Sturmnacht trug,
in der sich das Wellblech von seinem Observatorium
löste und mir der Gipfelgrat des Phur-Ri
erstmals auf einem Bildschirm erschien.

Dieser Grat, seine tatsächliche
furchterregende Steilheit, von Wolken gefaßt
und von mondhellen Eisfahnen geschmückt,
ein flüchtiges Bild am Nachthimmel
über dem höchsten und letzten Lager des Clans,
sollte dann auch zu jenem Anblick werden,
der uns beide noch einmal
zu einer gemeinsamen Empfindung
und einer schon verloren geglaubten
Einmütigkeit zurückführte.

Nein, es hätte tatsächlich
keines Überredungsversuches bedurft,
keines Wortschwalls, keines einzigen Arguments,
das Liam mir am Morgen nach dieser Nacht
aus seinem von wirren Rinnsalen überströmten Zelt zurief.

Ich war zu diesem Zeitpunkt längst
und ebenso wie mein Bruder zum Aufbruch bereit
und blieb trotz der Einsprüche Nyemas, ihrer Traurigkeit
und trotz meiner eigenen, niemals ganz zu beherrschenden
Angst vor der Höhe, vor Eisklüften, der Kälte, dem Sturz
dazu entschlossen, diesem Grat nachzugehen,
dem fliegenden Berg, und so einer Spur zu folgen,
die aus Liams matt leuchtenden virtuellen Welten
in die Wirklichkeit führte.

Nyema teilte zwar den Glauben ihres Vaters nicht,
übersetzte mir aber seine Befürchtungen:
Wer den Gipfel eines fliegenden Berges betrete,
gerate in Gefahr, vor seiner Zeit
aus der Welt geschleudert zu werden
oder hinauszufallen in den Raum.

Auch Nyema wollte nicht,
daß ich Liam auf den Phur-Ri folgte,
aber mich bedrängen? beschwören zu bleiben?,
mich halten ...? Auch das wollte sie nicht.

Die Männer des Clans
(Tsering Dorje ausgenommen)
lachten stets zu ihrer Drohung,
mein Bruder und ich würden am Ziel unserer Reise
wie Passagiere eines Wolkenschiffs
auf und davon fliegen.
Auf und davon! Fliegen!

Aber gerade ihr Kichern und Lachen
ließ mir die Ersteigung des Phur-Ri
manchmal als harmlose Verrücktheit erscheinen,
nicht gefährlicher als eines unserer kindischen
Manöver in den Caha Mountains, nur ein Spiel,
das bloß irgendein Vater, irgendein kauziger Alter,
hieß er nun Fergus oder Tsering Dorje,
noch ernst nehmen konnte.

Auch wenn meine Befreiung aus der Eiskluft
für Liam ein unwahrscheinlicher,
zum Himmel schreiender Glücksfall
und für Nyemas Clan
ein Werk barmherziger Götter gewesen war –
seit ich aus eigener Kraft aus der Tiefe
wieder ans Tageslicht zu klettern vermocht hatte,
ohne Seil, ohne den Rat meines Bruders,
selbst ohne die Hilfe des Clans,
fühlte ich mich Liam in einer seltsam heiteren,
allein durch die Tatsache meines Überlebens
begründeten Zuversicht auch auf Gebieten ebenbürtig,
auf denen ich mich bisher ausschließlich
in seiner Spur bewegt hatte.

Denn ob es um eine Route auf den Gipfel
oder um das bloße *Lesen* einer Eiswand ging:
In meinem Vertrauen in die eigene Kraft
fühlte ich mich nun erfahren genug,
um meinem Bruder zuzustimmen
oder ihm zu widersprechen, ja stark genug,
um selbst in der Senkrechten allein
nach meinem eigenen Urteil
einen Schritt zu tun oder zu lassen.

Und so erschien mir auch der gleißende Grat,
der nach vier regnerischen Tagen endlich wieder
in einen aufklarenden Frühlingshimmel ragte,
eher einladend als herausfordernd, verlockend nah,
selbst der Gipfel erreichbar wie nie.
Und doch war es gerade diese Nähe,
die von der wahren Form und Gestalt
des Phur-Ri mehr verbarg als preisgab:

So steil, so nah ragte dieser Berg nun vor uns auf,
daß wir den Kopf in den Nacken legen mußten,
wenn wir unsere Ferngläser gegen den Gipfel richteten.
Aber ob es tatsächlich die Gipfelhöhe war,
was wir sahen, oder nur eine vorgelagerte,
unter Schneewächten begrabene Wandstufe,
blieb auch im Fernglas eine Frage.

Mein Vertrauen in die eigene Kraft
wuchs durch den Umstand noch weiter,
daß Liam (vielleicht ernüchtert
durch sein eigenes Scheitern am Te-Ri)
nun nicht länger entschlossen schien,
sein Ziel unter allen Umständen
und notfalls im Alleingang zu erreichen,
sondern wieder von *unserem* Berg,
von *unserer* Route, *unserem* Vorhaben sprach.

Tsering glaubt, sagte Nyema, daß ihr von Dhjemo und
den Göttern am Wolkenberg verschont worden seid,
weil ihr vom Meer kommt – ohne Familie,
ohne Herde, ohne Erfahrung im Schnee
und deswegen Nachsicht verdient,
aber niemand sollte diese Gnade
zweimal herausfordern.

Und du?, fragte ich, was glaubst du?

Ich glaube, sagte Nyema, daß du hierbleiben sollst,
ich glaube, daß ihr beide hoch genug
und weit genug gegangen seid,
aber ich weiß, daß du weitergehen willst.
Dann lächelte sie, und ich,

ich glaubte, selbst in ihrem Gesicht
einen Anflug jener Unbekümmertheit zu entdecken,
den ich auch in den Mienen der Männer jedesmal sah,
wenn sie über die Pläne der Menschen vom Meer lachten,
über ihre Gier nach dem Gipfel des Phur-Ri
und über das abenteuerliche Vergnügen,
vielleicht mitsamt diesem Berg
davongeweht zu werden.

Der Phur-Ri
hatte sich während unseres Anmarsches
nur in Bruchstücken gezeigt,
gefaßt von schmalen Talöffnungen
und stets umlagert von benachbarten Gebirgszügen,
hatte sich mit jedem neuen Tal,
jedem neuen Ausblick verändert, ja schien sich
vor uns wie in einem langsamen Tanz zu drehen,
als müßte uns ahnungslosen Insulanern
der wahre Formenreichtum der Erdkruste
erst noch vorgeführt werden:

erschien uns einmal als Pyramide,
dann wieder als keilförmig aufragender Koloß,
als zerklüfteter Block, sogar als gleißende Düne
und war über seine wechselnden Gestalten hinaus
doch allmählich zu einer einzigen,
ungeheuerlichen Barriere emporgewachsen, einer Wand,
an der sich der Rest des Gebirges, die Wolken,
aller Raum, der Himmel selbst zu stauen schienen.

Sie rücken heran und türmen sich auf,
hatte Captain Daddy stets eine Ballade
über die Macgillicuddys Reeks zu singen

oder bloß zu pfeifen begonnen, wenn ich
auf dem Weg ins Manöver über den steilen Weg
oder über das Gewicht meines Rucksacks klagte:
Sie rücken heran und tü-hürmen sich auf
und reichen, steh'n wir im Tal, bis an den Himmel.
Nicht verzagen!, nicht rasten!, wir steigen hinauf
und schrauben die Berge zurück in den Sand,
denn jeder Gipfel verschwindet, setzen wir erst
unseren Fuß auf sein Haupt. Vorwärts, Kameraden!,
nur oben, ganz oben führt jeder Weg abwärts
und lie-hiegt uns Irland,
liegt uns ga-hanz Irland zu Füßen . . .

Gehörten die Grate, die Wandstufen, Kamine
und Verschneidungen, die Liam und ich im Fernglas
nach Fallen, unüberwindlichen Hindernissen
und Durchlässen absuchten, tatsächlich
zu jener furchterregenden Himmelsleiter, die ich
im Wolkenfenster einer Sturmnacht gesehen hatte?

Stundenlang saßen wir
nebeneinander im haarfeinen Gras
einer oberhalb des Tümpels gelegenen Kuppe
(von der aus auch das weit verstreute Vieh
am besten zu übersehen war), hielten unsere Ferngläser
wie Betende vor die Augen und sahen doch
immer nur Varianten einer möglichen Route,
eines Weges, dem bloß noch
der Schmuck unserer Spur fehlte.

Ich erinnere mich,
daß wir während einer dieser Betrachtungen,
aneinandergelehnt, Schulter an Schulter,

in der Sonne saßen, um verschiedene Abschnitte
der vor uns aufragenden Wand im Fernglas zu prüfen,
jeder versunken in einen anderen Teil der Route,
als ich durch die Isolierschichten von Windjacke und Flies
die Wärme von Liams Körper zu spüren begann
und abrücken wollte von ihm:
Zu nahe, zu eng wurde mir diese Haltung.

Aber mein Bruder rückte unwillkürlich
in mein Zurückweichen nach,
und um das Gleichgewicht nicht zu gefährden,
erwiderte ich den leichten Druck seiner Schulter,
geriet so in eine fast schwebende Balance,
in der das im Okular zitternde Bild
einer überwächteten Gratstufe dicht unter jener Höhe,
die ich für die Gipfelhöhe hielt,
plötzlich stillstand.

Nyema setzte dem neuen Einverständnis
zwischen Liam und mir, einer Wiederannäherung,
die allein über den Gipfel des Phur-Ri zu führen schien,
nichts entgegen, keine Vorhaltungen, keine Fragen,
keine weiteren Warnungen, dennoch versuchte ich,
ihr (und zugleich wohl auch mir selber)
diese seltsame Einmütigkeit zu erklären,
indem ich sagte, daß ich meinen Bruder
nicht allein gehen lassen könne, nicht jetzt,
wo er vielleicht zum erstenmal in unserem Leben
auf meine Begleitung angewiesen war, nicht jetzt,
wo jenes Ziel, das noch auf Horse Island
kaum von einer Täuschung, einem Trugbild
zu unterscheiden gewesen war, erreichbar,
greifbar vor unseren Augen lag.

Erst an ihrer Verwunderung
über meine Rechtfertigungen merkte ich,
daß ich wohl einer Verpflichtung folgte,
die mich immer noch an das *wahre* Irland,
an das Haus meiner Eltern band:
Jemanden zu begleiten hatte schließlich auch dort
oft bedeutet, sich aus der Nähe
eines Zurückbleibenden zu entfernen.
Denn im gleichen Ausmaß,
in dem unser Vater an seinem Ort festwuchs
und unbeweglicher, unbeirrbarer,
ja unverrückbar wurde, galt für *Fort*gehen
immer auch ein anderes Wort: *Verrat.*

Hatte mich in den vergangenen Wochen
die Tatsache manchmal bedrückt,
daß ich meinen Bruder zurückließ,
wenn ich Nyemas Nähe suchte, so waren es nun
die Vorbereitungen für den Aufstieg zum Gipfel,
die mir das Gefühl gaben, damit Nyema zu betrügen.
Dabei war, was sie mir tatsächlich zeigte,
wenn sie mich umarmte, so einfach wie kurz:
Geh und komm wieder zurück.

Wer diese Grenze überschreitet,
hat mein Haus verlassen und
– ich schwöre! – kommt niemals,
darf niemals wieder zurück!
hatte Captain Daddy gebrüllt,
als Shona ihrem Duffy
nach einer langen, geheimen Liebe
endlich nach Belfast folgen wollte
und ich gemeinsam mit Liam

das Gepäck unserer Mutter (Kartons, Säcke,
Kisten, aber nur einen Koffer)
bis an das Gatter in jener Trockensteinmauer trug,
die unseren Garten und eine abschüssige Schafweide
von der Straße nach Glengarriff trennte.

Die schweren Lasten zu zweit, schleppten wir
Shonas Besitz Stück für Stück aus dem Haus
über den Schotterweg, der sich dieser *Grenze*
zwischen verblühten Hortensienbüschen und
wüst zurechtgestutzten Fuchsienhecken entgegenwand,

schleppten alles so dicht an diese Grenze heran,
daß wir Kisten und Schachteln
wieder ein paar Schritte zurückschleifen mußten,
als Shona das Gatter (dessen Flügel
ins Diesseits der Grenze aufschwangen)
öffnen wollte, um uns für immer zu verlassen.

Der Captain hockte damals
auf dem geteerten Flachdach unseres Hühnerstalls
und hielt eine Schrotflinte im Anschlag,
die er sich aus O'Sullivans Laden
zur Verteidigung seiner Rosensträucher
gegen die Wildkaninchen geliehen hatte.
Und obwohl er aus dieser Flinte noch nie
einen gezielten Schuß abgegeben hatte,
sondern selbst auf dem Höhepunkt seiner Wut
(es war an einem Sonntagabend gewesen)
nach wilden Verfluchungen und Ankündigungen,
nur ein einziges Mal zur Abschreckung
durch das offene Küchenfenster
in die Wolken gefeuert hatte,

gehorchten in dieser Stunde alle, Liam, ich,
selbst der wartende Duffy, seinem Befehl:
Bis hierher und keinen Schritt weiter!

Duffys Lieferwagen stand jenseits des Gatters
am Straßenrand, ein Ford Transit,
dessen fensterlose Seitenwände als Bildschirme
bemalt waren, die auf der Fahrerseite
eine grobe Ansicht der Cahas zeigten, darüber den Mond,
auf der Beifahrerseite dagegen einen nächtlichen Blick
von einem der Gipfel auf das funkelnde Meer.
Unter den Bildern der einen wie der anderen Seite
stand in Schablonenschrift: *Duffy's Fenster zur Welt.*

Der Ford Transit glich so einem riesigen Fernseher,
das Fahrerhaus einem mit Bedienungsknöpfen
bemalten Paneel, und im Inneren dieser Attrappe,
mit der Duffy in Friedenszeiten
auch unser Fenster zur Welt geliefert hatte,
saß der Entführer unserer Mutter bewegungslos,
von der Flinte in Schach gehalten,
einen Ellbogen auf das Lenkrad,
den anderen seltsam unbequem auf die Kante
des heruntergekurbelten Wagenfensters gestützt.

Keinen Schritt weiter!

Shona öffnete das Gatter und überschritt die Grenze,
ohne sich nach dem Captain umzusehen.
Liam und ich aber wagten nicht,
das Gepäck über die Straße
bis an Duffys Lieferwagen zu schaffen,
sondern sahen mit hängenden Armen zu,

wie unsere Mutter sich mit ihrer Habe abmühte.
Eine große, mit einer Wäscheleine verschnürte
Schachtel voll Bücher, die Liam und ich
gemeinsam an die Grenze geschleppt hatten,
vermochte sie allein
nur zu schleifen.

Bleib bloß in deiner Kiste!, brüllte der Captain,
als Duffy Anstalten machte, auszusteigen,
um Shona zu helfen, *bleib bloß in der Kiste,*
beschissener Souper! und feuerte,
feuerte! tatsächlich eine Ladung Schrot
in die Krone des Erdbeerbaumes,
der den Hühnerstall überragte.

In der atemlosen Stille, die folgte,
war das Geräusch zierlicher Blätter zu hören,
die aus der Baumkrone rieselten.
Captain Daddy, der seiner Frau
selbst das Schlachten von Hühnern überlassen mußte,
weil seine Hände, sein Herz, weil alles an ihm
zu weich für das Töten war,
hatte tatsächlich einen Schuß abgefeuert.

Shona schrieb Briefe aus Belfast und faltbare Grußkarten,
die einige auf Chips gespeicherte Takte von Balladen
wie *Danny Boy* oder *Road to Castlehaven* hören ließen,
wenn man sie auseinanderklappte
oder fest ans Herz drückte.

Shona schickte Schafwollpullover, Mützen
und Schals, die sie für Liam und mich strickte,
und an drei Wochenenden im Jahr kam sie allein

oder mit Duffy nach Glengarriff,
um dort mit uns in Eccle's Hotel Muscheln
und Apfelkuchen zu essen
und dann die Seehundkolonie vor Garinish Island
oder den Wasserfall am Hungry Hill zu besuchen –
aber wie der Captain geschworen hatte,
überschritt Shona niemals wieder
die Schwelle zu unserem Haus.

Obwohl ich in den Nächten vor unserem Aufbruch
zum Gipfel in Tsering Dorjes Zelt
und dort an Nyemas Seite manchmal von Eisklüften
und schwarzen Brunnen träumte,
an deren Grund ich gefangensaß,
und obwohl mich noch lange nach dem Erwachen
Vorstellungen verfolgten, die allesamt
den Gefahren unseres Aufstiegs galten,

obwohl Nyema mich manchmal tatsächlich halten,
festhalten und beruhigen mußte, wenn ich träumend
um mich schlug und vergeblich an Felsvorsprüngen
und brüchigen Griffen Halt zu finden versuchte
und dann doch den Abgrund auf mich zuschießen sah,

und obwohl mich allein der Gedanke
an eine Trennung von Nyema
(und dauerte sie bloß die zwei, drei
für unseren Gipfelgang veranschlagten Tage)
auf eine Art schmerzte, die der Wehmut
jener Zeiten glich, in denen Shona
für ihre Flucht an Duffys Seite
zu packen begonnen hatte,
und ich schon vor der Trennung,

vor dem Abschied am Gatter den Verlust
und eine unstillbare Sehnsucht empfand,

mußte ich mir doch eingestehen,
daß ich überwältigt und trotz aller Beklemmungen
manchmal wie berauscht war
vom Anblick des Hochgebirges
und der blühenden, aus dem Schneelicht
und dem Türkis der Gletscher herabfließenden Weiden,
über die Wolkenschatten dahinglitten, Schatten,

die uns in Geschichten,
mit denen Shona Liam und mich
an den Abenden unserer Kindheit
für unsere Folgsamkeit belohnte,
als Flöße gedeutet worden waren,
als silbergraue Elfenflöße,
auf denen die Wiesenblüte und der Sommer
über die Hänge der Cahas ins Land fuhren.

Hier, vor den Zelten der Khampas,
vermochten diese Schatten
an den von Gletschern ummauerten Weiden
sogar aufzufliegen und die Wandfluchten emporzusteigen,
bis sie sich in einem blauschwarzen,
mit Cumuluswolken behängten Himmel verloren.
Hier, aus dem höchsten Lager der Khampas,
führte jeder Blick nur noch höher:

aus der prunkenden Vegetation
mit ihrem Überfluß an Düften,
ins Grün gesprengten Farben und Blütenformen
himmelhoch hinaus über alle organische Pracht

und durch seidig schimmernde Dunstbarrieren weiter
bis in den blendenden,
alles überstrahlenden Glanz des Eises,
das in seinen Kristallen den Sauerstoff, das Aroma,
die Atemluft von Jahrtausenden bewahrte.

Manchmal empfand ich in diesen Tagen
vor unserem Aufbruch auch eine Begeisterung,
vergleichbar mit jener, die mich erfaßt hatte,
als ich im zweiten Jahr nach meiner Ankunft
auf Horse Island Liam zum ersten Mal
in die Alpen begleitet und aus den Wiesen bei Chamonix
(unter einem Himmel genau wie diesem hier)
zu den Eispanzern des Montblanc emporgestarrt hatte:

Ich konnte mir damals nur mit Mühe vorstellen,
was schon am folgenden Tag geschehen sollte
(und geschah): daß ein Mensch, daß *ich!*
aus eigener Kraft aus dem Frühling
und durch Klimazonen und Jahreszeiten,
ja durch die Zeit selbst *zurück*steigen konnte
in die Vergangenheit, in den Winter,
zu den Gletschern empor und in ein Gleißen,
das allein in einer Eiswelt aufflammen konnte,
die das Licht in den Himmel zurückwarf
und nicht für sich behielt, nicht verschluckte
wie die alles Licht verwandelnde,
Licht fressende organische Welt.

Aus Eis, so hatte uns Shona erzählt,
aus Eis seien der Mantel, aller Schmuck,
die Krone und selbst das Herz
jenes hochmütigen Königs gewesen,

der die Sonne höhnisch abwies, als sie ihn
um eine Handvoll Erde und um Wasser bat
und ihm dafür die Farben des Regenbogens,
das Gold des Stechginsters und flammende Sträuße
aus Lichtstrahlen zum Tausch bot.

Aber der Hochmütige zerbrach alle Lichtsträuße bloß
und schleuderte der Bittenden die Splitter ins Antlitz;
er wurde dafür mit der Glut eines Sommers bestraft,
die alle seine aus Schnee gesponnenen Prunkgewänder,
die Eisblumen der königlichen Gärten,
selbst seinen mit Kristallen und Nadelgirlanden
aus Rauhreif besetzten Thron schmelzen
und das Tauwasser zu Flüssen und Kaskaden
zerspringen ließ, die überall dort aufrauschten,

wo eben noch schimmernde Freitreppen, Eispaläste,
Säulengänge und Orchideenbeete aus Eis gewesen waren ...
Wasser! Wasser in solchem Überfluß,
daß selbst die Schwärze der Nacht
sich in den Fluten zu Moorgrund und Erde erweichte,
in der nun das Sternenlicht und das Gold des Ginsters,
das Grasgrün und die Farben des Regenbogens
verschüttet lagen, aufgespart
für gnädigere, wärmere Zeiten.

Aus den Tränen des Königs dagegen,
den die Sonne dazu verfluchte,
seine Kaltherzigkeit über Jahrtausende zu beweinen,
entstanden im Verlauf von Äonen der Trauer
die Meere, der Ozean,
aus dem zur Erinnerung an das flüchtige Eisreich
Nebel empordampften, Regenwolken,

damit die aus ihrem Niederschlag gespeisten
Quellen der neuen Wasserwelt
niemals wieder versiegten.

Auf den Wiesen bei Chamonix
hatte ich mich an Shonas Erzählung
wie an eine Prophezeiung erinnert
und waren mir die Eis- und die Wasserwelt vereint
in einer einzigen, strahlenden Landschaft
und wieder ebenso wirklich erschienen
wie an dem kalten, elektrisch flackernden Feuer
im *Kaminzimmer* unseres Elternhauses,
an dem uns Shona lange vor dem Aufflammen
von Duffys Fenster zur Welt
mit Geschichten belohnte.

An jenem Frühsommertag unter dem Montblanc
war mir die Vertikale, der Weg ins Gebirge
wohl zum ersten Mal als ein Weg
durch die Zeit erschienen.
Denn so leuchtend, so leer
und von allem Leben entblößt
wie in der Eisregion, wie dort *oben*,
war die Welt nicht nur schon einmal gewesen,
sondern würde sie nach Ablauf meßbarer Fristen
auch wieder werden, eine Welt ohne uns,

die ich dennoch gemeinsam mit meinem Bruder
zu durchklettern vermochte –
aus den fruchtbaren Niederungen hinauf ins Eislicht
und aus einer leblosen Stille
wieder zurück, hinab ans Meer.
Erst in dieser Bewegung begannen

die kurze Zeitspanne und die schmale,
von Höhenlinien schraffierte Schicht menschlichen Lebens
so märchenhaft kostbar zu erscheinen
wie in Shonas Erzählungen
oder in den leidenschaftlichen Predigten,
die Liam und ich an der Seite unserer Eltern
jeden Sonntag in der Kirche von Glengarriff hörten.

Nicht nur die Wege unseres Vaters, alle Wege
schienen so in Wahrheit nicht in die Weite,
sondern immer nur in die Höhe oder in die Tiefe zu führen –
selbst als uns Shona in Duffys Kastenwagen
Richtung Belfast verließ und damit ihre Familie
und die irische Sache verriet,
flüchtete sie von den mit Erdbeerbäumen,
Cordylinepalmen und Rhododendren geschmückten
Küstenstrichen West Corks, aus einem Paradies,
in dem sie nach den Worten unseres Captains
doch alles, alles! gehabt hatte,
nicht *hinüber* nach Belfast,
sondern nach Belfast *hinauf*.

Am Tag vor unserem Aufbruch zum Gipfel
wurde das Wetter so windstill und klar,
daß der fliegende Berg sich uns entgegenzuneigen begann
und unwiderstehlich näher rückte.

Liam erwog, nur mit leichtestem Gepäck
und Lebensmitteln für bloß drei Tage loszugehen:
Die Route vom Sommerlager der Khampas
(das er nun nur noch unser *Basislager* nannte)
hinauf zu einem geschwungenen Sattel
und dem dahinter liegenden Grat,

zum Gipfel und wieder zurück
in die Sicherheit des Clans,
mußte innerhalb von drei,
allerhöchstens vier Tagen *machbar* sein.

Allein die Mahnungen Tsering Dorjes,
der ein einziges Mal bis zum Sattel
(aber noch niemals höher) gestiegen war
und schon diesen Abschnitt als lang
und mühevoll beschrieb, vor allem aber
vereinzelte Gewitterwolken, die wir
(in beruhigender Ferne) manchmal
bis an die Kuppel der Troposphäre aufsteigen
und sich dort zu weißen Ambossen verformen sahen,
ließen uns von Wetterstürzen erzwungene Rasttage
trotz des stabilen herrschenden Luftdrucks
zumindest möglich erscheinen.

Und weil wir wollten, was weder an Land noch auf See
und erst recht nicht im Hochgebirge möglich ist:
auf alles gefaßt sein, vergrößerten wir die Last
unserer Ausrüstung und Lebensmittel
(die uns in der Erschöpfung der kommenden Tage
und schon hoch, sehr hoch oben
wie der Felsblock von Sisyphos erscheinen
und uns am Ende dazu verführen sollte,
vieles davon, auch das rettende Zelt,
im Schnee zurückzulassen).

Über die erste Eintragung in jenem schmalen,
kaum die Größe einer Brusttasche einnehmenden Notizheft,
in dem ich die Ersteigung eines Berges,
der flog, festhalten wollte,

schrieb ich als Datum und Verbindung
zwischen der Zeitrechnung, aus der wir kamen,
und jener, die unser Leben in der Höhe bestimmte:

Drogsang, Kham. Erster Mai im Jahr des Pferdes.

Liam hatte sich allein auf den Weg gemacht.
War einfach losgegangen! und war plötzlich
hoch in den Hängen. *Warte! So warte doch!*
Hee!, war einfach losgegangen,
von einem Augenblick zum anderen
und während jener verfliegenden Zeitspanne,
in der ich noch einmal in Nyemas Augen
hinabgesunken war und dort einen Herzschlag lang
geruht hatte, geborgen, unangreifbar, geschützt
vor allem, was uns in der Höhe
über den morgendlichen Nebelfeldern und himmelhoch
über den Sommerweiden des Clans drohen konnte ...

Ging einfach los! Und war schon zu einer winzigen,
in den hellen Blautönen seiner Daunenjacke
schwach leuchtenden Gestalt geschrumpft,
die im Schlagschatten eines riesigen Felsblocks,
höher stieg: *Liam!* Dieser Idiot. *So warte doch!*
War der verrückt geworden?

Als ich aus Nyemas Augen auftauchte und sah,
daß Liam schon beinah verschwunden war,
als ich mich, seinen Namen schreiend,
der blendenden Höhe zuwandte
und ihm zu folgen versuchte,
so schnell das Gewicht der Ausrüstung
und die Hangneigung es erlaubten,
hörte ich in meinem Rücken
wieder dieses Lachen der Hirten

(sahen sie denn nun nicht tatsächlich,
wie ein Verrückter einem anderen nachlief?),
wollte mich aber nicht nach ihrem Spott umwenden,
wandte mich deshalb auch nicht um
nach Nyema, die ich erst viel später
noch immer vor unserem Zelt stehen sah,
in einer Tiefe, die mich nur ihre Gestalt,
aber nicht mehr ihr Gesicht, ihre Augen erkennen ließ.
Liam! So warte doch!

Ich war außer Atem, als ich meinen Bruder
am Rande eines Geröllfeldes endlich einholte,
das schon weit oberhalb des Felsblocks
in der Morgensonne lag.
Als fiele von den Gletschern
nicht das blendende Schneelicht,
sondern reine Finsternis auf uns herab,
wurde mir für einen Augenblick
schwarz vor den Augen, als ich den Kopf hob:
Liam! Bist du verrückt.
Rennt einfach los.

Als die Schwärze so schnell verflog,
wie sie gekommen war, und das Brausen des Blutes
in meinem Kopf leiser wurde,
fand ich meinen Bruder in bester Laune:
Er hielt das Objektiv jener verschrammten
schwarzen Leica auf mich gerichtet,
die er anstatt seiner Digitalkamera
für den Gipfelgang mitgenommen hatte (weil er
in der zu erwartenden Kälte und Feuchtigkeit
der elektronischen Speichertechnik nicht traute
und der Beweis unseres Triumphes am Gipfel
unter keinen Umständen verlorengehen durfte)
– und drückte grinsend den Auslöser.

Das entstehende Bild, belichtet in den Augenblicken
meiner Ankunft, den Augenblicken meiner Wut,
sollte allerdings erst Monate nach Liams Tod
aus dem Entwicklungsbad gezogen werden:
Es zeigte mich atemlos, keuchend,
mit weit geöffnetem Mund, wütend –
in meinem Rücken die Tiefe,
und dort den Tümpel von Drogsang:
einen von aufgeraspelten Wellen getrübten Spiegel,
davor die Zelte, davor die lachenden Hirten
und Nyemas Gestalt,
und alle und alles schon fern …

Es war das erste Bild auf zwei Farbfilmrollen
von unserem *Gipfeltag*, und es ging mit weiteren Bildern
von mir, einigen Porträts meines Bruders
(für die ich den Auslöser drückte),
einigen stumpfen Ansichten des Abgrunds
und einer von Unschärfen verwischten,
per Selbstauslöser gewonnenen Erinnerung
an unsere Triumphpose am Gipfel
nur deswegen nicht verloren,

weil Liam während unserer ersten Rast
auf unserer panischen Flucht vom Gipfel
alle schweren Traglasten, das Seil, die Karabiner,
Felshaken, Yümarklemmen, Eisschrauben,
in seinen Rucksack packte
und mir, dem zu Tode Erschöpften,
nur ein bißchen Kleinzeug überließ –
die Kamera, den Gaskocher, den Beutel
mit Medikamenten gegen die Höhenkrankheit.

Ich habe lange, sehr lange gebraucht,
bis ich diese Filme im Drugstore neben Eamons Bar
in Dunlough entwickeln ließ.
Das Haus auf Horse Island, Liams Arbeitszimmer
war in diesen Tagen bereits völlig leergeräumt,
und ich stand inmitten der Leere, als ich endlich wagte,
den Umschlag mit Negativen und Abzügen
aus meiner Jackentasche zu nehmen und zu öffnen.
Schon das erste Bild zwang mich auf die Knie.

Ich erinnere mich, daß ich plötzlich
auf dem nackten Bretterboden kniete,
der einmal moosig und weich gewesen war
vom hohen Flor des tibetischen Teppichs,
und daß ich begann,
diese Leere mit Fotos zu bedecken,
die ich in Reihen nebeneinander legte
wie eine Patience, ein Kartenspiel gegen den Tod.

Dabei wollte ich unbedingt der Eingebung folgen,
die Stille dieses Hauses um alles in der Welt zu erhalten,
und unterdrückte mit aufeinandergepreßten Lippen
mein Schluchzen und hörte in Liams stillem Haus,
aus dessen Fenstern lautlos an Klippen und Felsinseln
hochsteigende Gischtvorhänge zu sehen waren,
nur den Aufschlag meiner Tränen
auf den matten Oberflächen der Fotos.

Zweiundsiebzig Bilder wurden es schließlich,
die ich ordnete, neu und noch einmal neu gruppierte,
und dabei auf den Knien umkroch
wie in der Hoffnung, Bild für Bild
würde sich dadurch aus der Erinnerung,

aus der Zweidimensionalität erheben und protestieren
gegen die unumkehrbare Richtung der Zeit.

Immer wieder kehrte ich im leeren Haus meines Bruders
zu den ersten Bildern dieser Galerie der Erinnerung
an unseren Weg zum Gipfel zurück,
immer wieder zu jenen Augenblicken,
in denen ich mit aufgerissenem Mund, keuchend
endlich zu Liam hatte aufschließen können:
Bist du verrückt? . . . rennt einfach los!

Es waren dies, so viel und so wenig
kann ich jetzt sagen,
die letzten Augenblicke unseres gemeinsamen Lebens,
in denen ich so etwas wie Groll, Wut
gegen Liam empfand, gegen diesen vermummten,
seine Leica auf mich richtenden,
in Hauchfahnen gehüllten Menschen,
der hoch über dem Lager von Drogsang
auf mich wartete.

Denn meiner Ankunft an seinem Standort
folgten Stunden, Tage, folgten *unsere* letzten Tage
und jedenfalls eine Zeit, durchdrungen
von völlig anderen Gefühlen, die,
so reich und widersprüchlich
sie auch gewesen sein mochten,
doch unter keinem anderen Namen
zu versammeln waren als dem alles beschreibenden,
alles verschweigenden Wort *Liebe*.

Liebe.
Als wären alle Vorwürfe, die ich Liam,

Master Kaltherz, bis zu diesem Tag
und im Verlauf unserer Reise gemacht hatte,
auch alle Zweifel an meiner Entscheidung, ihn zu begleiten,
an eben jener Höhenlinie außer Kraft gesetzt worden,
an der er mich erwartete:

Er drückte den Auslöser, ließ die Kamera sinken,
sah mich an und lächelte, sagte,
er sei bloß ein paar Schritte vorausgegangen,
um das Lager, um unseren Aufbruch zum Gipfel
von hier oben zu fotografieren, wo sich der beste Blick
auf unser Basislager biete, sagte,
ich sei wohl zu beschäftigt gewesen, um ihn zu hören,
fragte ungläubig, ob ich seine Hand an meiner Schulter
denn nicht gespürt hätte, das Zeichen, das er mir gegeben
und nach dem er losgegangen sei,
um als erstes Bild unseres Weges zum Gipfel
meinen Abschied von Nyema festzuhalten,
ein Liebespaar, verschwindend klein vor den Zelten,
ein schönes Bild …

Erst allmählich begann ich zu begreifen,
daß mein Bruder nicht ohne mich aufgebrochen war,
diesmal nicht ohne mich und ausgerechnet zu jenem Gipfel,
von dem wir seit einer Sturmnacht auf Horse Island
manchmal gemeinsam und manchmal
jeder für sich geträumt hatten,
sondern daß Liam mir mit einem Foto
aus der ersten Stunde unseres Weges zum Gipfel
ein Geschenk machen wollte.

Nein, ich hatte Liams Hand nicht gespürt,
ich hatte seine Worte nicht gehört.

Ich erinnerte mich bloß, daß er seinen Rucksack
mit den griffbereit an die Seiten geschnallten Steigeisen
geschultert, die Traggurte festgezogen und dann
einige fast spielerische Sprungschritte gemacht hatte,
um den sicheren Sitz der Last zu prüfen.
Aus diesem Gehüpfe
hatte er sich dann wohl wie zur Probe
und ganz beiläufig dem fliegenden Berg zugewandt
und war unbemerkt einfach los- und mir vorausgegangen,
während ich tiefer und tiefer in Nyemas Augen
hinabgesunken und für alles,
was jenseits unserer Umarmung lag,
blind und taub geworden war:

Die zierlichen, am Tümpel von Drogsang
beinah zu einer einzigen Gestalt verschmelzenden
Figürchen, die ich auf jenem Foto entdecken sollte,
das mich Monate später auf die Knie zwang,
das war mein Abschied von Nyema,
das war ich, das waren *wir*, und ich sah uns,
sah unsere Umarmung zum erstenmal
durch die Kamera ..., durch die Augen meines Bruders.

In zwei Tagen sind wir zurück,
sagte Liam besänftigend, tröstend,
als er die Kamera sinken ließ,
in zwei Tagen bist du wieder bei ihr ...
Und ich erinnere mich, daß mich seine Worte,
sein Tonfall auf eine Art rührten, die fremd war,
ganz neu zwischen uns –
empfand ich doch mit einer plötzlichen,
überwältigenden Heftigkeit, daß Liam, mein Bruder,
vielleicht zum ersten Mal in unserem Leben

an meiner Seite war, ganz bei mir,
daß Liam verstand,
was mich hielt *und* was mich fortzog
und mich so in einer sehnsuchtsvollen Schwebe beließ –
zwischen dem Lager von Drogsang
und den noch fernen weißen Höhen des Phur-Ri,
zwischen der Geborgenheit in Nyemas
von offenen Feuern erleuchteter und gewärmter Welt
und dem Ziel einer Reise, die aus einer brüderlichen,
gemeinsamen Herkunft in die Wolken
und in die Tiefe des Himmels führte.

Mein Bruder und ich hatten uns
auf der Suche nach etwas,
das für mich schließlich in Nyemas Nähe,
für Liam aber immer nur in der Zukunft,
vielleicht im Unerreichbaren lag,
wohl in das Leben des anderen *verirrt*,
ohne falsche Erwartungen und Absichten,
aber doch verirrt – und nun empfand ich
seine tröstende Bemerkung als Zeichen,
mit dem er mir zu verstehen geben wollte,
daß er Nyemas Gegenwart
nicht mehr als eine Störung seiner Pläne,
sondern als mein Glück empfinden konnte,
als das Glück seines Bruders,
den er vom Meer zurückgeführt hatte auf festes Land
und hoch hinauf in ein Gebirge,
in dem er ihn nun doch entlassen mußte.

Und so verwandelte ich mich
unter dem Objektiv seiner Leica, unter seinen Augen,
von einem wütenden Nachläufer

in einen freiwilligen Gefährten,
der seinen Weg wie eine Leuchtspur vor sich sah:
Über den Gipfel! Über den Gipfel des fliegenden Berges
und an der Seite meines Bruders Liam –
zurück in Nyemas Arme.

Denn die höchsten, blendenden Höhen des Phur-Ri
machten unsere Rückkehr, machten alles,
was uns jenseits des Gipfels erwartete,
so kostbar, so deutlich und strahlend,
als würde erst an einem Wegpunkt,
an dem jeder weitere Schritt ins Leere führte,
nicht nur meine Liebe zu Nyema,
auch die Liebe, die ich für meinen Bruder empfand,
klar und unbezweifelbar werden.

Liam, mein Bruder, empfand ich in diesen Augenblicken,
Liam begriff, daß wir einander auf den Gipfel *begleiten*,
von dort aber jeder in sein eigenes Leben zurückkehren mußten.
Und vielleicht stiegen wir tatsächlich
und vor allem aus diesem einen Grund
gemeinsam höher und höher,
weil uns nur der Weg in eine Vertikale,
die durch die Zeit hinab und bis ans Meer hinabführte,
auch in unsere Zukunft führen konnte.

In den Wochen dieser Reise war so viel Trennendes,
Fremdes, ja Feindliches zwischen uns erkennbar
und spürbar geworden und hatte uns bewußt werden lassen,
wie tief die Kluft zwischen uns seit den Manövern in den Cahas
(und trotz unserer Jahre auf Horse Island) geworden war:
Wie oft hatte ich in diesen Wochen meinem Bruder
nicht allein meine Begleitung,

auch die *Brüderlichkeit* aufkündigen wollen –
aber jetzt, hier oben, wo er auf mich wartete,
am Beginn unseres letzten Wegabschnittes
zum Gipfel eines Berges, der flog,
konnte selbst Master Kaltherz endlich zeigen,
wie nahe wir einander *auch* – und immer noch waren.

Vielleicht überrascht davon,
wie sehr sein Trost auch ihn selber betraf
in zwei Tagen bist du wieder bei ihr . . .,
verstaute er ein wenig umständlich (oder verlegen)
die Kamera in einer Seitentasche seiner Daunenjacke,
bevor wir unseren Weg gemeinsam wieder aufnahmen
und uns lachend dem Phur-Ri zuwandten, *lachend*,

denn wie zwei höfliche, etwas linkische Gentlemen
an der Schwelle eines Salons
wollten wir einander plötzlich den Vortritt lassen,
zierten uns, machten einer dem anderen Zeichen
bitteschön . . . , nach Ihnen . . ., aber nein, nach Ihnen!,
voran- und vorauszugehen, und gingen schließlich
fast gleichzeitig und mit jener winzigen Verzögerung los,
die uns zuerst beinah zusammenstoßen –
dann aber doch Liam vorangehen ließ –
und ich folgte ihm, diesmal allerdings so leicht,
so heiter und selbstverständlich wie niemals zuvor.

Ich habe nur wenige, blasse Erinnerungen
an die Beschaffenheit der Route,
die uns zu jenem Sattel emporführte,
bis zu dem auch Tsering Dorje schon einmal gestiegen war,
über den hinaus es im Clan aber keine Erfahrungen mehr gab,
sondern nur noch Erzählungen,

Mythen von einem fliegenden Berg.

Daß sich in meinem Gedächtnis kaum Bilder
von Steilstufen, Felsgräben und Querungen finden,
die wir auf dem Weg zu diesem Sattel überwinden mußten,
hat vielleicht mit der technischen Einfachheit der Route zu tun,
die uns erlaubte, in Gedanken versunken höherzusteigen,
stundenlang über Geröllströme,
moosige, von winzigen Blüten durchsprengte Hänge,
dann die ersten Firnfelder,
rührt vielleicht aber auch von einem
noch nie erlebten Gefühl der Gemeinschaft mit Liam,
das mich gefangennahm und wie in Trance
einen Fuß vor den anderen setzen ließ.

Wir sprachen kaum, waren wie eingesponnen
in unsere Hauchfahnen und unser Atemgeräusch,
und obwohl Liam sich, ohne innezuhalten
und ohne sich jemals nach mir umzusehen,
in weglosem Gelände bewegte, folgte ich ihm
in einem knappen, gleichbleibenden Abstand.
Mein Bruder bestimmte mit der Zahl der Serpentinen
die Steilheit unserer Route,
aber er stieg mir meinen Kräften gemäß
und in meinem Tempo voran.

Nur zweimal tauchte Drogsang noch aus der Tiefe,
erschien am Rand unseres Blickfelds
zwischen Graten, dann unter ragenden Wänden
und verlor sich gleich wieder wie eine Insel
oder wie Treibgut in der hochgehenden Dünung.

Als wir den Sattel am frühen Nachmittag
ohne eine einzige längere Rast erreichten,
hätte ich nicht sagen können,
ob ich in den vergangenen Stunden
Tsering Dorjes warnende Wegbeschreibungen
bestätigt gefunden hatte –
unser Weg hier herauf war, kaum bewältigt,
schon beinah wieder vergessen.

Vor uns öffnete sich nun ein vergletscherter Kessel,
den eine von Eiskaskaden verhängte Wandflucht
beschloß, ein gleißender Damm,
der das Firmament selbst davon abzuhalten schien,
über dem von Spalten zerrissenen Talboden
und über allem Land zusammenzuschlagen
wie ein seiner Strände und Steilküsten beraubtes Meer.

Obwohl wir dieses Stauwerk aus größerer Entfernung
und durch unsere Ferngläser Abschnitt für Abschnitt
so oft geprüft und betrachtet hatten,
nahm uns der Anblick seiner Mauerkronen den Atem.

Über diesen Talboden, über dieses zerklüftete Eis
und durch diese ungeheure Wand
sollten wir zu jenem Grat emporsteigen,
den wir aus der Perspektive von Drogsang
und durch die Okulare unserer Ferngläser als unser letztes
und höchstes Wegstück zum Gipfel begutachtet hatten?

Aber ja doch, sagte Liam, aber ja, nicht mehr heute,
natürlich nicht mehr heute, aber morgen, morgen gewiß.

Heute bin ich überzeugt,
daß wir damals umkehren, unsere Route überdenken,
ein weiteres Hochlager planen und erst von dort aus
unseren Gang zum Gipfel hätten wagen sollen ...
Aber an jenem strahlenden Nachmittag,
an dem ich vielleicht zum ersten Mal tatsächlich
mit meinem Bruder gemeinsam unterwegs war,
dachten weder ich noch Liam daran.

Auch wenn uns über dem erschreckenden,
von keinen Wolken und Nebelschleiern, Vorgebirgen
oder der bloßen Ferne gemilderten Anblick
unseres Berges eine seltsame Bangigkeit erfaßte,
war es doch, als ob die Anziehungskraft des Phur-Ri
wie ein Naturgesetz auf uns wirkte und uns zwinge,
nun ohne die Möglichkeit einer Umkehr, näher,
immer näher zu kommen.
Also gingen, also stiegen, kletterten wir
unserer Bestimmung entgegen.

In der Spur meines Bruders sprang ich
über Gletscherspalten und ging an seinem Seil
über Schneebrücken, die eisblaue Tiefen überspannten,
als hätte ich keine Erinnerung mehr an meine Nacht
in der Tiefe am Vogelberg und auch keine Erinnerung
an meinen Vorsatz, zerrissene Gletscher wie jenen,
der uns nun von den Wänden des Phur-Ri trennte,
nie wieder zu überqueren.

Ohne Zögern setzte ich einen Fuß vor den anderen,
als könne nicht allein das Sicherungsseil,
sondern schon der Schatten meines Bruders
mich bewahren vor verborgenen Abgründen
und einem Sturz ins Leere.

Ich folgte Liams Anweisungen so selbstverständlich
wie auf unseren ersten Begehungen der Klippen
Horse Islands, als er mich, einen panischen Schüler,
der sich zunächst verzweifelt dagegen sträubte,
am Ende doch dazu gebracht hatte,
mich mit beiden Füßen von der Klippenwand abzustoßen
und über die Abbruchkante einer Felskanzel nach hinten
ins Seil und in den Klettergurt fallen zu lassen,
ja! mich mit dem Rücken zur Tiefe fallen zu lassen,
nur damit er mir vorführen konnte,

wie sicher er mich mit nur einer Hand an der Seilbremse
zu halten imstande war und wie glücklich
ein solcher Sturz enden konnte – und ich fiel,
ich fiel und schrie, jauchzte unwillkürlich
vor Erleichterung oder Begeisterung, als ich stürzend
und wohl ähnlich einem Fallschirmspringer
plötzlich den federnden rettenden Zug
des Sicherungsseiles spürte
und im nächsten Augenblick hoch über der Brandung
und eine Armlänge von der Wand entfernt
am Seil meines Bruders pendelte.

Während Liam mir durch das Spaltengewirr
mit einer Entschlossenheit voranging,
als folgte auch er bloß einer sicheren Spur,
und nur manchmal kurz innehielt,
um die Tragfähigkeit einer Schneebrücke zu prüfen,
ließ ich das Seil, das uns verband,
in einer zweifachen Schlinge
um den Griff meines Eispickels laufen,
damit ich diesen Pickel ins Eis rammen
und in einen Anker verwandeln konnte,

wenn mein Bruder plötzlich von einer
im makellosen Firn aufbrechenden Spalte
verschluckt werden sollte.

Aber Liam prüfte kein einziges Mal,
ob ich das Seil gemäß seinen Anweisungen führte,
sondern ging auch jetzt, ohne sich nach mir umzusehen
und ganz im Vertrauen auf mich, voran:
Wer immer von uns beiden ins Bodenlose trat,
wir würden einander vor dem Abgrund bewahren.

17 *In Gefangenschaft. Das Geschenk.*

Wir überquerten den Gletscher auf einer Route,
die mir so langwierig und erschöpfend erschien,
als durchschritten wir das Spaltenlabyrinth,
das im Firn unter unseren Füßen verborgen lag,
tatsächlich in allen seinen Windungen und Irrgängen.

Als wir endlich wieder vereisten, sicheren
Felsengrund erreichten, verschwand die Sonne
hinter den Türmen und Steilstufen jenes Grates,
der unser Weg zum Gipfel werden sollte,
und ließ uns in einer blauen Dämmerung zurück.
Vor Stein- und Eisschlag aus der Wand
durch einen mächtigen Überhang geschützt,
nagelten wir unser Kuppelzelt an den glasigen Grund.

Der Höhenmesser zeigte 6400 Meter.
Nach Liams Schätzung war das ein Wert,
der um mindestens einhundert Meter *über*
unserer tatsächlichen Höhe lag.
Der sorglose Tonfall,
mit dem Liam die Fehlmessung erwähnte,
stand in schroffem Gegensatz zu ihrer Ursache:
Eine solche Abweichung bedeutete,
daß der Luftdruck dramatisch gefallen war.

Aber während wir unsere Vorbereitungen
für eine kalte Nacht trafen, erschienen
ungerührt von diesem bösen Vorzeichen
die ersten Sterne an einem klaren Himmel:
Regulus im Areal des Löwen, 77 Lichtjahre,

und Spica im Areal der Jungfrau, 262 Lichtjahre entfernt.
Liam hatte mir in meinen Jahren auf Horse Island
die Namen und Entfernungen von etwa zwei Dutzend
Sonnen abverlangt, hellen Referenzsternen,
nach denen er sein Teleskop ausrichtete.

Regulus und Spica flackerten an diesem Abend
so übereinstimmend mit leichten Windstößen,
die gegen die Zeltkuppel zu drücken begannen, als wäre
der Wind selbst von ihrem uralten Licht entfacht worden.
Wir häuften einen schützenden Schneewall
um das Zelt, sicherten die Spannschnüre,
lösten die Steigeisen von den Schuhen
und krochen in unsere Zuflucht.

Mich überfiel nach diesen letzten Anstrengungen
plötzlich eine solche Erschöpfung,
daß Liam den Gaskocher in Gang setzen,
Schnee schmelzen, Tee und Suppe kochen
und mich dann auch noch zum Trinken überreden mußte.

Schon nach dem ersten Schluck
konnte ich den Brechreiz nur mühsam unterdrücken,
aber Liam ermunterte mich mit den gleichen
lautmalerischen Zurufen, weiterzutrinken,
mit denen er auch seinen Hirtenhunden während
anstrengender Wanderungen oder während der Treibarbeit
auf den Weiden befahl, ihren Durst aus einem Rinnsal
oder einer Pfütze zu stillen, bevor er sie weiter hetzte:

Schlapschlap! Hee! Schlapschlap! und rief dazu
auch noch jenen Spott- *und* Kosenamen,
mit dem er mir in den Klippen Horse Islands

während unserer ersten Klettertouren
über meine Angst und Muskelschwäche
hinwegzuhelfen versucht hatte: *Mousepad!*
Keine Angst, Mousepad!
Schlapschlap, Mousepad.

Mousepad. Liam hatte mich damals hoch in Felsen
nach jenem Kunststofflappen getauft,
über den vor der Erfindung einfacherer Verfahren
jeder Anwender eines Computers ein Zeigegerät
führen mußte, das etwa die Form und Größe
einer Maus hatte, um im Fenster des Bildschirms
eine Hand, einen Pfeil oder ein anderes Zeichen
seines Willens erscheinen zu lassen.

Und Liam hatte es mit dieser Taufe fertiggebracht,
seinen beinahe zärtlichen Spott sowohl mit der Welt
seiner Rechner und Flüssigkristallschirme
als auch mit dem Patriotismus unseres Vaters zu verbinden,
indem er darin auch noch jenen *Pádraic* verbarg,
nach dem mich wiederum Captain Daddy hatte taufen lassen:

Pádraic, dem irischen, dem wahren, dem einzigen Namen
jenes Heiligen Patrick, der Irland von allen Schlangen befreit
und das erlöste Land dem Glauben
an die Heilige Dreifaltigkeit zugeführt hatte:
Pádraic. Pad. Mousepad.

(Shona hatte unserem Vater nach ihrer Flucht mit Duffy
allerdings noch in einem Brief aus Belfast vorgeworfen,
er habe bei seiner Wahl in Wahrheit
nicht an den Apostel Irlands,
sondern an jenen Pádraic Henry Pearse gedacht,

der in den Osteraufständen 1916 gegen
die britische Herrschaft und für die Freiheit Irlands
gekämpft hatte, dafür vor ein Kriegsgericht gestellt
und in Kilmainham hingerichtet worden war.)
Pad. Mousepad. Mousepádraicpearse. *Schlapschlap.*
Trug ich den Namen eines Helden oder eines Heiligen?

Als ich endlich im Schlafsack lag,
wurde mir so kalt, daß ich erst allmählich,
und wie aus einer Betäubung erwachend, begriff,
daß es meine aufeinanderschlagenden Zähne waren,
deren Geräusch ich hörte, ein unausgesetztes Störgeräusch,
das doch aufhören, endlich aufhören sollte.

Mit jeder Bewegung, mit der ich mich
in meinem Mumiensack in eine wärmere Lage
zu winden versuchte, rieselte ein neuer eisiger Schauer
über meine Gelenke, meinen Rücken, meine Brust,
so, als ob mich kein daunengefütterter Sack,
sondern bloß ein löchriger Fetzen
vor dem beißenden Frost schützte.

Aber dann wurde es warm, behaglich warm,
und ich spürte einen sanften Druck,
der die Daunenfüllungen so eng an meinen Körper preßte,
daß kein Hohlraum mehr für die Kälte blieb,
die nun Atemzug um Atemzug wich.
Erst diese Wärme verwandelte meine Erschöpfung
in eine friedvolle, kindliche Müdigkeit,
und ich meinte, Shona wiege mich in den Schlaf,
glaubte sogar ihr beruhigendes Flüstern zu hören,
aber dann war es Liam, der *schläfst du, Pad?* sagte.

Es war Liam, der mich wärmte,
es war mein Bruder, der mich in den Armen hielt:
seinen geöffneten Schlafsack um die Schulter gelegt
wie einen Krönungsmantel, dessen Schleppe
auf meine Mumienhülle herabfiel
und mich zusätzlich schützte,
beugte er sich über mich, hielt mich,
wiegte mich in seinen Armen.

Als ich irgendwann und in tiefster Finsternis
aus dem Schlaf schreckte, weil ein heftiger Windstoß
die Nadeln unseres zu Rauhreif gewordenen Atems
von der inneren Zeltbahn auf mein Gesicht herabrieseln ließ,
spürte ich Nyema an meiner Seite und drängte mich an sie,
wollte meine Wangen an ihrem Haar trocknen,
wollte sie küssen – und wurde von Liam
vollends geweckt, der mich zurückstieß
und kichernd *ich bin die falsche Braut,*
ich bin die falsche Braut flüsterte.

Beschämt, wie bei einer Unkeuschheit ertappt,
kämpfte ich mich aus meiner Mumienhülle,
wollte in diesem Augenblick nur,
daß Liam weiterschlief und so die Verwechslung
gleich wieder vergaß, und tastete deshalb
ohne Lampe nach meinen Schuhen:
Ein krampfhafter, schneidender Schmerz
in meinen Eingeweiden, der mich vielleicht
schon vor dem herabrieselnden Rauhreif
aus dem Tiefschlaf gescheucht hatte,
jagte mich nun nach draußen.

Endlich im Freien, vermochte ich
nur noch wenige Meter wegzukriechen vom Zelt
und mich notdürftig zu entblößen
und hockte dann zitternd in dichtem Schneetreiben,
während wässriger Durchfall aus mir herausschoß,
einen schwarzen Krater unter mir schmelzen
und mich vor mir selber ekeln ließ.

Außer Atem von meiner Hast in der mageren Luft,
dazu unter Krämpfen stöhnend, ein scheißendes,
in der finsteren Hölle verlorenes Wickelkind,
sah ich, wie dichte, nadelfeine Schneekristalle
den Lichtkegel meiner Stirnlampe durchkritzelten,
Schnee, der dieses Licht zu ersticken begann, Schnee,
der den Sudeltrichter, über dem ich hockte,
wieder tilgen würde, Schnee, in dem alles verschwand,
Ekel, Himmel, Gebirge, die Zinnen der Grate,
selbst die Zeltkuppel, die, obwohl bloß wenige Meter entfernt,
nur mit Mühe wiederzufinden war:

Zweimal kroch ich in die Irre, fand nur Leere,
von Eiskristallen schraffierte Finsternis,
wo doch ein Zelt, Wärme, ein Schlafplatz,
mein Bruder, meine Zuflucht hätten sein müssen,
und wollte schon um Hilfe schreien,
als mir endlich eine der Spannschnüre der Kuppel
zum Leitfaden wurde.

Schlief Liam tatsächlich – oder wollte er mir bloß
meinen Wunsch erfüllen und mir in der Rolle
des Schläfers über meine Beschämung hinweghelfen?
Er atmete gleichmäßig und tief, als ich
meine Stirnlampe endlich löschen und aus der Irre
ins bereifte Dunkel zurückkriechen konnte.

Ich habe niemals erfahren,
ob Liam in diesen Augenblicken schlief
oder sich bloß schlafend stellte, denn er erwähnte
weder am nächsten Morgen noch irgendwann
in den verbleibenden Tagen unseres Lebens,
daß ich ihn mit meiner Geliebten verwechselt hatte.

Der Morgen dämmerte qualvoll langsam herauf,
und ich mußte ihn unter Krämpfen und im Schlafsack
sitzend erwarten, weil ich im Liegen fürchtete,
an der Höhenluft, an meiner Atemnot zu ersticken.
Ich empfand diese verfluchte Luft so eisig,
so sauerstoffarm und dürr wie den leeren Raum
zwischen den Sternen, und sie ließ mich,
wenn ich für Minuten in einen bedrückenden Halbschlaf fiel,
von einem aufgerissenen Mund träumen,
einem Mund so groß wie das Maul eines Wals
und doch nicht groß genug, um meinen Hunger
nach Luft, nach Leben zu stillen.

Das Tageslicht wurde schwärzlich grün,
dann tiefgrün, samtgrün und so unendlich langsam heller
und heller, als müßte die Sonne durch alle Schattierungen
jener Photosynthese emporsteigen, als deren Ergebnis endlich
das Blattgrün leuchten konnte, die erste Farbe des Lebens.
Grün.
Unsere geschlossene Zeltkuppel färbte das Schneelicht,
färbte das Tageslicht, färbte alles Licht grün
und entließ mich mit der Erinnerung an die Blätter
der *gunnera manicata* in die Wachheit,
jene riesenhafte Pflanze, die als *Brasilianischer Rhabarber*
die Gärten von Dunlough neben Kamelien, Rhododendren,
Kohlpalmen, meterhohen Fuchsienhecken
und Bäumen voll bitterer Feigen schmückte.

Groß wie Strandschirme, die Strünke armdick,
konnten die Blätter einer Gunnera selbst Erwachsene
wie Däumlinge aussehen lassen – und trotzdem
sank diese Pflanze Jahr für Jahr wieder in sich zusammen
und vergor zu schwärzlichem Kompost,
um sich daraus im nächsten Frühsommer
größer als zuvor wieder zu erheben.

Ich hatte Nyema ein Foto gezeigt,
das ich als Lesezeichen in einem Band über Kham benützte:
Liam und ich waren darauf unter dem riesigen Schirm
eines Gunnerablattes zu sehen.
Einen mehr als zwei Meter langen Meeraal in den Armen,
posierten wir vor der großen Gunnera
an der Mole von Dunlough und glichen wohl
zwei stolzgeblähten Zwergen, die einen Regenwurm
wie einen Feuerwehrschlauch entrollten
– denn Nyema hatte lachend gesagt, das Bild
erscheine ihr wie aus einem Traum; ein Märchenbild.

Auch den Garten (und später die Wildnis)
vor unserem Elternhaus beschattete eine Gunnera,
aber auf Horse Island hatte Liam vergeblich versucht,
einen Setzling gegen die Westwinde hochzuziehen …

Heimweh?, war das Heimweh, was ich
an diesem grünen Morgen empfand?

Zweimal trieben mich meine Krämpfe
noch ins Schneetreiben hinaus,
und ich sicherte meinen Rückweg mit einem Seil,
das ich vom Zelteingang bis in jenes Nirgendwo legte,
in dem ich mich krümmte

und abmühte mit meiner Kleidung,
bis ich Liams Stimme wie aus großer Ferne hörte;
er rief nach mir und erwartete mich hellwach im Zelt,
bereits damit beschäftigt, Tee zu kochen;
er strich mir den Schnee von Schultern und Rücken,
als ich in die Sicherheit zurückkroch, und fragte mich
in einem Ton, so weich und besorgt
wie einst Shonas Stimme,
Mousepad, bist du krank?

Mein Kopf drohte zu platzen. Mir war übel.
Es stürmte. Der Schnee, dessen Nadeln
nun waagrecht gegen die Zeltwand rieselten
und uns jedesmal, wenn Liam die Kuppel öffnete,
um nach einem Zeichen der Wetterbesserung
Ausschau zu halten, auf den Wangen
und in den Augen brannte,
stieg vor unserer Zuflucht in unruhigen Wellen hoch
wie eine Brandung aus Salz: Kristalle überall, stechende,
durch jede noch so winzige Öffnung eindringende,
brennende Kristalle.
Wir waren gefangen.

In diesem chaotischen, wogenden Weiß
war der Weg zurück in die rettende Tiefe
ebenso verschwunden wie der Weg zum Gipfel;
die Grate und Abstürze des Phur-Ri,
was *unten* und was *oben* war,
die Gesamtheit jenes Berges, der sich eben noch
mächtig wie eine Kathedrale über uns erhoben hatte –
alles verschwunden, alles verflogen.
Es gab nur noch
dieses undurchdringliche, heulende Weiß,

einen Nadelsturm und eingeschlossen darin,
verloren darin unser Zelt
und gefangen darin,
Liam und ich.

Und trotzdem erinnere ich mich an das Gefühl
eines schläfrigen, benommenen Glücks,
das ich immer wieder an diesem Morgen
und während des ganzen Tages
und noch in der darauffolgenden Nacht
unserer Schneegefangenschaft empfand.

Vielleicht lag es an meinen Fieberschüben,
vielleicht träumte ich
die meisten dieser Glücksgefühle bloß,
aber daß ich krank war, bedeutete selbst
in unserer Verlorenheit hier oben,
daß ich befreit war von allen Pflichten, allen Mühen,
befreit von der Plage des Aufbruchs,
von jedem Schritt hinaus
und jedem weiteren Schritt
in die quälende Höhe.

Wie in den Fiebertagen meiner Kindheit,
in denen Shona mich umsorgt, behütet, getröstet hatte,
schwebte ich entbunden von allen Lasten,
selbst von der Last meines eigenen Gewichts,
in einem Dämmerzustand, der mir erlaubte,
sorglos einzuschlafen, nur um mit jedem Erwachen
neuerlich bestätigt zu finden, daß ich nicht allein war.

Hatte ich Durst, bekam ich zu trinken,
hatte ich Hunger, gab Liam mir zu essen,

trat mir der Schweiß auf die Stirn,
wischte eine langsame Hand ihn behutsam fort,
und wenn ich im Halbschlaf
oder in wohliger Müdigkeit seufzte
und mein Bruder glaubte, ich verlangte nach Trost,
sprach er voll Zuversicht über unser lawinensicheres Lager,
über den Wind, der schwächer wurde,
den Luftdruck, der stieg, und Wetterbedingungen,
die sich stündlich verbesserten,
sprach vor allem aber
über unseren bevorstehenden Abstieg
und über die Leichtigkeit unseres Rückwegs nach Drogsang.

Was war das für eine schneeweiße Arznei, die ich Liam
in jenen Becher streuen und darin verrühren sah,
den er mir dann gegen Kopfschmerzen
und gegen die Krämpfe reichte,
ja den er mir sogar an die Lippen führte?
Er hielt dabei meinen Kopf, weil ich,
noch trinkend, schon wieder einschlafen wollte.
Ach, ich durfte, was hier oben so kostbar
wie keine andere Freiheit war, ich durfte ruhen,
ruhen, solange ich wollte, ruhen,
als müßte ich niemals wieder hinaus in den Schnee.

Ich weiß nicht mehr, wie lange es dauerte,
bis mich diese Krämpfe endlich in Frieden ließen.
Aber sie ließen nach.
Der stechende Kopfschmerz verebbte, und irgendwann
und mit jedem weiteren Erwachen deutlicher fühlte ich,
wie meine Kräfte wieder zunehmen konnten,
weil ich den Gewinn nicht gleich wieder verprassen mußte.

Ich durfte ja ruhen, durfte schlafen
und alle Kräfte ungenützt horten.
Selbst die Luft schien wieder nahrhafter zu werden
und meine Lungen wie mit dem Sauerstoff
einer atlantischen Brise zu sättigen.
War auch das bloß ein Traum: daß der innerste Kern
dieses wogenden, kristallinen Chaos, das uns umgab,
unsere Zeltkuppel war?, eine grüne Ruhe,
in der wir verharren durften, bis uns der Phur-Ri
wieder an die Weiden von Drogsang entließ.

Arznei?, fragte Liam, welche Arznei,
er habe den kochendheißen Tee mit einer Handvoll
Schnee gekühlt; das Weiße, das sei Schnee gewesen.

Aber selbst wenn mir mein Bruder tatsächlich Opium
gegen den Durchfall oder ein anderes Rauschmittel
in jenen Becher gerührt hätte (ich wäre schließlich
nicht der erste Erschöpfte gewesen, dem die große Höhe,
Atemnot, innere und äußere Abgründe durch eine Droge
wieder erträglicher wurden), selbst wenn:

In Wahrheit war es wohl vor allem ein Trost,
der mir noch durch den Schlaf ins Bewußtsein drang,
der mir half, mich wieder aufzurichten,
und mich vielleicht sogar heilte:
Wir steigen ab. Wir gehen zurück.

Ich weiß nicht mehr, wie oft,
aber es war gewiß sehr oft,
daß mein Bruder sagte: Wir steigen ab.

Wir müßten, sagte er, bloß abwarten,
bis der Schneefall aufhörte, ach was, wir müßten
bloß warten, bis der Schneefall *nachließ* . . .
Und begann es denn nicht bereits heller zu werden?
Der Wind wurde doch schwächer, es begann aufzuklaren,
wir würden uns also demnächst
auf den Weg machen, zurück nach Drogsang.
In zwei Tagen, in zwei Tagen bist du wieder bei ihr.
In zwei Tagen bist du wieder bei ihr.
Und der Gipfel des Phur-Ri sollte uns nachfliegen!
Dieser Gipfel konnte uns jetzt doch gleichgültig sein,
hier, in unserem grünen Lager, völlig gleichgültig.
Wir waren so gut wie zurück in Drogsang.

Ich erinnere mich an den Tag meiner Krankheit
und selbst an die darauffolgende Nacht,
als ob Tag, Nacht, aller Schmerz und Ekel
in nur wenigen Stunden verflogen wären,
erinnere mich an diese Zeit wie an eine kurze Folge,
ein bloßes Nachspiel jenes Augenblicks,
in dem ich aus den Schneewirbeln
und von Krämpfen geplagt ins Zelt zurückgekrochen war
und dort Liam gefunden hatte, meinen Bruder,
der mich in einer Geborgenheit hütete,
von der ich bis dahin niemals geglaubt hätte,
sie wäre auch in der Verlassenheit
eines Hochlagers noch zu erreichen:

Liam pflegte mich gesund,
indem er mir das Ufer von Drogsang, die Zelte des Clans
vor Augen und das Glück unserer Rückkehr, Nyema!
ins Bewußtsein, selbst in den Schlaf rief,
Nyema, die mir plötzlich so nahe erschien,

als trennten mich von Drogsang nicht der Weg
über einen von Spalten zerrissenen Gletscher
und ein Abgrund von Hunderten Höhenmetern,
sondern bloß wenige, gefahrlose Schritte.

Obwohl ich während meiner langen,
beschwerlichen Rückreise nach Horse Island
oft darüber nachgedacht habe,
ist mir im Grunde bis heute ein Rätsel geblieben,
warum mein Bruder und ich am nächsten Tag,
als die Stunde des beschlossenen
und versprochenen Abstiegs tatsächlich kam,
als der Schneefall nachließ, dann gänzlich aufhörte
und über uns ein tiefblauer Himmel
so groß zu werden begann, daß kein Raum mehr
für Nebelbänke und Wolken blieb . . .,

warum mein Bruder und ich, obwohl alles tatsächlich
und alles genauso eintrat,
wie Liam mir tröstend versprochen hatte,
alles genauso und noch besser:
Windstille herrschte in einem lichtdurchfluteten Hochgebirge,
die beschneiten Gipfel schimmerten wie aus Porzellan,
die Luft war klar und mild und selbst der gefallene Schnee
an manchen Stellen durch den Winddruck so fest,
daß er uns zu tragen versprach:
wir würden wie auf einem von der Brandung
festgehämmerten Sandstrand über die Schneeflächen gehen;
selbst die Wächten und Wellen waren zur Ruhe gekommen
und dienten der Landschaft nur noch als Zierde . . .,

warum wir uns, als sich unwahrscheinliche Hoffnungen
tatsächlich erfüllten, *nicht* dem Rückweg

nach Drogsang zuwandten, nicht der rettenden Tiefe,
sondern der Höhe, dem Gipfel!,
den schimmernden Graten des Phur-Ri,
auf denen sich nun selbst die Eisfahnen gelegt hatten
und verschwunden waren – wie eingerollt und verstaut
nach der stürmischen nächtlichen Parade.

Warum.
Ich empfand eine tiefe Dankbarkeit.
Ich war dankbar, ja liebte Liam dafür,
daß er mich behütet und gepflegt,
daß er Nyemas Nähe beschworen hatte,
vor allem aber dafür, daß er aus Sorge um mich
auf *seinen* Gipfel tatsächlich verzichten
und mich mit dem Versprechen zu trösten versuchte,
er würde, sobald der Schnee uns gehen ließ,
an meiner Seite absteigen und mich unversehrt
zu den Zelten des Clans bringen, zu Nyema.

Ich erinnere mich an den innigen Wunsch,
Liam meine Dankbarkeit zu zeigen
und ihm alle Geborgenheit und mein seltsames Glück
in den Stunden der Krankheit und Erschöpfung zu vergelten.
Beschenken wollte ich ihn!, und ich empfand
etwas wie Erleichterung oder Befriedigung,
als ich noch im Augenblick dieses Wunsches erkannte,
worin mein Geschenk bestehen sollte:
Der Gipfel, es sollte der Gipfel sein.
Ich wollte ihm den Gipfel
des fliegenden Berges schenken.

Jetzt, wo er mich gesundgepflegt hatte
und diese zauberisch schönen Höhen

nicht viel weiter entfernt schienen
als die überhängenden Ränder der Weiden auf Horse Island,
über die wir auf unseren Kletterrouten
Möwen und Wolken hatten hinaussegeln sehen,
jetzt, wo wir unserem Ziel, einer Leerstelle,
einem weißen Fleck, der keine Spuren trug,
so nahe waren wie niemals zuvor,
dem höchsten Vermessungspunkt unseres Lebens,

jetzt war ich es,
der einem Abstieg widersprach
und Liam zu überzeugen versuchte, eine Chance zu nützen,
die sich vielleicht nur an diesem strahlenden Tag bot
und dann in den Schneeschauern der Monsunausläufer
vielleicht verlorenging für dieses Jahr.

Und war der Gipfel
nicht ohnedies ein bescheidenes Geschenk?
Dreihundert, vierhundert Höhenmeter vielleicht
trennten uns noch von unserem Ziel: Bei diesem Wetter
mußten wir doch in wenigen Stunden oben, ganz oben,
und von dort in noch kürzerer Zeit auch wieder zurück sein.

Der Grat, unsere Route, lag in sonnigem Frieden vor uns:
Dort hinauf und dann an einer Felsnadel vorbei
mußten wir gehen, um diesen kleinen Schneesattel
zu erreichen, der doch bereits mehr als die Hälfte
des verbleibenden Aufstiegs markierte, mehr als die Hälfte!
und wie nahe, wie verlockend nahe erschien der Sattel
doch bereits vom sicheren Standort unseres Zeltes.

Und wenn diese Nähe trog
und wir dort hinauf doch länger brauchten,

konnten wir immer noch kehrtmachen und dann
schon am Nachmittag wieder in Drogsang sein.

Wenn wir das Zelt und den Großteil der Ausrüstung
hier zurückließen, würden wir leichtfüßiger,
schneller werden und konnten das Zeug
bei unserer Rückkehr vom Gipfel entweder
für eine erholsame Nacht noch einmal nützen
oder auch gleich weiter absteigen,
selbst lange nach Sonnenuntergang,
denn die kommende mondhelle Nacht
mußte ebenso klar werden wie dieser strahlende Tag.
Waren wir im vergangenen Jahr
denn nicht auch vom Montblanc
(und auf einer schwierigeren Route als dieser hier)
im Mondlicht abgestiegen?

Wie unerträgliche Schmerzen
oder berauschende Glücksgefühle an ihrem Ende
rasch verblassen und in alter Deutlichkeit
erst wieder erinnerbar werden, wenn sie sich
von neuem nähern, vermag ich mir heute
nur noch schwer vorzustellen, mit welchem Eifer
ich Liam zu überreden versuchte, meinetwegen
nicht auf den Gipfel zu verzichten, sondern *auch*
meinetwegen den Weg fortzusetzen nach oben.

Denn in der Begeisterung über meine Genesung
und über meine zurückgekehrte Kraft
sah ich keinen Widerspruch mehr zwischen
der Sicherheit von Drogsang, meiner Rückkehr zu Nyema,
und einem weiteren gemeinsamen Aufstieg –
unter diesen glücklichen Verhältnissen war beides

vielleicht innerhalb eines einzigen Tages zu erreichen
und ich brauchte keine Wahl zu treffen.
Wir mußten bloß die Gelegenheit nützen.
Und wir nützten sie.

Daß Liam meinen Vorschlag nur zögernd annehmen
und meiner *Auferstehung* (er verwendete in seinem
Zweifel tatsächlich ein Wort Captain Daddys)
nicht recht glauben wollte, verstärkte meinen Eifer nur,
auch weil ich fühlte, wie sehr ihn die Aussicht beflügelte,
das bereits aufgegebene Ziel doch noch zu erreichen,
aber ich bin sicher:
Hätte ich geschwiegen – mein Bruder
hätte den Gipfel mit keinem Wort mehr erwähnt,
sondern sich ohne einen weiteren Blick nach oben
der Vorbereitung des Abstiegs zugewandt.

Nyema hat mir in den ersten Wochen nach Liams Tod
oft und manchmal mit einer Heftigkeit widersprochen,
die mir neu war an ihr; trotzdem
konnte ich mich von einem Gedanken nicht befreien,
der mit der Unerbittlichkeit einer Steinmühle
jede andere Sichtweise zermahlte
und mich einen immergleichen Satz denken, murmeln
und träumen ließ: *Ich habe meinen Bruder getötet.*
Noch jetzt, auf meinen längst sinnlos gewordenen
Kontrollgängen über das Anwesen und die Weiden
auf Horse Island (es bleibt nun ja nichts mehr zu tun),
quält mich der Gedanke, daß ich meinen Bruder,
indem ich ihm den Phur-Ri zum Geschenk machen wollte,
nicht behütet habe, wie er mich behütet hat,
sondern getötet.

Wir ließen also das Zelt und darin vieles zurück,
was damit für immer verloren war,
und fanden auf dem weiteren Weg zum Gipfel
zunächst alles so, wie wir erwartet hatten:
den Grat hinauf zu dem kleinen Sattel nahezu blankgeweht
und leichter zu klettern, als er im Fernglas erschienen war.
Wir brauchten dafür keine zwei Stunden
und gingen dann selbstverständlich weiter.
Wir würden bald oben sein.
Der Himmel blieb strahlend.

Als ich erkannte, daß meine Kräfte
vielleicht doch nicht so groß und dauerhaft waren,
wie ich am Morgen möglicherweise
doch bloß geträumt hatte,
und daß ich sie ebenso rasch wieder verlieren konnte,
wie ich sie mit Liams Hilfe zurückgewonnen hatte,
schien aber der Weg nach oben
bereits kürzer zu sein als der Rückweg
zum Zelt und in die Tiefe.

Dazu blieb die Route, wenn man um keinen Meter,
um keinen Meter! abwich von ihr,
ohne große Schwierigkeiten, blieben Abgründe,
überhängende Steilstufen, vereiste Kamine
nur Drohungen neben dem richtigen Weg.
Auf verschneiten, flacheren Passagen
trug selbst der Schnee wie erhofft.

Also verschwieg ich Liam meine wachsenden Mühen
und langsam zurückkehrenden Leiden:
sie würden, sie mußten ja bald ein Ende haben,
verschwieg die Plage der Atemnot, auch die Versuchung,

alle paar Schritte, dann nach jedem Schritt, innezuhalten,
verschwieg den quälenden Durst, der mich jetzt
eine Handvoll Schnee nach der anderen fressen
und selbst in dieser Eisstarre manchmal das Plätschern
von Rinnsalen hören ließ, von unmöglichem Schmelzwasser,
dessen Rauschen anschwellen konnte bis zum Tosen
einer Brandung, einer Süßwasserbrandung, die irgendwo
dort oben, gegen den Gipfel? schlug ... Nicht innehalten!

Dieser Durst war mit einem Schluck aus der (fast leeren)
Thermosflasche ohnedies nicht zu löschen,
wir mußten gleich oben sein,
nur dort wartete die Erlösung, dort oben
würden wir die geleerten Flaschen
wieder mit Schmelzwasser füllen.
Am Gipfel gluckste, brauste, toste ein Süßwassermeer.

Wer von uns beiden trug den Gaskocher?
Trug Liam den Gaskocher? Nicht innehalten!
Jede Atempause, jede Ruhepause, jeder Schluck,
der die Ausgedörrtheit nur befeuchten,
aber nicht lindern konnte, bedeutete bloß
eine Verzögerung der Erlösung, die allein
dort oben, am Gipfel, zu finden war.

Seltsam, die Vorstellung,
daß dieses spurenlose Weiß,
die Leerstelle, unser Ziel ...
vielleicht doch schon besetzt war –
von thronenden Göttern, Eisgeistern, Dämonen –
aber wer immer diesen Gipfel beherrschen konnte,
ohne ihn je betreten und ohne auch nur
die geringste Spur hinterlassen zu haben,

der lachte jetzt wohl über uns,
der spielte mit uns!

Gewiß!, da spielte doch einer
mit mir und meinem Bruder Liam,
da zog einer an Schnüren, zog den Gipfel
einmal vor uns zurück, ließ dann wieder los
und ließ den Gipfel von neuem auf uns zutreiben,
einmal in weißer kristallener Klarheit,
dann wieder von Nebelfetzen, von Wolken
und Eisfahnen verhüllt.

Wolken ...? Nebel? Eisfahnen?
Ach was, das waren doch keine Eisfahnen.
Das waren keine Nebelfetzen, keine Wolken.
Das war bloß Beschlag! Der eigene Atem
beschlug meine Gletscherbrille, das war alles.
Das eigene Keuchen!
Der Himmel war schwarz oder blau, jedenfalls klar
und uns nach wie vor gnädig, *gütiger Himmel!*
Gott beschütze dich! Gütiger Himmel!

Und selbst wenn dieser gütige Himmel
und dieser Scheißgipfel,
der jetzt wieder mit einem Satz zurückschnellte
und uns mit diesem Rückzug verhöhnte,
selbst wenn dieser Scheißhimmelsgipfel
vor unseren Augen auf und ab tanzte,
einmal wie die Heilige Jungfrau erschien
und gleich wieder verschwand:

Er würde uns nicht mehr entkommen,
Liam und ich, wir würden ihn einholen,

dieser Himmelsscheißgipfel entkam uns nicht!, mir nicht!
schließlich sollte er ja nicht bloß ein Geschenk
für meinen Bruder sein, sondern auch mein letzter,
der letzte Gipfel, den ich erstieg,
der letzte, den ich mir einfing!
Ich hatte genug von der Höhe gesehen.

Jetzt wollte ich, jetzt durfte ich gleich ..., gleich durfte ich
wieder zurück und wieder hinab ans Meer,
hinab an den Strand dort oben. Nicht innehalten!
Das Tosen war jetzt von betäubender Stärke,
rauschendes Süßwasser, trinkbare Brandung.
Wir mußten gleich oben sein.

Ich erinnere mich, daß meine flackernde,
dann wieder schwelende, glosende Verwirrung
manchmal nachließ
und für einige Atemzüge sogar ganz verschwand.
Dann glaubte ich, alles wieder klar
und unbezweifelbar vor mir zu sehen, und war überzeugt,
daß Liam mich für das tapfere Verschweigen
meiner zurückgekehrten Leiden belohnte,
indem er mir langsam,
unendlich behutsam voranstieg.

Ich vermochte ihm immer noch (wenn auch
in wachsendem Abstand) zu folgen.
Wurden wir nicht von ein und derselben Kraft angezogen?
Oder war das Gier? War das diese Gier, die ich so lange
für eine von Liams Schwächen gehalten hatte?
Die Gier nach einem untrüglichen Ende des Wegs,
nach jenem Punkt, an dem jeder weitere Schritt
nirgendwohin als ins Leere führen konnte ...

Waren wir dem Gipfel schon so nahe gekommen,
daß seine Anziehungskraft keine Umkehr mehr zuließ?

Nicht stehenbleiben. Nur keine Wurzeln schlagen
in diesem steinharten Schnee ..., oder war das Eis?,
eine vereiste, beschriebene Tafel?, eine Schultafel
aus Marmor, wirr geädert von den Wurzeln,
die wir in dem Augenblick schlagen mußten,
in dem wir haltmachten. Wurzeln,
die uns zum Gipfel vorankrochen ... Marmor?
Liam, der gefiel mir!, der kroch diesen Wurzeln nach
und sagte dazu Gedichte auf,
der sang!

Sollte ich auch singen? Wir waren doch Brüder.
Aber wie sollte sich einer denn an Strophen
und Gedichte erinnern,
wenn zehn oder zwölf Meter über ihm, dort,
wo mein Bruder jetzt war, plötzlich
ein Steinhagel losbrach, faustgroße Hagelschloßen,
von denen mir zwei oder drei
auf den Handrücken schlugen.

Wollte Liam mich töten? Ach, unter seinem Fuß
mußte wohl ein Gesims, ein Tritt weggebrochen
und zu diesem Hagel zerfallen sein ...
Dort, wo Liam jetzt war, beinahe am Gipfel,
konnte der Arme doch gar nicht sehen, nicht wissen,
was so ein Hagel anrichtete, so ein Hagel
in der heiligen Zeit kurz vor dem Gipfel!
Nichts hatte Liam gesehen,
nichts von den Auswirkungen dieses Hagels,
mein armer Bruder.

Jetzt rief er nach mir.
Was sollte ich also anderes zurückschreien als
alles in Ordnung, nichts passiert,
alles bestens, ich bin gleich da!
Mein Handschuh war nicht zerrissen,
und in seinem Inneren spürte ich nur warmes,
trinkbares Wasser, kein Blut. Was sollte ich sagen?
Wir mußten doch weiter, jetzt,
wo eine weiße Bandage für meine zerschlagene Hand
dort oben, am Gipfel lag, alles,
alles lag dort oben für uns bereit.

Der Gipfel.
Das war also der Gipfel,
was sich irgendwann vor uns zu erheben begann,
eine weiße Faust, die sich ballte
und langsam höher stieg?

Dochdoch das mußte der Gipfel sein,
denn dahinter prangte nur noch ein finsteres Blau,
in dem Sterne blinkten.
Das Blaue, das war der Himmel.

Was für eine Erleichterung, als ich endlich erkannte,
daß der Gipfel nicht hoch unter diesen Sternen,
sondern in Wahrheit bereits viel näher lag, tiefer,
und daß die grellweiße, erhobene Faust
nur Wasserdampf war, eine Schneewolke,
nur die Kuppel eines Wolkenturms, der langsam,
genau im erlahmenden Rhythmus unserer Schritte,
über die Schneide des wahren Gipfelgrats emporwuchs.

Wie zart, hauchzart die Linie verlief,
die den Gipfelgrat von diesem Wolkenturm trennte
und unterscheidbar machte,
was Berg und was Wolke war.

Ich konnte nicht anders, ich mußte grinsen.
Nicht nur wegen der Atemnot, auch
weil eine Linie, so hauchzart, so unendlich fein,
bloß ein Spinnfaden,
den ungeheuerlichsten Berg meines Lebens
vom leeren Himmel trennen konnte,
abschneiden konnte ...

Ich grinste so breit, daß ich spürte,
wie sich Eisschuppen aus meiner Grimasse lösten
und mit einem weithin hörbaren Klingen
auf die Spur meines Bruders hinabschneiten.

Grinsend, den Eispickel mit meiner
von Wärme umflossenen Hand
wie einen Spazierstock umklammernd,
stolperte ich auf diese hauchzarte,
schimmernde Schneide zu.

Das Gras auf Horse Island steht hoch
in diesem Februar, aber die Weiden sind leer.
Die Böen rupfen aus den Kronen der Kamelienbäume
blutrote, weiße und blaßrosa Blütenblätter,
lassen sie in Schwärmen aufflattern und treiben dann,
Schwarm um Schwarm, hinaus in die Leere.
In der Nacht gleiten die Lichtkegel
des Leuchtturms von Dunlough
manchmal über Gischtvorhänge, die haushoch
über küstennahen Riffen emporsteigen
und wieder lautlos zurücksinken
in die Finsternis.

Ein mildes Frühjahr: Schon am Dreikönigstag
standen die roten Kamelien in Blüte,
und nach ihnen blühten auch die weißen
zwei Wochen früher als sonst.
Der Wind läßt, was er von den Bäumen reißt
und über die Weiden verstreut, nicht lange liegen,
sondern sammelt Zweige, Blätter, Blüten,
kaum daß er sie ausgesät hat, wieder auf
und wirbelt sie abermals hoch, bis er sie endlich
über die von Brombeergestrüpp und Stechginster
überwucherten Steinmauern in jenen Abgrund wirft,
aus dem mein Bruder und ich auf so vielen,
nach dem Steinbutt, dem Seehecht und Kabeljau
benannten Routen emporgeklettert sind,
immer wieder empor, bis hierher, bis an jenen Rand,
der für uns Himmelsrand und –
bis zu unserem Aufbruch nach Kham –
Ersatz für schroffere Höhen war.

Jetzt steigen Trauerseeschwalben,
Mantelmöwen und Sturmtaucher,
die Schwingen im Segelflug wie erstarrt,
hoch über alle Ausstiege unserer Kletterrouten hinaus,
prüfen die Graswellen der Weiden mit ruckenden Köpfen,
drehen ab und lassen sich mit einem Schrei
(den ich als Begeisterung deute)
zurückfallen in die Tiefe.

Das einzige, kurze Straßenstück der Insel
führt nun wieder unbeobachtet
von sturmsicher versiegelten Kameras
vom Haus zur Mole hinab.
Die Bildschirme sind erloschen: verkauft
oder zum Verkauf verpackt, lagern sie
wie die Teleskope, wie das restliche Mobiliar,
wie die Bücherkisten und die Teppiche,
mit ihren zu Endlosschleifen geknüpften Ornamenten –
verschneiten Bergketten, Flußmäandern, Yakkarawanen –
im Schuppen hinter Eamons Bar.

Ich gehe durch das geräumte Haus,
täglich, stundenlang, immer wieder über die leeren Weiden
und hinab zu den dornenbewehrten Steinmauern,
steige jeden Tag über das Dickicht hinweg,
stehe endlich am Rand des Abgrunds
und verfolge im Fernglas
die davonjagende Küstenlinie Irlands
bis sie sich im Brandungsstaub verliert.

Manchmal zwingt mich der Wind,
das Glas abzusetzen, um mein Gleichgewicht zu halten,
zwingt mich, dem Meer den Rücken zuzukehren,

und zeigt mir so einmal mehr das Haus auf der Anhöhe,
mein Haus, die Kamelien-, Myrten- und Erdbeerbäume
und alle mein Erbe schmückenden,
von Liam gepflanzten Sträucher,
die mir von dort oben zuwinken und sich biegen
und verneigen unter dem Winddruck,
mir sogar Kußhände zuwerfen,
als sollte mir ihre immergrüne, vom Salz
der landeinwärts gewehten Gischt gefährdete
Schönheit noch einmal vorgeführt werden,
ehe ich verschwinde von hier.
Ich werde mich auf den Weg machen.
Ich gehe.

Noch aber muß ich warten, warten,
wie Liam und ich in den vergangenen Jahren
immer wieder gewartet haben, manchmal tagelang,
bis das Meer zwischen Horse Island und Dunlough
im nachlassenden Wind wieder befahrbar wurde.

Gegen den Wind gestemmt, gehe ich hinab zur Mole,
über die Weiden und immer wieder
bis an den Rand des Abgrunds und zurück zum Haus,
in dessen Glasschiebewänden ich sehen kann,
wie mein Spiegelbild auf mich zukommt.

Was geschieht,
wenn ein Mensch seine Entschlüsse gefaßt,
alle notwendigen Vorbereitungen getroffen hat
und einen ersten Schritt tun will, seinem Ziel entgegen,
und was, wenn er endlich
einen Fuß vor den anderen setzt?

Auf der Suche nach einer Beschreibung jener Leiden,
die einen Lungenatmer erwarten, der sich auf den Weg
ins Hochgebirge und in große Meereshöhen macht,
haben Liam und ich in gedruckten und digitalen
Nachschlagewerken und immer wieder im Netz,
nicht nur Darstellungen von Störungen
der Gehirnfunktionen gefunden,
der Gefahren der Hypoxie
und einer tödlich erhöhten Herzfrequenz,
der Verdickung des Blutes –
und generelle Beschreibungen aller Wege
in die höheren Schichten der Atmosphäre
als eine allmähliche Annäherung
an den Siedepunkt unserer Körperflüssigkeiten,

wir sind dabei auch auf Bilder
von neurophysiologischen Prozessen gestoßen,
die schon einen einzigen unserer Schritte
(sei es einer in die Höhe oder in die Tiefe) als ein
ebenso komplexes wie rätselhaftes Drama erscheinen ließen,
das selbst die leidenschaftlichsten Forscher
nicht vollständig zu erklären vermochten.

Denn dieser eine Schritt, dessen Anfänge
in den subkortikalen Arealen unseres Gehirns
verborgen liegen, in denen als erster Niederschlag
unseres *Willens* ein elektrischer Impuls entsteht
(der die assoziativen Rindenfelder durchhuscht,
Bereitschaftspotentiale aktiviert und
in den Basalganglien des Kleinhirns Muster
und Bewegungsprogramme abrufen kann,
die über supraspinale Schaltstellen endlich
jene motorischen Ausgänge erreichen,
an denen die Muskelkontraktion gesteuert wird ...),

dieser eine Schritt, scheint im Zeitraffertempo
an so viele Stadien der gesamten Evolution zu rühren,
daß selbst die mit ihm verbundenen Veränderungen
im molekularen Bereich (etwa die lawinenartige
Zunahme der Ionenleitfähigkeit in den Zellmembranen
oder das an den Synapsen der Nervenzellen meßbare
Wunder der Verwandlung eines elektrischen Signals
in einen chemischen Prozeß und seine Rückverzauberung
durch Neurotransmitter in ein rein elektrisches Geschehen)
wie eine Zusammenfassung der Erhebung des Menschen
aus dem Tierreich erscheinen.

Schritte.
Wie primitiv wirkten die binären Abläufe
in Liams Computern gegen das Drama
eines einzigen Schritts ...,
Steinzeittechnologie, sagte Liam, *Steinzeit!*,
wenn er seine Programme
in den Tagen unserer Vorbereitung
auf die Atemnot in den Meereshöhen Tibets
mit den Mysterien des Organismus verglich.

Jeder meiner Schritte über die Weiden Horse Islands
bringt mich nun den schwarzen Zelten von Nyemas Clan näher.
Ich weiß, daß Nyema mich erwartet –
nicht in Drogsang, der Winter hat das Leben
aus der Höhe der Wolken wieder zurückgeschlagen
in tiefere Lagen, aber an irgendeinem anderen Punkt
jenes Weges, auf dem der Clan im Jahresverlauf
der Vegetation folgt und höher und höher zieht,
den unbetretbaren Schneegipfeln entgegen –
und im Herbst wieder in die Täler zurückkehrt,
in eine *Tiefe*, in der irgendwo,

fern und unerreichbar wie die Sterne,
das Meer liegt.

Nyema erwartet mich.
Ich habe versprochen wiederzukommen:
Ich würde die Nachricht von Liams Tod
ans Meer hinabtragen und dabei
dem Beispiel Nyemas folgen, als sie die Nachricht
vom Tod ihres Mannes am Nangpa La
zu den Zelten des Clans zurückgetragen hatte,
damit Tashis Seele nicht länger umhüllt
von einer verbrauchten, verlorenen Gestalt
in Herzen und Erinnerungen gefangen blieb,
sondern ihre Wanderung fortsetzen konnte.
Nach diesem letzten und größten Dienst,
den ein Lebender einem Toten erweisen kann,
würde ich zurückkehren.
Zu ihr.

Eamon hat heute morgen in einem Funkspruch angeboten,
mir die *Marine Rescue,* Liams alte Gefährten,
in ihrem *Lifeboat* zu Hilfe zu schicken
und mich so von Horse Island zu erretten
wie einen Schiffbrüchigen.
Aber ich kann warten.
Ich habe Lebensmittel. Und ich habe Zeit.
Ich stemme mich gegen den Wind,
schreite mein Erbe ab, den Verlauf des Abgrunds,
die leeren Räume, die kurze Straße zur Mole,
die Weiden.

Bei der Räumung des Hauses sind Dinge aufgetaucht,
die ich schon längst verloren glaubte:

Liam hat sie aufbewahrt, ohne sie jemals zu erwähnen –
die Landschaft aus Pappmaché etwa, die wir Captain Daddy nach
vielen geheimen Arbeitsstunden
zum ersten Weihnachtsfest geschenkt hatten,
das wir ohne Shona verbringen mußten.

Diese Landschaft, das maßstabgetreue Modell
eines Tales an der Straße nach Macroom, sollte den
(von Büschen und Bäumen aus Moos beschatteten)
Schauplatz eines Heldentodes darstellen,
jenen Ort, an dem Michael Collins,
der Heerführer der Irisch-Republikanischen Armee,
im Geburtsjahr unseres Vaters erschossen worden war –

von Verrätern aus den eigenen Reihen oder
von Handlangern der englischen Krone –
Captain Daddy wußte zum Leben und Tod seines Idols
immer neue Verschwörungstheorien,
immer neue Namen von Mördern,
die er einer von Jahr zu Jahr wachsenden Sammlung
von Büchern und historischen Journalen entnahm.

Der Captain war damals von unserem Geschenk so gerührt,
daß er eine bethlehemitische Gipsfigurenszenerie
mit Gottesmutter, Heiligem Joseph samt neugeborenem,
noch in Windeln liegenden Erlöser und betenden Hirten
(die in den Weihnachtstagen auf dem Kaminsims
an die Menschwerdung eines Gottes erinnern sollte)
durch unser Panorama ersetzte.
Wir konnten so unseren Heldenplatz
mit Gipsschafen aus dem abgeräumten Bethlehem
noch überzeugender gestalten.

Auch ich habe es nicht übers Herz gebracht,
die Pappmachélandschaft wegzuwerfen.
Sie war Teil der ersten Fracht,
die ich von Horse Island ans Festland schaffte.
Nun steht sie zwischen Whiskeyflaschen
auf einem Regal in Eamons Bar.

Manchmal glaube ich, daß mein Bruder das Haus
auf Horse Island auch deswegen gebaut hat,
um endlich einen Speicher für die vielen Dinge
jener Leidenschaften zu haben,
die ihn über Leerstellen
und unerfüllbare Sehnsüchte hinwegtrösten sollten:
die Rechner, die Bildschirme, die Bücher,
die Meßinstrumente und Ausrüstungsgegenstände
für ein Leben am Meer und im Hochgebirge,
die Kletterseile, Harpunen, Zelte, Biwaksäcke,
seine Sammlung alter Globen und Landkarten ...

Selbst Fotografien und Ansichten
aus dem *wahren Irland* unseres Vaters
hat Liam in jenem Pappkoffer aufbewahrt,
den Captain Daddy zeitlebens
für seine Reise- und Fluchtpläne bereithielt,
ohne ihn je zu benützen.

Die Sammelwut hat Liam wohl von unserem Captain geerbt.
Ich erinnere mich an mein Entsetzen, als unser Vater,
ein Mann, der sich selbst von zerrissenen Teerjacken
und Gerümpel nur schwer trennen konnte,
am Tag nach Shonas Flucht, ihre Kleider, ihre Schuhe,
Blusen, Schultertücher, alles, was sie
in den Schränken zurückgelassen hatte,
in ein Ölfaß stopfte und in Brand steckte.

Ich habe die Schöße eines mit gelben Rauten
gemusterten Sommerkleides im Feuer flattern sehen.
Shona hatte mich in diesem Kleid
aus dem Krankenhaus von Bantry abgeholt,
als ich dort, nach einem Sturz
vom Fallreep der Fähre nach Cape Clear
auf das Pflaster der Mole,
mit beiden Armen in Gips die ersten Nächte meines Lebens
außerhalb meines Elternhauses verbringen mußte
und glaubte, an meinem Heimweh sterben zu müssen.

Wenn ich jetzt auf meiner Insel wachliege
oder die Lichtfinger von Dunlough
mich aus der Finsternis und aus einem Traum
in mein hallendes Zimmer zurückziehen,
erscheinen mir in chaotischer Folge Szenen und Schauplätze
meiner jüngsten und fernsten Vergangenheit –
der verwilderte Garten unseres Elternhauses;
das im Dickicht der Auffahrt versinkende
Wrack eines Ford Galaxy;
Manövernächte in den Cahas –

und immer wieder Stationen meiner Rückreise
von Drogsang nach Chengdu,
meiner Rückkehr ans Meer:
der Händler aus Ya'an, der mir geholfen hat
(und mir wohl auch ein weiteres Mal helfen wird);
die maßlosen Forderungen eines chinesischen Grenzsoldaten,
damit er die Verfallsdaten meiner Permits übersah;
Eamons schwarzer Anzug; seine Tränen,
als er mich am Flughafen von Cork empfing;
die Totenwache in der Kirche von Dunlough,
nach der alle Trauernden in Eamons Bar geladen

und dort bewirtet wurden, bis man Trinksprüche
auf Liams Andenken ausbrachte
und seinen Namen in die Strophen
einer Ballade aus Galway einsetzte und sang,
immer wieder sang.

Manchmal habe ich das Gefühl,
ich müßte aus noch einem
und einem weiteren Traum erwachen,
um endlich dort anzukommen, wo ich wirklich bin.
Und manchmal bin ich mir nicht einmal mehr sicher,
ob mein Bruder und ich den Gipfel des fliegenden Berges
tatsächlich erreicht haben oder ob wir irgendwo oben,
sehr hoch oben, der Versuchung erlegen sind,
unseren Weg schon auf einem der Vorgipfel
für ausgestanden zu halten, auf einem Vorgipfel,
von dem uns dann der Sturm in die Tiefe zurückjagte.

Erst allmählich verfliegen die Zweifel und ich erkenne,
daß alles war, wie es war, und daß ich es bin, ich,
der geborgen im Dunkel auf Horse Island liegt,
im Schlafsack, weil auch mein Bett bereits
im Schuppen hinter Eamons Bar lagert.

Dann höre ich den Chor der Sturmgeräusche,
höre das bedrängte, seufzende Haus,
höre den Brandungsdonner aus der Tiefe
und schlafe beruhigt weiter, erleichtert,
daß auf Horse Island alles getan ist
und ich bloß warten muß
auf das Nachlassen des Windes,
auf ein sanfteres Meer.

Christoph Ransmayr

Die Schrecken des Eises und der Finsternis

Roman

Mit 11 Abbildungen

Band 5419

Im Zentrum dieses vielschichtigen Abenteuerromans steht das Schicksal der österreichisch-ungarischen Nordpolexpedition unter Weyprecht und Payer, die im arktischen Sommer 1872 in das unerforschte Meer nordöstlich der sibirischen Halbinsel Nowaja Semlja aufbricht. Das Expeditionsschiff wird jedoch bald vom Packeis eingeschlossen. Nach einer jahrelangen Drift durch alle Schrecken des Eises und der Finsternis entdecken die Männer eine unter Gletschern begrabene Inselgruppe und taufen sie zu Ehren eines fernen Herrschers »Kaiser-Franz-Joseph-Land«. Ransmayr verknüpft das Drama dieser historischen Eismeerfahrt kunstvoll mit der fiktiven Geschichte eines jungen Italieners namens Mazzini, der sich ein Jahrhundert später in Wiener Archiven für die Hinterlassenschaften der »Payer-Weyprecht-Expedition« begeistert, auf ihren Spuren schließlich in die Arktis aufbricht und mit einem Schlittengespann in den Gletscherlandschaften Spitzbergens verschwindet.

»Eine brillante Komposition, knapp und flirrend.«
Times Literary Supplement

Fischer Taschenbuch Verlag

fi 25419 / 1

Christoph Ransmayr

Die letzte Welt

Roman

Mit einem Ovidischen Repertoire

Band 9538

Dieser im Jahre seines Erscheinens (1988) als literarische Sensation gefeierte Roman, der an Schauplätzen in Rom und in den Gebirgen der Schwarzmeerküste Antike, Gegenwart und Zukunft zu einer Allzeit oder Unzeit zusammenschießen läßt, zeichnet die Spur des römischen Dichters Ovid nach, der unter Kaiser Augustus ans Schwarze Meer verbannt wurde und dort verschwand. Auf dieser Spur, die aus der historischen Wirklichkeit der ersten Jahrzehnte n. Chr. tief in die erzählerische Phantasie führt, sucht ein Freund des Dichters auf einer abenteuerlichen Reise nach dem Verbannten und seinem verbotenen Werk, den ›Metamorphosen‹. Unmerklich gerät er dabei in den rätselhaften Sog dieser Erzählungen und wird zum Zeugen eines Dramas, in dem sich die erfundenen Gestalten eines Buches von der Schrift zu lösen und in leibhaftige Menschen zu verwandeln beginnen. Am Ende erkennt der Sucher hoch oben in den Bergen, daß auch er selbst seinen Weg nicht als historische Gestalt, sondern als Figur eines Romans beschließen wird.

»Großartig, die eindringliche Darstellung
der Szenerie ... überwältigend, die magnetische
Zauberkraft der Handlung.«
New York Times

Fischer Taschenbuch Verlag

fi 29538 / 2

Christoph Ransmayr
Morbus Kitahara
Roman
Band 13782

Im fiktiven »Frieden von Oranienburg«, den Jahrzehnten nach einem Weltkrieg, die nicht dem Wiederaufbau, sondern allein der Rache und Vergeltung gehören, begegnen sich drei Menschen in Moor, einem wüsten Kaff im Schatten des Hochgebirges: Ambras, der »Hundekönig« und ehemalige Lagerhäftling; die Grenzgängerin Lily, die als »Brasilianerin« Jagd auf ihre Feinde macht; und Bering, der »Vogelmensch« und Leibwächter, der an einer rätselhaften Krankheit leidet: Morbus Kitahara, der pathologischen Verfinsterung des Blicks.

»Im Sog einer ingeniös konstruierten,
mit einer schillernden Mythologie grundierten und
mit vielfachen Bilder- und Motivketten durchzogenen
Handlung verfolgt man atemlos, wie die Figuren den
geschlossenen Kreis der Hölle ausschreiten.«
Andreas Breitenstein, Neue Zürcher Zeitung

Fischer Taschenbuch Verlag

fi 13782 / 2

Christoph Ransmayr

Der Weg nach Surabaya

Reportagen und kleine Prosa

Band 14212

Christoph Ransmayr begann seine literarische Arbeit als Redakteur und Reporter. Er schrieb seine ersten Artikel für die Kulturzeitschrift Extrablatt, später für Merian oder Geo, und vor allem für TransAtlantik. Aus der großen Zahl dieser Arbeiten hat er jetzt die wichtigsten Stücke ausgewählt und in einem Band zusammengefaßt. Diese Sammlung führt nicht nur die epischen Möglichkeiten der Form der Reportage vor, wenn sich ein Erzähler ihrer bedient. Sie zeigt auch die Hinwendung des Reporters Ransmayr zu den Stoffen und Gestalten seiner späteren Romane. Seine Reportagen erzählen von den Staumauern in Kaprun oder vom Geburtstag einer neunzigjährigen Kaiserin, von Kniefällen in Czenstochau oder vom Leben der Bauern und Fischer im nordfriesischen Wattenmeer. Den zweiten Teil des Bandes bilden fünf Prosaarbeiten, in denen er von den unterschiedlichsten Epochen und Weltgegenden berichtet: Vom Labyrinth des Königs Minos auf Kreta, von Konstantinopel kurz vor der Eroberung durch Sultan Mehmet 1453 oder von der Freien Republik Przemyśl am Ende des Ersten Weltkriegs.

Fischer Taschenbuch Verlag

fi 14212 / 2

Christoph Ransmayr
Die Unsichtbare
Tirade an drei Stränden
96 Seiten. Gebunden

Eine ins Kino vernarrte Souffleuse verliert während einer katastrophalen Vorstellung ihr Textbuch und beginnt nach dem Schlußvorhang das Theater zu verfluchen. Sie, die stets flüsternd, stets unsichtbar dem stockenden Spiel auf der Bühne die Fortsetzung einhauchen mußte, wird in den nächtlichen Kulissen dreier Meereslandschaften nun selber zur Hauptfigur: beschimpft zwischen hölzernen Eisbergen vor der Westküste Grönlands gedächtnisschwache Schauspieler, erinnert sich unter Kokospalmen aus Pappmaché an eine bittere Liebesgeschichte am Golf von Bengalen und an den Beginn ihres eigenen Irrwegs zur Bühne und verwandelt sich schließlich in den Kulissen einer antiken Tragödie an der thessalischen Ägäis in einen Filmstar. Und spielt in ihrem Zorn, ihren Enttäuschungen und allem Schwärmen fürs Kino doch nur und wieder – Theater.

S. Fischer

fi 1-062924 / 1

Christoph Ransmayr
Die Verbeugung des Riesen
Vom Erzählen
96 Seiten. Gebunden

Christoph Ransmayr hat sich neben der Arbeit an seinen in alle Weltsprachen übersetzten Romanen immer wieder programmatisch mit den Spielformen des Erzählens beschäftigt – in seinem Prosaband ›Der Weg nach Surabaya‹ etwa, auch als Dichter zu Gast der Salzburger Festspiele im sieben Abende umfassenden Zyklus ›Unterwegs nach Babylon‹.

In der ›Verbeugung des Riesen‹ verwandelt Ransmayr Gefährten und Freunde in Gestalten seiner Erzählungen – unter ihnen der Dichter Hans Magnus Enzensberger, der Philosoph Karl Markus Michel, der Theaterdirektor Claus Peymann und – als Weggefährte im Tiefschnee des westlichen Himalaya – auch der Nomade Reinhold Messner. Virtuos und mit manchmal verblüffender Ironie führt Ransmayr dabei vor, wie sich das Nachdenken über Spielformen des Erzählens wieder in Geschichten verwandelt.

S. Fischer

fi 1-062926 / 1

Christoph Ransmayr
Geständnisse eines Touristen
Ein Verhör
144 Seiten. Gebunden

Wer fragt, will Geschichten hören. Wer antwortet, erzählt. So können Gespräche, selbst Interviews, zu einer Quelle und Spielform des Erzählens werden. In den ›Geständnissen eines Touristen‹ hat Christoph Ransmayr Fragen, die ihm von der internationalen Presse im Verlauf von Jahren gestellt wurden – über Politik und Erlebnis, Literatur, Geschichte, Kritik, auch über das Verschwinden –, in ein fiktives Verhör verwandelt, das in gelassenen, poetischen oder bloß lachenden Antworten von den Abenteuern eines reisenden Schriftstellers erzählt.

»Zwischen diesen Polen, ausgelassener Albernheit und umsichtiger Weisheit, bewegt sich der Text dieser heiteren, bösen, souveränen Selbstaussage.«
Die Zeit

S. Fischer

fi 1-062927 / 1

Christoph Ransmayr

Damen & Herren unter Wasser

Eine Bildergeschichte nach 7 Farbtafeln
von Manfred Wakolbinger

86 Seiten. Gebunden

Ist es das Paradies, was uns erwartet? Ist es die Hölle? Sieben »Damen & Herren unter Wasser« erleben beides: des einen Erlösung ist des anderen Inferno.

In der neuesten seiner »Spielformen des Erzählens«, die seit 1997 bei S. Fischer in loser Folge und gleicher Ausstattung erscheinen, stellt Christoph Ransmayr die »Bildergeschichte« in eine Reihe, in der er bereits Festrede, Tirade oder Verhör als Varianten einer ebenso vergnüglichen wie vielschichtigen Prosa vorgeführt hat. Diesmal erzählt er zu den Unterwasserfotografien von Manfred Wakolbinger die Geschichten von sieben, allein durch ihre Wasserscheu verbundenen Damen und Herren, die sich eines Tages in Meerestiere verwandelt in der Tiefsee wiederfinden.

»Für Momente glücklich,
wer dem Gespräch der Wasserwesen lauschen und
in diese ›Spielform des Erzählens‹ abtauchen darf.«
Die Zeit

S. Fischer

fi 1-062937 / 1